Madeleine Pelletier jeune, BMD.

## Dans la même Collection *Des femmes dans l'histoire*

# Madeleine Pelletier

## (1874-1939)

*Logique et infortunes*
*d'un combat pour l'égalité*

*Ouvrage publié avec le concours*
*du Centre national des lettres*

Ce livre est issu d'un colloque organisé par le CEDREF (Centre d'études de documentation et de recherches féministes), qui a eu lieu à Jussieu les 5–6 décembre 1991, grâce au soutien du Conseil Scientifique de l'Université de Paris VII et du Laboratoire Histoire et Civilisation — sociétés occidentales de Paris VII.

Cet ouvrage représente pour partie un numéro spécial des *Cahiers du CEDREF* et a bénéficié à ce titre du soutien de l'Université de Paris VII.

Christine Bard, organisatrice de ce colloque et responsable de la publication de ces actes, tient à remercier chaleureusement ses ami-e-s et collègues qui ont contribué à ce livre, et parmi eux, Charles Sowerwine, qui est venu d'Australie, Felicia Gordon, qui est venue d'Angleterre, Evelyne Peyre, qu'elle a enlevée à son laboratoire d'anthropologie physique, Léonor Penalva, qu'elle a détournée de son cabinet d'analyste. Elle dédie cet ouvrage à Michelle Perrot, professeur à l'université de Paris VII, qui a soutenu ce projet dès son origine, et à Marie-Victoire Louis, qui lui a soufflé l'idée à l'oreille, un beau soir d'été, il y a deux ans.

En couverture : Dessin tiré de la revue *Le Droit des femmes*, 1928, Bibliothèque Marguerite Durand.

Si vous désirez être tenu régulièrement au courant de nos parutions, et des activités de l'association Côté-femmes, il vous suffit d'envoyer vos nom et adresse aux éditions Côté-femmes. Vous recevrez gratuitement notre catalogue et le bulletin d'information.

Dépôt légal, 4e trimestre 1992
ISBN - 2-907883-53-4
ISSN 1158-5862

# Madeleine Pelletier

# Logique et infortunes d'un combat pour l'égalité

*Sous la direction de Christine Bard*

Jean-Christophe Coffin,
Anne Cova,
Félicia Gordon,
Laurence Klejman,
Claudie Lesselier,
Marie-Victoire Louis,
Claude Maignien,

Léonor Penalva,
Michelle Perrot,
Evelyne Peyre,
Florence Rochefort,
Francis Ronsin,
Charles Sowerwine,
Claude Zaidman.

côté-femmes

# Introduction

## Christine Bard

> « Cette Doctoresse Pelletier, qu'en des temps
> moins indulgents à tous les excès de la liberté de la presse
> et de la parole, on eût internée soit en prison, soit dans un
> hospice, où elle pût tout à son aise caresser son rêve de
> chiennerie universelle [1]. »  Théodore Joran, 1908.

Madeleine Pelletier, née à Paris en 1874, meurt à l'asile de Perray-Vaucluse en 1939, là où Théodore Joran, ce champion de l'antiféminisme au début du siècle, souhaitait la réduire au silence.

Cette figure oubliée du féminisme, militante engagée par la plume et par la parole, traverse en révolutionnaire la IIIᵉ République parfois « radicale » et bien souvent conservatrice. Attachée à de multiples causes : l'émancipation des femmes, la libre-pensée, la franc-maçonnerie, le socialisme, le communisme, le pacifisme, une certaine idée de l'anarchisme, le néo-malthusianisme, elle s'investit à l'extrême gauche des courants politiques du début du siècle. Cursus classique d'une « insoumise chez les révolutionnaires », selon Francis Ronsin.

Car ces combats, elle les livre à sa manière : elle n'est pas une féministe comme les autres, et son parcours à gauche est mouvementé. Elle passe d'une tendance à l'autre au sein du parti socialiste, se convertit au communisme en 1920, mais, toujours hétérodoxe, elle rompt avec le parti, et retrouve finalement l'extrême-gauche libertaire et pacifiste.

Est-elle avant tout féministe ? Le débat est ouvert, puisque, défendant le double militantisme, elle se sent profondément féministe et profondément socialiste.

Madeleine Pelletier, dans un mouvement féministe dominé par de grandes associations suffragistes dirigées par de respectables « bourgeoises », apparaît comme une féministe critique, en marge, insatisfaite par l'organisation d'un mouvement trop timoré, trop divisé.

Elle défend donc, le plus souvent seule, ou dans de petits groupes, les idées féministes les plus radicales qui lui vaudront de farouches inimitiés. Laurence Klejman et Florence Rochefort éclairent son combat pour le vote des femmes et montrent sa volonté de dynamiser les moyens d'action des suffragistes, trop timides à son goût. Anne Cova expose ses plaidoyers en faveur de l'avortement et de la destruction de la famille, qui la transforment en paria du mouvement féministe. Marie-Victoire Louis analyse ses idées iconoclastes, parfois contradictoires, sur la libération sexuelle, son apologie de la virginité militante — même si elle se refuse à l'imposer, ce qui semble plutôt réaliste... Je présente sa théorie de la virilisation des femmes — passage obligé vers l'égalité des sexes — et sa pratique jugée scandaleuse du travestissement. Ce « refus du devenir femme » intrigue Michelle Perrot.

Ses idées et sa personne choquent profondément les milieux féministes. L'historien Léon Abensour, pourtant solidaire de l'« aspiration collective vers l'égalité » décrite dans son *Histoire générale du féminisme* considère que :

> « Des livres comme ceux de la Doctoresse Pelletier, dernière représentante d'un féminisme périmé, semblent donner raison à l'opinion. *La Femme en lutte pour ses droits* n'est-elle pas animée contre l'homme d'une haine farouche ? Ne propose-t-elle pas comme d'heureuses réformes la suppression du mariage et l'établissement d'un service militaire féminin ? On rit, mais l'on prend au sérieux quand même, et longtemps on ne veut pas apercevoir, derrière ces éclaireuses bruyantes et isolées, la masse des féministes qui patiemment travaillent et dont l'aspect et la vue suffiraient à prouver que leurs théories sont parfaitement conciliables avec le mariage, la famille et l'ordre social [2]. »

La plupart des féministes cultivent un conformisme moral et politique qui — du moins l'espèrent-elles — augmente leurs chances de succès dans la campagne qui les occupe prioritairement, celle du droit de vote. Ainsi, au fil du temps, réclameront-elles leurs droits de citoyennes au nom de leurs devoirs d'épouse, de mère... Madeleine Pelletier récuse cette dérive — « on ne mendie pas un juste droit... » — et restera, toute sa vie, une monomaniaque de l'égalité. Elle tentera de démontrer, avant Simone de Beauvoir, avant les féministes contemporaines [3], que le « genre » est une construction sociale : les incessantes références à « la Nature » cachent l'ordre traditionnel qui assure la pérennité du masculinisme. Claude Zaidman nous montre, à travers *L'éducation féministe des filles*, comment Madeleine Pelletier met à nu les rouages sexistes de la socialisation. Tout, dans l'organisation sociale, les mœurs, le monde du travail, les lois, concourt à faire de la femme un être inférieur, infantile, superficiel. D'où des déclarations fracassantes sur la féminité, qu'elle rejette violemment, et des remarques peu amènes sur les femmes, trop lâchement résignées, et co-responsables de leur esclavage. Sa vie ne démontre-t-elle pas que l'émancipation est possible, pour certaines, ici et maintenant ? Mais Claudie Lesselier analysant son roman utopique — *Une vie nouvelle* — nous révèle une Madeleine Pelletier paradoxale, tiraillée entre collectivisme et individualisme, qui n'hésite pas à faire appel à un dictateur, seul capable de mater les noirs instincts du genre humain.

La révolutionnaire, la féministe Madeleine Pelletier est, comme tout un chacun, même si cela semble plus évident pour toute une chacune, fortement déterminée par sa vie privée. Il est certes banal de constater que le questionnement féministe modifie le privé comme de remarquer que la source de l'engagement féministe naît fort souvent de souffrances personnelles, d'une expérience intime de l'oppression des femmes, des discriminations sexistes, de l'insupportable assignation à un rôle et à un modèle féminin. L'exigence d'égalité et de liberté qui est celle des féministes jaillit de cette révolte. Madeleine Pelletier affronte ces sentiments avec une énergie exceptionnelle qui lui permet d'accomplir un certain nombre de transgressions. Et la voilà qui part à l'attaque des bastions masculins, armée d'une ambition qui, Felicia Gordon nous le rappelle, fait mauvais genre, pour une femme.

Evelyne Peyre la découvre à l'école d'Anthropologie, publiant ses premiers articles, essayant — en vain, malgré de grandes qualités — de s'imposer dans le milieu quasiment non-mixte de la recherche scientifique. Jean-Christophe Coffin la retrouve, un peu plus tard, en train de faire sa thèse de psychiatrie. Elle réussit, en 1903, à forcer l'entrée du concours des internes des asiles d'aliénés, jusque là interdit aux femmes.

Charles Sowerwine décrit ensuite sa percée au sein du parti socialiste, véritable défi lancé au monde masculin du pouvoir qui se solde par un relatif échec à faire entendre la voix des féministes en politique.

Quel parcours pour la petite fille pauvre et mal aimée qui quitte l'école à douze ans ! Quelle prouesse aussi de réussir, plus ou moins, à s'imposer dans ces milieux hostiles au féminisme intransigeant qu'elle défend, inlassablement, n'hésitant pas à s'habiller en homme, pour afficher, en tous temps et en toutes circonstances ses idées féministes !

Les manuscrits autobiographiques de Madeleine Pelletier sont là pour nous en assurer : ses théories et son travail militant ne peuvent être dissociés de sa vie, à certains égards, tragique. Ces traces autobiographiques témoignent tout d'abord de la tournure exemplaire et droite que Madeleine Pelletier tient à donner à sa vie, désertée par l'amour et l'amitié, habitée par la passion politique, et incroyablement limitée par la faiblesse des moyens d'expression pour une militante dans son genre, pauvre et isolée, au début de ce siècle. Difficultés pour publier, difficultés pour se réunir, pour manifester dans la rue. Déceptions, partout : le *Voyage aventureux en Russie*, retracé dans ce livre par Claude Maignien, n'est pas la moindre de ses déconvenues. Quand elle étouffe sous le poids de cette ambition politique toujours insatisfaite, quand la dépression rôde, elle se prend à rêver aux barricades spartakistes, au vaste mouvement ouvrier allemand, à la mort tragique de Rosa Luxembourg, qui inspire celle de son héroïne, dans *La Femme vierge*.

La France de l'entre-deux-guerres n'est pas exaltante, l'orgueil national semble s'accommoder d'un archaïque suffrage unisexuel quand partout ailleurs, ou presque, les suffragistes triomphent. L'obsession repopulatrice amène la classe politique — et les féministes — à la répression de l'avortement par la loi scélérate de 1920, combattue par celle qui en sera aussi la victime, inculpée comme faiseuse d'anges en 1939. La doctoresse, première interne des asiles d'aliénés, est alors internée dans un asile où elle s'effondre rapidement. Léonor Penalva se demande, en psychanalyste, pourquoi.

Le passage de Madeleine Pelletier à la postérité a été bien tardif, et cela ne laisse pas de nous étonner, tant on peut reconnaître en elle une précurseuse, sur le plan théorique, du féminisme le plus contemporain.

Elle a subi longtemps le sort commun — à quelques exceptions près — des femmes du passé. Mais Madeleine Pelletier représente dans ce cortège des vaincues de l'histoire une figure tout spécialement exposée à l'oubli. Comme le souligne Marie-Victoire Louis, « ne pouvant être récupérée par aucun courant de pensée, elle a été oubliée de tous ». Il a fallu attendre une conjoncture politique et sociale propice, pour que l'histoire vienne au secours de la mémoire des groupes dominés. C'est grâce à l'histoire sociale (Madeleine Pelletier figure dans le fameux *Dictionnaire biographique du mouvement ouvrier français*) et plus particulièrement à l'histoire des femmes, que s'est construite la reconnaissance de son rôle historique. Michelle Perrot évoque, dès 1973, la figure de Madeleine Pelletier dans son séminaire sur l'histoire des femmes, à Jussieu. En 1978, Claude Maignien [4] préface la réédition de certains de ses textes, rassemblés dans *L'éducation féministe des filles*. Son plaidoyer pour *Le Droit à l'avortement* peut alors résonner harmonieusement dans le concert des luttes féministes des années 1970, sans qu'il paraisse le moins du monde daté ou dépassé. Dans la collection « Mémoire des femmes » dirigée par Huguette Bouchardeau et Odile Krakovitch, Madeleine Pelletier trouve sa place, parmi d'autres théoriciennes du féminisme de la fin du XIXᵉ et du début du XXᵉ siècle : Maria Deraismes, Hubertine Auclert, Nelly Roussel, Hélène Brion... La même année, l'historien américain Charles Sowerwine publie en français son étude pionnière sur *Les femmes et le socialisme* [5], où l'on découvre une Madeleine Pelletier membre influent de la direction de la SFIO et critique du « féminisme socialiste » développé en France par Louise Saumoneau, fait de suspicions à l'égard du « féminisme bourgeois », et d'allégeance à la cause prioritaire du Parti.

Depuis 1978, certaines facettes de la vie politique de Madeleine Pelletier ont attiré l'attention d'autres chercheurs et chercheuses. Citons Francis Ronsin qui remarque, dans *la Grève des ventres*, son rôle dans le mouvement néo-malthusien [6], un milieu étonnamment très masculin et Marie-Jo Bonnet [7], qui, dans *Un choix sans équivoque*, cherchant les traces de l'homosexualité féminine, s'intéresse à cette figure étrange, proclamant sa virginité, se travestissant, flétrissant les femmes asservies dans le mariage. Deux thèses de médecine se penchent sur ce cas rare de femme, médecin et féministe [8].

Enfin, les recherches les plus récentes sur l'histoire du féminisme en France, et surtout les deux grandes études synthétiques de Steven Hause et Ann Kenney [9], et de Laurence Klejman et Florence Rochefort [10] situent l'action importante, bien que marginale, de Madeleine Pelletier, avant la première guerre mondiale, à un moment où la campagne suffragiste s'intensifie. En 1990, Felicia Gordon publie la première biographie de Madeleine Pelletier : *The Integral Feminist* [11].

Le colloque organisé par le CEDREF en décembre 1991, dont le présent livre constitue les actes, a permis de rassembler pour la première fois nombre de celles et ceux qui avaient déjà mené, dans le cadre de leurs propres recherches, un travail sur Madeleine Pelletier. A ces spécialistes se sont joints des intervenant/es appartenant à diverses disciplines. La multiplicité des regards posés sur Madeleine Pelletier est d'autant plus précieuse, que cette femme, à certains égards, lointaine, marquée par les contraintes matérielles et intellectuelles de son époque, est aussi très proche de nous si l'on songe à la modernité de certains aspects de sa pensée ou tout simplement à certaines expériences de sa vie, livrées dans ses autobiographies. C'est d'ailleurs de ce sentiment de proximité qu'a jailli le désir d'en savoir plus. La confrontation des lectures de sa vie et de son œuvre agit fort heureusement comme un antidote à l'hagiographie et à l'anachronisme. Dans ce livre à plusieurs voix, les interprétations, parfois, divergent, mais communient toutes dans l'enthousiasme de la découverte de cette vie fascinante, troublante et de cette œuvre polémique, pionnière.

Plutôt que de divergences, parlons de débat, car les thèses contradictoires de Francis Ronsin et de Charles Sowerwine sur la nature de son engagement à gauche, l'analyse que je propose de sa théorie féministe de la virilisation des femmes, qui s'oppose en partie à celle de Laurence Klejman et de Florence Rochefort — l'enjeu étant de définir précisément ce qu'est le féminisme radical — ouvrent des débats intéressants d'un point de vue historiographique, utiles d'un point de vue politique. Au consensus qui se dessine sur la logique et les infortunes du combat de Madeleine Pelletier, répond la contribution quelque peu iconoclaste de Michelle Perrot, qui insiste au contraire sur les contradictions, l'ambivalence, le conformisme parfois du personnage. C'est collectivement que nous devons accueillir l'héritage de celle qui, en s'adressant à des générations qu'elle ne connaîtrait pas, regrettait d'être née plusieurs siècles trop tôt.

Bien sûr, ce colloque ne suffit pas pour traiter tous les aspects de la vie et de l'œuvre. Et nous renvoyons volontiers la lectrice ou le lecteur à la première biographie, en français, résultat des longues années de recherche de Charles Sowerwine et de Claude Maignien [12], en souhaitant que, bientôt, la lecture de ses principaux ouvrages soit facilitée par une belle réédition.

# Parcours biographique

## Claude Maignien

« Le lot de la femme supérieure, c'est le désert absolu, elle ne connaît de l'originalité que son fruit amer, la haine des autres, elle paie de la solitude sa révolte contre l'ordre social. »

Lucide, voire désespérée, Madeleine Pelletier lorsqu'elle écrit ces mots définit exactement son existence. Etrange figure de l'histoire des femmes, totalement atypique, sa vie constitue le récit douloureux et désenchanté des espoirs révolutionnaires et féministes de la Troisième République. Car son itinéraire la mène à travers l'émergence chaotique du socialisme au communisme en passant par l'anarchisme et témoigne de la difficulté d'être femme et d'affirmer son féminisme au sein d'une gauche versatile, qui promet mais ne tient pas à l'égalité des sexes. Celle qui se définit comme « féministe intégrale » et revendique par cet énoncé toutes les émancipations : politiques, économiques, sociales, intellectuelles et sexuelles va tenter inlassablement de concilier féminisme et socialisme, émancipation et révolution. Madeleine Pelletier veut sa revanche contre le destin d'être née femme, symbole pour elle d'esclavage et de mise à l'écart.

Intellectuelle, elle se pense investie d'une mission à la fois singulière et universelle. Croyant au progrès, aux élites et aux traditions révolutionnaires, matérialistes et anticléricales de la Troisième République, Madeleine Pelletier défend l'idée de son rôle dans l'activité politique et invoque sa responsabilité. Témoin de son temps, elle est animée de l'idée messianique que l'on peut changer le monde. Son baptême se fait de façon classique au moment de l'Affaire Dreyfus qui détermine son intervention sur le terrain du politique : « elle ne voyait du côté antidreyfusard que des esprits rétrogrades, des gens de la monarchie, de la religion, du patriotisme grossier, de l'oppression des masses. Elle connaissait ce monde qui avait entouré son enfance et elle le détestait. Du côté dreyfusard, au contraire, était la libre pensée et la démocratie [1]. »

Avocate de la liberté sous toutes ses formes, défenseur des droits de l'individu et singulièrement des droits des femmes et des enfants qui sont niés, elle prend parti, s'engage et prend des risques même au moment où la conjoncture prend la forme exacerbée du fascisme. C'est au nom de ses idéaux qu'elle lutte, jusqu'à son enfermement dans un asile, pour le néo-malthusianisme. Et c'est au nom de la liberté qu'elle développe par la parole et par l'écrit la critique d'une société fondée sur l'inégalité de classe et de sexe.

Ses théories sont basées sur la construction sociale de l'identité sexuelle. Avant Simone de Beauvoir elle affirme que l'on ne naît pas femme, on le devient et que le devenir féminin est inférieur. Cette théoricienne nous laisse un énorme héritage conceptuel qui nous touche par l'originalité de sa pensée sur l'émancipation des femmes.

Militante acharnée, ennemie de tout dogmatisme mais sans compromis elle s'attache à nous montrer les différents paliers de sa prise de conscience, ses hésitations à travers une ligne politique continue. Cette urgence du militantisme nous donne l'impression d'une révolte vécue contre ses pulsions de mort afin de vouloir à tout prix survivre à son milieu.

Sa volonté de jouer un rôle politique sur la même scène masculine l'expose à la vindicte. Jugée dérangeante, outrancière, sulfureuse, elle est celle par qui le scandale arrive. Dénigrée, ridiculisée, caricaturée comme « bas-bleu politique », pétroleuse ou suffragette elle est finalement dénoncée comme folle. Mais Madeleine Pelletier aime scandaliser, elle s'enorgueillit de sa façon de s'habiller jugée indécente. « Vierge rouge », elle va laisser planer le doute sur ses mœurs. Car cette femme dont le corps symbolique est si privé de chair ne peut vivre son lesbianisme qui affleure. Il est possible d'y voir l'influence morale de sa classe sociale défavorisée qui fantasme sur les excès charnels d'une bourgeoisie hédoniste.

## UNE ENFANCE TRAGIQUE

Madeleine Pelletier naît le 18 mai 1874 à Paris, rue des Petits Carreaux dans le II<sup>e</sup> arrondissement, dans la misérable arrière-boutique de fruits et légumes de ses parents. Tous deux sont « montés à Paris » récemment pour y travailler, lui, originaire des Deux-Sèvres comme cocher de fiacre, elle, venant de Clermont-Ferrand comme domestique. Les nombreuses naissances du couple le contraignent à prendre un petit commerce, palier ultime avant la misère.

La famille vit dans la pauvreté, la crasse et le manque d'hygiène et seuls deux enfants, un frère aîné et Madeleine survivent. Elle décrit dans un roman en partie autobiographique *La Femme Vierge*, le malheur d'être une petite fille haïe par sa mère. Son enfance est en effet marquée par un père faible et bientôt paralysé et une mère très intelligente mais cléricale farouche et royaliste fervente.

Les grossesses à répétition de sa mère, la mort en bas âge de ses frères et sœurs, le dégoût de son corps lié à l'apparition de ses règles la conduisent à un réel désespoir de devenir femme. La sexualité et les hommes lui sont présentés par un père plutôt pervers et les bigotes qui entourent sa mère de façon hallucinante. C'est donc très tôt qu'elle décide de rester célibataire, choquée par les rôles attribués dans la société à l'homme et à la femme. Le célibat militant qu'elle défendra toute sa vie est lié à un refus du féminin et de la sexualité.

Seule lueur dans l'obscurité qui cerne son enfance : le goût de l'étude. Mise dans une école religieuse, la petite fille souffre de se sentir exclue par ses camarades et doute de l'existence de Dieu mais elle est assoiffée de connaissances. Autodidacte, elle naît à la vie intellectuelle à travers les livres qu'elle dévore passionnément dans la bibliothèque de son quartier.

Entre fugues et conflits, elle connaît une adolescence tourmentée et errante. Vers 15, 16 ans elle fréquente des groupes anarchistes qui lui ouvrent de nouveaux horizons politiques et intellectuels.

## SA CARRIÈRE SCIENTIFIQUE
## (1896-1906)

A l'âge de vingt ans elle décide de préparer seule le baccalauréat et d'entreprendre des études médicales. Comment peut-elle survivre et suivre des études longues et coûteuses ? Elle n'en parle pas dans ses mémoires, mais obtient son baccalauréat en 1896. Passionnée par l'étude et le désir ardent de réussir, elle a la volonté d'infléchir une situation objective peu enviable. En 1897, elle passe la deuxième partie qu'elle obtient avec la mention "très bien". Madeleine Pelletier peut alors s'inscrire au P.C.N. (certificat d'études physiques, chimiques et sciences naturelles), année d'étude préalable à l'entrée en faculté de médecine.

Le gouvernement la dispense des droits d'inscription pour ses quatre premières années d'études. A partir de 1901, elle obtiendra une bourse.

Lorsqu'elle entame sa deuxième année de médecine en 1899, seules 129 femmes, dont 100 étrangères, sur 4500 étudiants mènent ce genre d'études. Dès 1900, elle est externe à l'hôpital Trousseau puis à Necker. En 1902, elle suit un stage à la maison d'accouchement de Baudeloque.

Elle s'enthousiasme pour l'anthropologie et travaille à l'Ecole d'anthropologie avec Letourneau et Manouvrier. Elle y étudie la craniométrie et publie dès 1900 ses premières recherches. Toutefois, elle ne peut y faire carrière, l'école n'offrant pas de débouchés. De plus le paradigme impliquant que le volume plus restreint des cerveaux de femmes prouve leur infériorité lui déplaît profondément.

En 1901-1902 elle s'intéresse à la psychologie alors qu'elle est interne suppléante de l'asile de Villejuif. Elle rédige sa thèse sur l'*Association des idées dans la manie aiguë et dans la débilité mentale*. A sa soutenance, les membres du jury se déclarent extrêmement satisfaits. Elle demande alors à passer le concours de l'internat des asiles en novembre. Mais on ne lui permet pas de concourir, la loi stipulant que les candidats doivent jouir de leurs droits politiques, ce qui excluait les femmes. Entamant la lutte avec le journal *La Fronde*, elle est soutenue par les sept membres du jury qui protestent tous contre son exclusion.

En 1903, elle est admise à se présenter au concours, où elle est classée sixième sur les onze lauréats. Madeleine Pelletier va exercer pendant quatre ans comme interne et en 1906 elle décide de passer le concours d'adjuvat pour devenir médecin adjoint des asiles d'aliénés. Sa demande est rejetée, le règlement exigeant aussi que le candidat jouisse de ses droits politiques.

Le gouvernement réagissant avec une vitesse inaccoutumée à sa demande de dérogation, elle se présente au concours non préparée et échoue à l'épreuve d'admissibilité.

Le 30 mars 1906, Madeleine Pelletier prête serment comme médecin des Postes devant le greffe de la justice de paix du XIVᵉ arrondissement. Pour elle, c'est un échec douloureux.

## DANS LA FRANC-MAÇONNERIE
### (1904-1907)

Madeleine Pelletier est initiée en 1904 dans la loge mixte du *Droit Humain* fondée en 1894 par Maria Deraismes et rattachée à l'obédience de la *Grande Loge Symbolique Ecossaise* (GLSE). La Franc-maçonnerie incarne, pour Madeleine Pelletier, l'ensemble des valeurs fondamentales auxquelles elle croit : républicanisme, matérialisme, anticléricalisme et progressisme.

C'est aussi une école d'initiation à la politique et une force réelle depuis l'Affaire Dreyfus. Mais les deux obédiences régulières *Le Grand Orient de France* et *La Grande Loge de France* refusent l'admission des femmes. Elle devient très vite secrétaire à la G.L.S.E. et donne des conférences à la *Philosophie Sociale* où son succès lui crée des hostilités. Elle entre alors à *Diderot* puis est élue secrétaire trésorière du Bulletin, nomination très importante. Fin 1905, elle devient vénérable de *Diderot* tout en entrant dans une autre loge, *La Nouvelle Jérusalem*.

Conférencière très en vogue, Madeleine Pelletier prend trop d'importance pour les obédiences régulières. Après une âpre lutte elle perd son poste de trésorière et s'engage dans un autre conflit dans *La Nouvelle Jérusalem* qui décide alors de quitter l'obédience mixte et d'exclure les femmes.

En 1906, une nouvelle loge mixte appelée *Stuart Mill* est formée et la direction en est confiée à Madeleine Pelletier.

En 1907, malgré son exclusion de la *Grande Loge Symbolique Écossaise* elle restera maçonne toute sa vie, renouant après la guerre avec *Le Droit Humain*.

## DANS LE FÉMINISME ET LE SOCIALISME
## (1905-1914)

« En même temps que partisan de l'égalité sociale des sexes, je le suis aussi de la suppression des classes et je pense que cette dernière ne pourra se faire que par la révolution. Mais l'égalité des sexes peut fort bien se réaliser dans la société présente. » Madeleine Pelletier résume par cette phrase la complexité des luttes qu'elle mène dans les deux grands courants progressistes de son temps. Cette double articulation, féminisme et socialisme, va être pour elle la recherche de la quadrature du cercle. Le domaine politique reste le sanctuaire masculin, mais entre féministes et socialistes les rencontres sont inévitables, la plupart du temps conflictuelles. Trop souvent les révolutionnaires excluent les femmes de leur projet.

Dans sa volonté de réaliser « l'équivalence des sexes », elle s'attache à lier l'émancipation des femmes à l'émancipation générale. A l'encontre de ceux qui envisagent l'égalité dans la société future, une fois la révolution accomplie, Madeleine Pelletier estime qu'elle « sera surtout l'œuvre des femmes elles-mêmes ». Pour cela elle appelle de ses vœux la création de vastes organisations féministes autonomes et dans le but de pénétrer les partis politiques existants afin de faire passer les revendications des femmes.

Sommée en permanence de choisir entre féminisme et socialisme, Madeleine Pelletier refuse tout compromis.

## La voie féministe

C'est pendant l'hiver 1905-1906 qu'elle devient responsable de *La Solidarité des femmes*, auquel elle impulse son énergie. Ce petit groupe féministe dynamique multiplie les initiatives : jets de tracts à la Chambre des Députés, réunions avec les suffragistes anglaises, collages d'affiches. Au cours de l'hiver 1907-1908, Madeleine Pelletier fonde un mensuel, *La Suffragiste*, dont le titre indique bien la priorité qu'elle accorde au droit de vote, mais le contenu fait une large place au droit à l'avortement, au travestissement, à la dénonciation de la violence et de la double morale. En féministe intégrale, revendiquant toutes les émancipations, elle élabore une pensée originale.

Mais les conflits sont nombreux entre Madeleine Pelletier, jugée trop radicale et masculine, et les « féministes en décolleté » qu'elle méprise et dénonce dans ses textes.

## La voie socialiste

Madeleine Pelletier fait partie de celles qui rejoignent les rangs des socialistes, lucides sur leurs limites à l'égard des femmes. Sensibilisée à la misère sociale et à l'injustice par son enfance, elle rejoint tout naturellement la S.F.I.O.

En 1906, elle entre dans la XIVe section du parti dominée par la fraction guesdiste. C'est au cours de l'été de la même année qu'elle réussit à faire voter une résolution sur le suffrage des femmes dans sa section, et à la présenter au Congrès de Limoges. Sa motion est votée à l'unanimité car « jugée sans importance ».

Son texte est présenté à nouveau en 1907 au Congrès de Nancy et Madeleine Pelletier se heurte à l'hostilité et au mépris de la salle.

La Conférence Internationale des Femmes Socialistes à Stuttgart réaffirme la nécessité du droit de vote mais proscrit le féminisme, jugé bourgeois, hors du socialisme. Madeleine Pelletier qui défend l'idée que les féministes des deux camps ont tout intérêt à combattre côte à côte est mise en minorité.

Entre 1907 et 1910, elle rentre dans la fraction hervéiste de tendance insurrectionaliste. Peu nombreux mais offensifs, les militants lui offrent une ascension rapide à un poste clé : elle accède à la Commission administrative du parti alors qu'Hervé est emprisonné. L'hostilité à son égard est forte, elle est accusée de « collaboration de classe » et caricaturée de manière insultante. Toutefois le parti la choisit comme candidate aux élections législatives de 1910 dans un quartier sans espoir : La Madeleine.

Les tensions s'aggravent avec les socialistes mais en 1912 elle est à nouveau candidate, cette fois dans le VIIe arrondissement. A cette occasion elle écrit : « je crains que le parti socialiste ne me donne pas de circonscription ; en fait comme vous le savez il est hostile au féminisme ».

## L'ÉPREUVE DE LA GUERRE
## (1914-1918)

Vécu comme l'échec de l'internationalisme et du pacifisme le conflit génère une profonde dépression chez Madeleine Pelletier : « le progrès humain est un mythe » reconnaît-elle découragée. Ce drame s'accompagne d'une rupture avec les socialistes qu'elle dénonce comme traîtres lorsqu'ils se rallient à l'Union Sacrée. Le mouvement féministe subit aussi des transformations : la Solidarité des femmes se défait, des groupes soutiennent la guerre et créent des ouvroirs. Madeleine Pelletier refuse ces semblants de charité qu'elle hait.

Dans la vie civile la guerre produit des effets néfastes dont elle se plaint : manque de liberté, espionnite, barbarie sous-jacente. Mais surtout « les femmes ne sont rien », totalement mises à l'écart des instances de décision politique. Elle échoue à rentrer dans la Croix-Rouge : elle voulait servir sur le front dans le corps médical mais ses contacts politiques ou médicaux ne peuvent lui obtenir ce poste, réservé aux hommes ou aux femmes riches.

Se rendant à Nancy au début de la guerre, elle est prise pour une espionne et manque de se faire tuer. Mais elle veut voir elle-même les champs de bataille et se rend dans la Marne, démarche extraordinaire pour une femme seule.

Elle assiste à des meetings, mais ne se met pas en première ligne du combat pacifiste. En état de crise, elle tente de s'en sortir par son goût de l'étude et passe une licence de science à la Sorbonne. Et la révolution bolchevique de 1917 lui ouvre de nouveaux horizons politiques.

## L'ENGAGEMENT COMMUNISTE
## (1920-1926)

Madeleine Pelletier adhère avec enthousiasme à la section française de l'Internationale Communiste (S.F.I.C.) au lendemain du

Congrès de Tours. Séduite par la révolution bolchevique, elle croit aussi en l'égalité des sexes promise par le Parti Communiste.

Mais ce ralliement est difficile : à la tête du nouveau parti se trouvent ses anciens ennemis socialistes qui lui ont fait quitter la S.F.I.O.

Dès 1920, elle devient rédactrice à *La Voix des Femmes* où par ses très nombreux articles elle fait de la propagande en faveur de « l'Etat modèle ». Le journal s'est rallié au Parti Communiste dès janvier 1921, mais la rédaction est déchirée entre celles qui défendent le féminisme avant tout et celles qui croient à la supériorité absolue du socialisme ; éternel débat enclenché à Stuttgart ! Pressentie par son journal pour aller assister à la conférence des femmes communistes de la Troisième Internationale qui se tient à Moscou à partir du 11 juin 1921, elle est évincée par Lucie Colliard qui, mandatée par le Parti, se rend en Russie.

Malgré son adhésion aux 21 *conditions*, ses multiples articles et ses très nombreuses interventions dans des meetings au cours de l'année 1921, Madeleine Pelletier n'est pas en odeur de sainteté auprès de la direction. Désirant se rendre à Moscou, elle se voit refuser une recommandation officielle. Sa demande de passeport pour se rendre en Allemagne est rejetée.

Madeleine Pelletier qui désire de toutes ses forces voir la Russie socialiste en élaboration part clandestinement pour Moscou en juillet 1921. Mais avant d'atteindre « La terre promise », elle va vivre bien des péripéties et affronter de nombreux dangers : son voyage aventureux dure six semaines et c'est une femme épuisée, en pleine dépression, ayant perdu ses bagages et s'étant fait voler son argent qui arrive à l'hôtel Lux, caravansérail de l'Internationale. La situation en Russie est effroyable : famine, typhus, désorganisation économique, terreur politique. Madeleine Pelletier qui se promène librement dans la ville va faire un témoignage lucide et sans concession. Elle dénonce la bureaucratie qui envahit tous les rouages de la société, le fatalisme d'une population qui subit la révolution au lieu d'y participer et la terreur ambiante. Elle décrit « l'insécurité des personnes, la surveillance policière, les soupçons, les jugements hâtifs et sans recours ».

Celle qui a fait ce pèlerinage pour étudier la situation des femmes établit un constat contradictoire : les lois qui sanctionnent l'inégalité sont abolies, les mœurs ont évolué mais « la Russie bolchevique n'a pas complètement rejeté le vieux préjugé du sexe ». En effet les femmes participent peu à peu à la vie politique et sont confinées dans des problèmes liés au ravitaillement, à la maternité et au soin des enfants.

Si son enthousiasme pour la Russie des soviets est fortement ébranlé, Madeleine Pelletier reste pourtant dans les rangs du parti Communiste. Mais peu à peu le désaccord idéologique s'accroît. *La Voix des Femmes* trop indépendante est évincée au profit de l'*Ouvrière*. En 1922, elle critique la section féminine mise en place par le parti, qui se déchaîne contre le féminisme dit « bourgeois ». Bravant les interdits elle écrit à partir de 1923 dans de nombreux journaux anarchistes dont le *Semeur de Normandie, Les Vagabonds*, etc. dans lesquels elle critique les dirigeants bolcheviques. De petites éditions anarchistes publient ses brochures féministes. Malgré l'interdiction faite aux militants du Parti de rester dans la franc-maçonnerie, Madeleine Pelletier en prend publiquement la défense au *Club du Faubourg*. Fondé par Léo Poldès, ce club organise des débats publics totalement libres sur toutes les questions d'actualité. Le parti interdisant toute participation de ses militants, elle reçoit un blâme pour avoir parlé au grand jour des affaires internes. Elle s'entend très mal avec Suzanne Girault qui, à partir de 1924, assume la direction du parti communiste dans la région parisienne. L'Internationale communiste a engagé un processus de « bolchevisation » qui entraîne un changement structurel du parti. Toute cette organisation manque d'âme pour Madeleine Pelletier. Mise à l'écart, interdite de parole dans les meetings communistes, ses articles refusés dans les journaux du parti, l'indisciplinée quitte le P.C. au milieu de l'année 1926 avant d'être exclue.

## DANS LA MOUVANCE ANARCHISTE
## (1926-1931)

Si la rupture avec le parti communiste est consommée, Madeleine Pelletier à l'inverse de très nombreux militants ne semble pas la vivre dans le désespoir. N'abandonnant rien de ses idéaux, elle reste révolutionnaire. Ayant besoin d'une scène politique où agir, elle rejoint les anarchistes dont le mouvement rebelle à toute discipline est divisé, dispersé en une multitude de journaux et revues. Elle collabore alors à *Plus Loin* entre 1927 et 1929, au *Semeur, Contre tous les tyrans,* à *Lueurs,* à l'*Anarchie,* à l'*Intransigeant,* à La *Nouvelle Revue Socialiste,* etc. Elle y rédige des articles revendiquant une solidarité critique vis à vis de la Russie et une vigilance sans faille contre le fascisme en Italie. Malgré de nombreux points communs avec les anarchistes comme avec le néo-malthusianisme et l'individualisme elle prend des distances avec le pacifisme, totalement lucide sur la montée des fascismes et décidée à lutter même s'il faut s'allier aux communistes pour vaincre « l'âge d'acier » qui avance à grands pas.

De 1929 à 1934, elle participe à l'élaboration de l'*Encyclopédie Anarchiste* dirigée par Sébastien Faure dont le principe est de traiter méthodiquement et par ordre alphabétique les concepts utiles à l'élaboration de la pensée anarchiste.

## LE PARTI D'UNITÉ PROLÉTARIENNE
### (1930-1936)

Après l'éclatement et la diversité anarchiste, Madeleine Pelletier renoue avec sa tradition de militantisme au sein d'un parti structuré. Elle adhère au Parti d'Unité prolétarienne (P.U.P.) dirigé par Paul Louis qui a eu un itinéraire politique très proche du sien.

Le P.U.P. est créé fin 1930 par la fusion du Parti Socialiste Communiste avec le Parti Ouvrier Paysan. Tous ces groupes sont issus de scissions avec le Parti Communiste. Il se définit comme étant un parti de lutte de classe fondé sur la démocratie interne et non sur le centralisme démocratique du P.C. Il est le refuge idéal pour ceux qui nostalgiques du droit de tendance d'avant-guerre ont refusé de se plier à la bolchevisation du P.C. On apprend avec surprise dans *Ça ira,* le journal du Parti, qu'elle est secrétaire de la Commission des femmes qui s'est fondée en mars 1931, alors qu'elle a toujours dénigré les organisations spécifiquement féminines au sein des partis politiques. Le rôle de la commission à laquelle participe Angélica Balabanoff est de recruter des femmes, de traiter les questions sociales les intéressant particulièrement : éducation politique, apprentissage du discours en public. Toujours combative, Madeleine Pelletier incite le P.U.P. à émettre dans toutes les assemblées délibérantes un vœu en faveur du vote et de l'éligibilité des femmes.

## LA LUTTE ANTIFASCISTE
## (1932-1936)

Le *Mouvement Contre La Guerre Impérialiste* naît dans ces années troublées de crise mondiale qui font peser sur le monde le risque d'une nouvelle guerre. Lorsqu'en 1932, le Japon envahit le nord de la Chine, la Russie, seul pays socialiste, se trouve prise dans un étau.

Henri Barbusse et Romain Rolland, influencés par l'homme de l'ombre du Komintern Willi Münzenberg lancent un mouvement destiné à faire prendre conscience aux intellectuels des dangers qui menacent l'U.R.S.S. Madeleine Pelletier est invitée par Barbusse à figurer dans le comité directeur qui rédige un « Appel pour la tenue d'un congrès mondial contre la guerre impérialiste ». Il se tient à Amsterdam du 27 au 30 août 1932. Les craintes du comité mondial de voir naître un nouveau foyer de guerre se trouvent justifiées : le 30 janvier 1933, Hitler accède au pouvoir en Allemagne. Le comité tente alors de mettre en place un front unique contre le fascisme, une conférence se tient à Paris salle Pleyel à la suite d'un « appel du Comité mondial pour le front unique de lutte contre la guerre et son instrument le fascisme ». Meetings et manifestations se multiplient et témoignent par leur ampleur de la volonté antifasciste ambiante. Madeleine Pelletier exprime ses convictions antifascistes dans les nombreux journaux auxquels elle collabore, dans les textes qu'elle publie et au *Club du Faubourg* où elle défend ses idées avec passion.

Au lendemain du 6 février 1934, l'émotion est immense et Madeleine Pelletier vilipende les ligues qu'elle accuse de vouloir installer en France une dictature fasciste.

De nombreux comités de vigilance se constituent. L'antifascisme de Madeleine s'affirme aux dépens de ses idées pacifistes : il est trop tard, dit-elle, pour entreprendre des pourparlers avec Hitler. Lorsque le Front populaire arrive au pouvoir en avril-mai 1936, elle est séduite par la nomination de trois femmes au poste de secrétaires d'Etat. Elle croit le suffrage des femmes arrivé. Et puis Léon Blum dissout les ligues fascistes.

Mais alors que le P.U.P. se rallie au parti socialiste, Madeleine Pelletier adhère à un groupe inconnu : l'Union socialiste-communiste. Prototype de l'intellectuelle critique qui se dresse pour la défense de la démocratie contre le fascisme, Madeleine Pelletier vit dangereusement.

## LA MORT D'UNE MILITANTE
### (1937-1939)

Si dans les années 30, Madeleine Pelletier a publié des textes fondamentaux comme *La Femme Vierge* et *Une Vie Nouvelle*, c'est son livre *La Rationalisation Sexuelle* édité en 1935 qui lui vaut des ennuis durables. Reprise de *L'Emancipation Sexuelle de La Femme* de 1911 et du *Droit à l'Avortement* de 1913, *La Rationalisation Sexuelle* réaffirme le droit inaliénable des femmes à la sexualité et à la libre maternité. Le scandale est lié à l'évolution du statut accordé au néo-malthusianisme obligé de passer à la clandestinité. Les lois de 1920 et 1923 condamnent avec la plus grande rigueur la propagande anticonceptionnelle et l'avortement.

En juin 1935, le *Club du Faubourg* est déféré devant la justice pour avoir organisé un débat sur le livre de Madeleine Pelletier. Dès ce moment, elle est étroitement surveillée par l'extrême-droite. Ses interventions régulières sur les théories néo-malthusiennes au *Club du Faubourg* et la publicité qui résulte du procès jouent sans aucun doute un rôle dans les événements tragiques qui entourent sa mort.

A la fin de l'année 1937, elle est frappée d'hémiplégie. Paralysée et sans ressources elle se trouve dans une situation dramatique. Le *Club du Faubourg* lance un appel de solidarité en faveur de la doctoresse Pelletier qui reçoit une somme de 2884 francs. Condamnée à l'inactivité, celle qui a toujours eu la phobie de l'ennui est dans une profonde dépression et vit une situation terrible.

En 1939, elle est à nouveau dénoncée dans une affaire d'avortement. A la suite d'une délation des perquisitions ont été effectuées chez elle. Cette affaire concernant une jeune fille mineure enceinte de son frère entraîne l'arrestation de plusieurs personnes dont la dame de compagnie de Madeleine. Laissée en liberté en raison de son état de santé, le juge lui fait subir une expertise psychiatrique, qui la déclare totalement irresponsable. Après 24 heures passées à Saint-Anne, elle est enfermée dans l'asile de Perray-Vaucluse. Le diagnostic du médecin-chef décèle de graves atteintes physiques et psychiques.

C'est une femme brisée mais lucide, consciente d'être internée abusivement qui meurt dans une quasi-solitude le 29 décembre 1939 au moment où une nouvelle guerre mondiale étend son ombre sur le monde.

L'histoire de Madeleine Pelletier est celle d'un destin tragique. On y décèle une solitude atroce, une négation des joies de l'existence, le refus du plaisir, une impossibilité de s'arracher à elle-même pour s'ouvrir au monde. Toujours dans l'opposition, dans l'excès, cette « misanthrope morbide », cette écorchée vive s'est présentée au monde avec le risque de tout recevoir en souffrance. Ce qui est arrivé.

# Les femmes et l'ambition : Madeleine Pelletier et la signification de l'autobiographie féministe

## Felicia Gordon

Dans son conte, *Un Traître*, basé vraisemblablement sur les expériences de sa propre jeunesse, Madeleine Pelletier expose un moment de transformation intérieure subi par son héros, Jacques, âgé alors de seize ans :

« Un jour...il entrevit comme sur un chemin de Damas l'utilité de la culture intellectuelle. On l'avait envoyé en course chez un libraire du quartier latin. Dans le jour baissant d'un après-midi d'hiver, la silhouette du Panthéon dominant sur un fond de ciel gris la rue Soufflot lui était apparue. Des bandes d'étudiants bien mis, la serviette sous le bras, dévalaient les trottoirs. Il eut un brusque coup au cœur : il se trouvait ignominieux avec son bourgeron bleu et le paquet enveloppé de toile qu'il portait sur son dos ; il se prit à regretter amèrement les années perdues à son école primaire. Mais une voix intérieure lui dit qu'il était encore très jeune et qu'il pouvait réparer. [1]»

Ce jeune ouvrier vient d'éprouver un moment de révélation quasi mystique (« une voix intérieure ») où son ambition, autrefois réprimée au sein de la famille, éclate. Le thème de l'ambition ressort comme un leitmotiv dans les œuvres de fiction, de politique, d'anthropologie, de féminisme et surtout dans les écrits autobiographiques de Pelletier, une ambition encore plus difficile à réaliser par le fait de son sexe ainsi que par ses origines prolétaires.

Je tenterai donc de mettre en lumière le sens du projet autobiogra-

phique de Madeleine Pelletier par rapport à la question de l'ambition, en utilisant trois textes non-publiés : le *Mémoire de Perray-
Vaucluse, Doctoresse Pelletier* et son *Journal de Guerre* [2]. Seul le deuxième
texte donne l'impression d'avoir été destiné à la publication, mais ces
trois écrits soulèvent les thèmes prédominants des romans et des
contes de Pelletier basés également sur ses expériences personnelles.
Cet écrivain polémique, objectif et scientifique, semble avoir ressenti
un fort désir de se révéler d'une manière subjective. On peut se
demander, donc, jusqu'à quel point ses écrits autobiographiques,
que ce soit sous forme de journal, de mémoires ou de fiction,
illuminent sa vie personnelle et affective ? On examinera aussi la
manière dont Pelletier utilisait la forme autobiographique pour
construire une image publique ou héroïque d'elle-même ; en d'autres
termes, comment elle créait une subjectivité dans un monde où les
femmes sont surtout représentées comme des objets. Finalement on
pourrait interroger ces textes pour rechercher les liens entre l'imaginaire et l'historique dans l'autobiographie féministe de Madeleine
Pelletier.

Dans tous ses écrits, Madeleine Pelletier a un sens de la formule, du
mot juste et une netteté d'expression qui est frappante. Les mémoires
de Pelletier de l'asile de Perray-Vaucluse (intitulé *Anne dite Madeleine
Pelletier*) impressionnent par la clarté de ses souvenirs d'enfance, par
son esprit, son sens de l'ironie, son refus de sentimentalisme et par
l'adresse avec laquelle elle a traduit la signification à la fois historique
et personnelle de ses expériences. Tout ceci dans le contexte d'un
asile d'aliénés. Le jugement clinique du Docteur Heuyer, psychiatre
à l'Asile de Perray-Vaucluse, rend cette clarté d'esprit encore plus
étonnante. D'après ce médecin/psychiatre, Pelletier souffrait d'une
hémiplégie droite, c'est-à-dire d'une paralysie du côté droit de son
corps, de l'artériosclérose, de problèmes pulmonaires, et d'une
maladie (non-spécifiée) des yeux. C'était une femme dont les forces
défaillaient, une femme mourante. Toutefois, au point de vue de la
loi, et soutenu par les psychiatres, elle constituait toujours un danger
« pour l'ordre public [3] ». Ce jugement sommaire du psychiatre met
en lumière les documents qui nous proviennent de ses derniers mois
à Perray-Vaucluse ; deux lettres, et le Mémoire dicté à Hélène Brion,
sans doute à cause de son incapacité d'écrire due à la paralysie.

Dans ce récit de Perray-Vaucluse, ce qui peut nous frapper, à part
le bon sens et le manque de folie, c'est le fait que Pelletier nous raconte
non pas seulement des anecdotes personnelles qui portent le sceau

de l'authenticité, mais que ces anecdotes sont perçues d'un point de vue dialectique et historique. D'une façon même plus marquée, *Doctoresse Pelletier*, son autobiographie non publiée fut visiblement créée par Pelletier comme un compte rendu de sa carrière politique, une "Apologia pro vita sua". Sous-titré, *Mémoires d'une féministe*, le texte met au premier plan son personnage politique en affirmant que le féminisme était le projet fondamental de sa vie. Son récit commence par une déclaration sonnante : « J'ai toujours été féministe », puis soutient la même conviction dans sa conclusion : « Mais je reste féministe. Je le resterai jusqu'à ma mort. » On peut dire que tous ses écrits autobiographiques, y compris sa fiction, (*Une Vie Nouvelle, La Femme Vierge, Trois Contes*) révèlent qu'elle croyait au sens historique de sa vie et que sa propre expérience incarnait les luttes de la classe ouvrière aussi bien que la lutte des femmes [4]. Dans ses écrits autobiographiques, elle fait l'exposé des tensions de sa classe et de son sexe. Le personnage qu'elle crée est à la fois basé sur un vécu et constitué comme création imaginaire.

## UNE ÉDUCATION FÉMINISTE

Un bon exemple de la façon dont Pelletier entremêlait le personnel et l'historique se trouve au début de *Doctoresse Pelletier*. Le récit commence par une anecdote de sa première prise de conscience féministe, une histoire qui résume toutes ses autres idées concernant l'infériorité des femmes dans le milieu ouvrier de son enfance.

« Tout enfant, les dictons sur la moindre valeur des femmes qui revenaient chaque jour dans les conversations, me choquaient profondément. Lorsque dans mon ambition puérile, la tête farcie de récits d'histoire de France, je disais que je voulais être un grand général, ma mère me rabrouait d'un ton sec : "Les femmes ne sont pas militaires, elles ne sont rien du tout, elles se marient, font la cuisine, et élèvent leurs enfants [5]." »

Cette réplique de sa mère à l'ambition naïve de Madeleine, était du point de vue des mœurs de l'époque, tout à fait juste. Anne de Passavy Pelletier transmettait admirablement à sa fille les normes de la sexualité de son temps. « Les femmes, disait-elle, ne sont rien du tout », c'est-à-dire, elles n'ont point d'existence propre.

La théorie des domaines séparés des deux sexes (theory of separate spheres) était, bien entendu, établie depuis longtemps dans la philosophie ainsi que dans la religion. Les femmes étaient censées (d'après Kant ainsi que Hegel, par exemple) puiser leur signification chez les hommes en tant que filles, sœurs, femmes et mères [6]. Madame Pelletier, bien qu'elle n'eût pas lu ces philosophes, avait raison : « Les femmes ne sont rien du tout. » En outre, si on cherche dans les manuels religieux sur l'instruction des jeunes filles de l'époque on trouve des sentiments presqu'identiques. La religion et la philosophie s'accordaient parfaitement sur la question du rôle des femmes. Ce n'est pas par hasard que Pelletier intitula son livre sur l'éducation des femmes, *L'Education féministe des filles*. C'était l'écho direct et la riposte à l'œuvre de Fénelon, *De l'Education des filles* (1861), une œuvre qui soulignait les devoirs domestiques et religieux des femmes en se moquant des prétentions de la femme intellectuelle [7]. Même le réformateur pédagogique Dupanloup (*La Femme studieuse*, 1869) dressa une liste plutôt décourageante pour une féministe des devoirs dits sacrés des femmes :

1. devoirs envers leur mari
2. ceux envers leurs enfants
3. le soin de leur maison
4. le soin des pauvres
5. la charité de travailler un peu pour soi, de cultiver son esprit, d'élever son âme.

Jusqu'à quel point une femme devrait-elle « cultiver son esprit » ? Pour Dupanloup le devoir principal d'une femme était : « d'écouter un mari sérieux, tenir avec lui de douces et graves conversations, s'intéresser à sa carrière, à ses études, à ses travaux [8]... » Ainsi même là où l'on encourageait l'éducation pour les femmes de la bourgeoisie, c'était dans le but d'assurer la tranquillité de la maison. Donc pour revenir à la mère de Madeleine Pelletier, cette travailleuse aux sympathies royalistes et aux ambitions bourgeoises, exprimait les idées que l'on attendait normalement des femmes à cette époque. Mais en même temps elle montrait — peut-être inconsciemment — son mépris pour le « rôle sacré domestique » en négligeant son propre ménage. De plus la mère de Pelletier, par son exemple de femme forte et autoritaire a grandement nié ses propres théories. C'était précisément ce genre de contradiction qui a dû alimenter la révolte éventuelle de sa fille.

L'ambition que possédait Pelletier à un si haut point était, et est encore, souvent considérée comme une négation des normes sexuelles pour les femmes [9]. L'ambition des femmes au XIXe et au début du XXe siècle — particulièrement chez les femmes de classe moyenne — s'opposait à l'idéal de la vertu féminine (l'ange effacé de la maison, identifié par Virginia Woolf [10]). En France on pensera à l'exemple d'Adèle Hulot et d'Eugénie Grandet de Balzac, entre beaucoup d'autres. La réputation et la mauvaise réputation pour les femmes étaient souvent jugées comme pratiquement synonymes. Pour une femme, faire du bien était souvent considéré comme le contraire de bien faire. Est-ce que les femmes pourraient ou devraient parvenir à l'excellence et à la distinction ? Etaient-elles capables de génie et si tel était le cas, le génie pouvait-il convenir aux femmes ? D'après Mrs. Sarah Stickney Ellis, auteur des livres d'instruction morale pour les femmes tels que *Les Femmes d'Angleterre* (1838), *Les Mères d'Angleterre* (1843), *Les Mères des Grands Hommes* (1857), le génie chez la femme constituait un don fatal et effrayant. Il n'est pas surprenant, étant donné son ambition obsédante, que l'un des premiers articles de Pelletier sur l'anthropologie s'intitule *Les femmes peuvent-elles avoir du génie* [11] ? L'égoïsme nécessaire à l'artiste, au soldat, au politicien était normalement proscrit aux femmes qui étaient jugées bonnes à servir les intérêts des autres et non les leurs. Toutefois, bien que la prohibition de l'ambition soit une norme sexuelle, c'était encore plus fortement une norme de classe qui faisait partie de la formation bourgeoise féminine, formation à laquelle Pelletier aurait pu échapper à cause même des privations de son enfance. Les habitudes débilitantes de conduite de femme bourgeoise, de même que la défense de s'afficher ou de se faire valoir ne l'ont pas affectée dans ses années de formation. Dans *Doctoresse Pelletier*, Pelletier montre qu'elle est consciente que sa socialisation dans un milieu prolétaire ne l'a pas entravée.

« Grâce à mon travail j'ai franchi plusieurs échelons sociaux, je suis positive, je sais ce que je veux et je le veux. Elles (les féministes bourgeoises) ont vécu dans la famille et possèdent la petite culture qu'on donnait aux jeunes bourgeoises de leur temps [12]. »

Le rejet de la féminité chez Pelletier, son habillement en homme, son reniement sexuel, bien que liés à sa crise de puberté marquaient aussi son refus de ce destin féminin qui niait la possibilité de l'ambition.

Tout comme son enfance, la puberté demeure un moment clé dans le récit de la prise de conscience de la jeune Madeleine. Nous savons que rétrospectivement sa lecture de Freud lui a apporté la lumière sur la compréhension de son orientation sexuelle. La première menstruation fut le moment où elle vit un fait biologique entraver son ambition de réussir dans un monde masculin. On pourrait imaginer que chez une fille bourgeoise, ce rejet de féminité, et la façon dont Pelletier toute jeune se lança dans les groupes féministes et anarchistes ait pu occasionner des formes psychiatriques de contrainte, tout comme le célèbre cas de Dora de Freud. Mais Pelletier, dont la mère devait la trouver pénible à l'extrême, profitait, d'une certaine manière, de la négligence maternelle. Il semble probable que son défi précoce à l'idéal féminin a été en partie réalisable grâce à sa position sociale. Toutefois, quand elle nous raconte l'histoire de son éducation (le bac, l'Ecole de Médecine) et ses débuts de carrière (asile d'aliénés) Pelletier insiste sur son sentiment d'isolement et sur son complexe d'infériorité dans les nouveaux milieux qu'elle fréquentait. Le prix de l'ambition et de la libération de classe et de sexe était l'isolement social. Ainsi une question se posait pour Pelletier qui ressort surtout dans ses œuvres fictives ; quelle est la prise de position d'une déclassée ? Comment pouvait-on être fidèle aux femmes et à la classe ouvrière alors que l'on souhaitait aussi se libérer des chaînes de sa condition et que l'on détestait les soi-disant qualités de cette condition ? Tout comme l'a écrit Pelletier dans sa conclusion de *Doctoresse Pelletier* :

« Mais je reste féministe. Je le resterai jusqu'à ma mort. Bien que je n'aime pas les femmes telles qu'elles sont pas plus que je n'aime le peuple tel qu'il est. Les mentalités d'esclaves me révoltent [13]. »

A travers toutes les anecdotes de *Doctoresse Pelletier* concernant ses activités professionnelles, politiques et féministes, les questions de classe et de sexe demeurent prédominantes.

La guerre a fourni à Pelletier et à beaucoup de femmes une situation historique concrète dans laquelle elles pouvaient défier l'idéologie de la séparation des sexes. Cependant, dans son *Journal de Guerre*, l'un des plus personnels de ses écrits, on ressent que sa foi dans le progrès du socialisme et du féminisme a reçu de terribles échecs. Un sentiment presque accablant de désenchantement semble l'avoir affectée. Pire, la guerre représentait la situation objective dans laquelle son sexe (biologique) revenait la hanter. Elle a essayé en vain de s'inscrire dans le corps médical mais s'est vu considérée comme femme et non participante. Devant cette continuelle impuissance, sa frustration apparaît dans un passage relatant son plus grand moment de dépression. Elle se souvient des merveilleux 14 juillet de sa jeunesse, du temps où la République lui semblait être une chose merveilleuse et éclatante, comme les feux d'artifice.

« La République m'apparaissait alors comme quelque chose de très beau et de très fort qui éclatait comme une détonation. Mes pétards à la main je pense combien est vain le fantôme après lequel je cours. Elle n'éclate plus, elle n'éclatera plus jamais la République [14]. »

Son impuissance est symbolisée par les pitoyables pétards phalliques qu'elle achète pour commémorer les lointains 14 juillet. Il me semble que le fait que cette anecdote relatant un moment de désespoir intime soit exprimée dans le domaine public de l'histoire nationale — en souvenir du jour de la Bastille — est caractéristique de Pelletier et de son imagination proprement historique. Chez elle, les sentiments personnels sont le plus souvent exprimés par l'image évoquant l'histoire de la France, telle que l'image du Panthéon cité ci-dessus. Cette forte imagination historique ressort dans tous ses écrits autobiographiques depuis les souvenirs de son enfance jusqu'à son journal de guerre et dans l'analyse de son expérience féministe et socialiste. Elle trouvait que sa vie avait un sens comme reflet des nombreuses tensions de son époque pour les femmes et pour la classe ouvrière. En tant que femme auto-éduquée, Pelletier a vraisemblablement voulu laisser un témoignage qui justifierait à la fois son projet féministe et son parcours social et politique [15]. Ainsi Pelletier croyait profondément que les femmes, comme la classe prolétaire devaient comprendre leur oppression non pas en des termes de malchance individuelle mais comme l'expression d'un système d'assujettissement. En même temps, Pelletier, refusant une identité féminine, fit un choix sexuel qui, elle le reconnaissait, ne conviendrait point à la majorité des femmes. Dans une grande mesure, elle refusait de s'identifier à ses sœurs.

Les travaux autobiographiques et fictifs de Madeleine Pelletier affirment sa volonté d'auto-construction, en créant un personnage public, un acteur important dans le monde, même là où l'acteur était mal compris [16]. Cependant elle reconnaissait que le prix de cette construction de soi était fréquemment un ostracisme social. On pourrait noter aussi le fait que ses travaux autobiographiques présentent des vides curieux, des omissions importantes : ainsi son échec au concours psychiatrique, ses querelles à propos de dettes envers le parti, et un manque de détails concernant les querelles avec d'autres féministes. Mais ceci ferait l'objet d'une autre enquête.

Celle-ci a voulu se concentrer sur le personnage-Pelletier tel qu'elle souhaitait être perçue par les autres. Ce personnage paradoxal, défenseur d'une élite intellectuelle tout en prêchant un socialisme révolutionnaire, personnage profondément ambitieux, dévoué aux principes libertaires, indigné par l'injustice n'était vraisemblablement pas toute la personne. Toutefois il me semble que Pelletier nous a donné dans ses écrits autobiographiques le portrait à la fois véridique et fictif d'une féministe courageuse et tragique, dévouée au domaine public, celui dont sa mère lui avait dit qu'il était réservé aux hommes et interdit aux femmes. Si elle n'est pas devenue « un grand général », si l'idée même d'une ambition semblable reste toujours pour les femmes et pour les féministes quelque peu ridicule, problématique et donc toujours défendue, c'était néanmoins une femme qui a réussi à se faire inscrire finalement, cinquante ans après sa mort, dans les annales de l'histoire. La vie et la mort de Madeleine Pelletier peuvent nous rappeler les difficultés et les peines de l'exceptionnalité.

# Paris 1900
## Une fervente de l'Anthropologie

## Evelyne Peyre

La carrière strictement scientifique de Madeleine Pelletier est brève (1900-1905) mais très importante. L'Anthropologie est son berceau culturel : elle fréquente tour à tour l'Ecole d'Anthropologie, la Société d'Anthropologie de Paris, les Laboratoires d'Anthropologie du Muséum d'histoire naturelle et de l'Ecole des Hautes Etudes. Elle a un peu plus de 20 ans lorsqu'elle suit à l'Ecole d'Anthropologie [1] des cours auxquels elle fait souvent référence : « Notre Maître M. le Dr Papillault a donné (...) dans son cours d'il y a deux ans une explication [2] », « J'étais alors une fervente de l'Ecole d'Anthropologie, je me proclamais avec fierté l'élève de Charles Letourneau. (...) L'Ecole [d'Anthropologie] qui m'était chère. (...) Ce que je suis surtout alors, c'est une élève de l'Ecole d'Anthropologie. Je fonde la toutes sortes d'espoirs. (...) Là, on admet que je ne suis pas n'importe qui [3]. » En 1900, à 25 ans, elle signe [4] son entrée au Laboratoire d'Anthropologie du Muséum qui marque son accès à la recherche et sa reconnaissance comme chercheur : « Les matériaux ont été mis à notre disposition par MM. le professeur Hamy et le docteur Verneau du Muséum d'histoire naturelle [5] », « M. Papillault nous a conseillé ce travail [6] », « notre éminent Maître le professeur Reclus (...) nous pria dernièrement de faire les mêmes recherches [7] ». Le rythme intense des réunions de la Société d'Anthropologie de Paris n'est sûrement pas étranger à sa réussite, brillante par sa rapidité, dans cette discipline : à 25 ans, Madeleine Pelletier s'est parfaitement assimilé la pensée anthropologique, à la fois scientifique et éthique. L'Anthropologie sera ainsi le premier lieu où seront assouvies la reconnaissance intellectuelle et les aspirations à la réussite de cette jeune femme, puisqu'elle sera admise à travailler, à écrire et à penser avec les plus célèbres anthropologues de son temps : des défenseurs comme Charles Letourneau ou Maurice Reclus, des contradicteurs féroces comme Raoul Anthony, des maîtres comme Léonce Manouvrier ou Georges Papillault, et enfin Clémence Royer, qui incarne un exemple de réussite scientifique féminine.

## L'HÉRITAGE ANTHROPOLOGIQUE

### Le Laboratoire d'Anthropologie du Muséum et la Société d'Anthropologie de Paris

L'historique de ces lieux de pensée est important puisqu'il explique au moins deux aspects opposés du commentaire critique concernant Madeleine Pelletier. D'une part, l'avènement de l'Anthropologie comme discipline scientifique est indissociable de la rigueur qu'imposa Paul Broca [8] à l'Ecole française. Cet aspect fondateur confère à cette dernière une autorité telle que sa seule rivale est l'Ecole allemande des premières décennies du XXe siècle. Cette notoriété mondiale ne pouvait que rejaillir favorablement sur la personnalité de la jeune femme qui a trop souffert, enfant, du manque de reconnaissance. D'autre part, cet historique me permettra de défaire, je l'espère, la fausse métonymie actuelle qui réduit les anthropologues, et Madeleine Pelletier avec eux, à n'être que des « mesureurs de crânes » et à moduler les verdicts trop rapides qui ne lui assignent qu'une idéologie douteuse [9] responsable de la frénésie raciste.

C'est en 1856 que Armand de Quatrefages devient le premier titulaire de la chaire d'Anthropologie, première chaire d'Anthropologie du monde, « par elle, le mot Anthropologie devint, pour l'histoire naturelle de l'homme, une désignation officielle [10] ». Ce Laboratoire d'Anthropologie est issu de la transformation du Laboratoire d'Anatomie humaine né sous la Révolution lorsque Lakanal restructure le Jardin du Roi en Etablissement d'Enseignement Supérieur : le Muséum d'histoire naturelle. Dans cet espace du Jardin des Plantes, le mouvement scientifique développé au XVIIIe siècle [11] s'est

considérablement enrichi grâce aux structures de 1793 qui ouvrent
l'accès des chaires nouvellement créées aux gens d'origine modeste.
Deux noms suffisent pour signifier ce bouleversement : Jean-Baptiste
Lamarck [12] et Georges Cuvier [13]. Le concept d'évolution, né au Jardin
des Plantes sous le nom de Transformisme (ou lamarckisme), sera
sans cesse retravaillé et notamment en ce qui concerne l'Homme, par
les chercheurs du Laboratoire d'Anthropologie qui accumuleront
durant plus d'un siècle des preuves irréfutables, paléontologiques et
génétiques, contre le Créationnisme. Mais, dès la fin du XIXe siècle,
la notion d'évolution complétée par Charles Darwin sort des cercles
éclairés. Madeleine Pelletier naît donc dans une Europe embrasée
par la question : descend-on du Singe ? Les évolutionnistes recher-
chent la preuve tangible, un squelette intermédiaire entre l'Homme
et le Singe, et Eugène Dubois embarque pour Java à la recherche de
ce « chaînon manquant ». Madeleine Pelletier a 17 ans lorsque le
médecin hollandais exhume d'une couche géologique très ancienne
le célèbre crâne décrit comme mi-Homme, mi-Singe : le *Pithecanthropus* [14]. Et c'est à cette découverte que se réfère Madeleine Pelletier
dans son autobiographie, alors qu'elle ne mentionne même pas celle
de la radioactivité, en 1896, au Jardin des Plantes [15]. C'est donc dès
l'adolescence qu'elle privilégie la science anthropologique, car c'est
à l'aune des découvertes de la paléontologie humaine qu'elle mesure
le progrès humain.

Le Laboratoire d'Anthropologie sera transféré au Musée de
l'Homme en 1936. Ce Musée est le site du célèbre réseau de résistance
contre le nazisme, et son directeur, Paul Rivet, l'un des fondateurs du
Comité de vigilance des intellectuels antifascistes. Ces deux initiatives suffisent pour rejeter l'amalgame fréquent de ceux qui identi-
fient raciologistes et anthropologues. Depuis un siècle, ces derniers
mesurent, entre autres, des crânes, et ce sont les résultats de leurs
travaux qui contribuent aujourd'hui à combattre la pensée typolo-
giste des raciologistes, ainsi : « force est de constater qu'à l'heure
actuelle aucune classification objective de l'ensemble des popula-
tions humaines n'a été établie ; il est très douteux que celui-ci soit
possible d'une classification exhaustive dès qu'un critère rigoureux
est requis. Les races humaines de la littérature sont des constructions
largement arbitraires, non le produit d'une procédure objective [16] ».
Les études craniométriques doivent en conséquence être critiquées
dans leur cadre historique et tenir compte de la polysémie diachronique du mot race.

La Société d'Anthropologie de Paris est la première à avoir été fondée au monde, le 19 mai 1859. « Cette formation marque, non pas certes le début, mais l'organisation de l'Anthropologie, son individualisation comme science distincte [17]. » Bien qu'elle n'ait jamais été membre de cette Société, probablement par défaut de cotisation, Madeleine Pelletier l'a fréquentée assidûment et a publié des articles dans ses *Bulletins*, revue de grande renommée à laquelle ont contribué les plus célèbres anthropologues.

## Madeleine Pelletier et les scientifiques de son temps

Madeleine Pelletier n'hésite pas à rendre hommage aux intellectuels mais reste plus qu'ambiguë quand il s'agit des intellectuelles : Céline Renooz, Clémence Royer, Marie Curie... Ainsi elle déclare : « Dans un café du Palais Royal, je rencontrai Céline Renooz. Elle tenta de m'attirer vers elle, mais je résistai. J'étais alors une fervente de l'Ecole d'Anthropologie, je me proclamais avec fierté l'élève de Charles Letourneau. Céline Renooz prenait le contre-pied de l'Ecole qui m'était chère. J'étais darwiniste et Madame Renooz prétendait que l'homme descendait non du singe, mais des plantes [18]. »

Charles Letourneau, Professeur à l'Ecole d'Anthropologie, est membre, président (1886) puis Secrétaire Général (1887-1902) de la Société d'Anthropologie de Paris. « Il eut pour religion la science. (...) La science devant se substituer aux religions dans la direction de l'Humanité, tel est l'idéal de Letourneau [19]. » Ce positivisme confirme la vivacité de la pensée impulsée par Broca au sein de cette Société : « la science ne doit relever que d'elle-même et ne saurait se plier aux exigences des partis ; elle est la déesse auguste qui trône au dessus de l'humanité pour la diriger et non pour la suivre, et c'est d'elle seulement qu'on peut dire qu'elle est faite pour commander sans jamais obéir [20] ». Madeleine Pelletier adhère totalement à cet héritage : « le subterfuge de la cloison étanche qui sépare l'oratoire du laboratoire marque la primauté de la science qui cesse d'être servante pour devenir maîtresse [21] ». C'est au nom de la science de l'évolution qu'elle argumente contre la religion, car « si l'homme descendait du singe, il ne pouvait avoir été créé par Dieu ; (...) Dieu ou Darwin, il faut choisir : on ne peut suivre l'un et l'autre. (...) Heureusement, les lois de l'évolution humaine condamnent la religion à disparaître. La culture dispensée à tous les humains ne voudra plus admettre que la science, la seule méthode d'une humanité parvenue à l'âge de raison [22]. » Séduite par « cette lumière que donnent la raison et la science [23] », Madeleine Pelletier développe sa conviction en eudémonisme païen : « la science fait le progrès et la civilisation (...) la science donne le bonheur [24] », et même : « la science qui seule, peut faire la vie de plus en plus heureuse [25] ». Le plaidoyer positiviste est radical, car c'est la vie présente qu'il s'agit d'améliorer, de prolonger, si l'on peut, et pour ce faire, il faut chercher (...) dans le cerveau de l'homme présent, guidé par la raison et la science (...). La science peut accepter au reste l'accusation d'amoralité, car par elle l'humanité arrivera à se passer de la morale devenue inutile [26]. » L'anthropologue Pelletier ne se veut pas une scientiste crédule et s'engage dès les années 1905 dans la réflexion philosophique sur l'éthique catholique traditionnelle du devoir qui impose l'altruisme et la morale de l'intérêt issue des théories darwiniennes de la lutte pour la vie. Pour elle, les actes d'altruisme procèdent d'une loi naturelle : ils n'obligent donc pas, ils sont ; partant, « l'abandon des valeurs morales permettra de ne souscrire qu'à celles des conventions sociales (...) et de rester libre [27] ».

Madeleine Pelletier et Céline Renooz, évolutionnistes, ont des opinions divergentes sur la question du mécanisme de l'évolution. Céline Renooz s'oppose à Charles Darwin mais le combat mal avec des arguments fondés sur l'analogie formelle appliquée à l'embryologie : le haricot évoque la forme fœtale humaine et peut donc en représenter la forme ancestrale. Au contraire, Madeleine Pelletier, l'orthodoxe, soutient « qu'avec des milliers d'années (...) le protozoaire puisse devenir un vertébré, puis un mammifère, puis un singe, puis un homme [28] ». Les deux femmes s'opposent également sur la science féminine. Madeleine Pelletier critique tendrement la fondatrice de la *Revue scientifique des femmes* : « Madame Renooz, (...) a écrit de gros volumes sur la philosophie naturelle. Son œuvre porte la marque d'une grande lecture. Partant de la différence des sexes, elle prétend que cette différence doit intéresser aussi les facultés mentales et qu'il doit y avoir une science particulière aux femmes. Elle écrit alors une « somme » d'un genre nouveau où elle expose la façon dont un cerveau féminin doit comprendre l'univers. Cette prétendue science féminine n'est le plus souvent que le contre-pied grossier de la science tout court ; néanmoins on trouve parfois des vues très sensées [29]. » Dommage que Madeleine Pelletier ne précise pas le point d'accord que représentent ces « vues très sensées » car, dans tous ses articles scientifiques, elle s'oppose vigoureusement au mépris sexiste de la « science tout court ». Elle construit même l'ébauche d'une critique féministe des sciences, qu'elle ne développera pas : cette entrave à la théorisation se fonde-t-elle sur son comportement solitaire au sein d'un domaine éminemment social ? Cet isolement est-il lié à une dévalorisation de la pensée des femmes ? Car, elle utilise peu ou pas du tout les forces favorables. Pourquoi attaque-t-elle Marie Curie sur sa vie privée ? Pourquoi ne fréquente-t-elle pas Clémence Royer ? Celle-ci, membre de la Société d'Anthropologie puis de son Comité central, a traduit Darwin en français. A sa mort, le 6 février 1902, c'est une anthropologue officiellement reconnue : « La postérité rangera cette vraie savante parmi ceux qui ont le plus contribué à l'émancipation de la pensée humaine [30]. » Certes, Clémence Royer était malade les dernières années de sa vie mais elle venait aux réunions de la Société et Madeleine Pelletier, qui l'a connue, ne la mentionne jamais.

## MADELEINE PELLETIER, ANTHROPOLOGUE

Madeleine Pelletier a publié ses articles anthropologiques, entre 1900 et 1905, dans les *Bulletins et Mémoires de la Société d'Anthropologie de Paris* [31], aux *Comptes Rendus de l'Académie des Sciences de Paris* [32] et à la *Revue de philosophie* [33]. Elle diffuse également l'information scientifique auprès d'un public plus large dans diverses revues [34] où elle expose les idées liées à l'évolutionnisme, mais aussi les acquis scientifiques réhabilitant les femmes. Simultanément *L'Anthropologie* publie dans sa rubrique *Le mouvement scientifique* les résumés de certains de ses articles, analyses critiques [35] ou élogieuses [36].

### Pelletier, 1900 : biométrie de squelettes de Japonais

Ce premier article [37], fait sous la direction de Léonce Manouvrier, poursuit les travaux antérieurs [38] de celui qu'elle appelle « son maître ». Est-ce par déférence polie ? Bien sûr, ce très célèbre anthropologue possède un grand pouvoir à la Société d'Anthropologie [39]. Est-ce donc uniquement par déférence polie ? C'est peu probable, car deux aspects de la personnalité du maître peuvent séduire la jeune femme.

D'une part, Léonce Manouvrier, matérialiste, enracine l'intelligence dans l'anatomie et s'oppose [40] au « je crois à l'existence de l'âme (...). Au dessus de la forme, il y a la force qui vit dans le cerveau, et qui ne peut-être mesurée que dans ses manifestations [41] » de l'anthropologue Gratiolet. C'est donc un biométricien qui soutient Paul Broca lorsque celui-ci écrit, dans « [sa] doctrine des localisations cérébrales » : « il y a dans le cerveau de grandes régions distinctes correspondant aux grandes régions de l'esprit (...) [En conséquence] les opinions (...) que M. Gratiolet a développées (...) ne sauraient être admises sans une démonstration rigoureuse [42]. » Et c'est aussi par matérialisme que Madeleine Pelletier mesure des crânes.

D'autre part, Léonce Manouvrier se distingue par son féminisme. Les conclusions de ses mesures et la réinterprétation critique des travaux de ses collègues sont valorisantes pour les femmes : « ce tableau démontre avec évidence que le poids de l'encéphale est beaucoup plus élevé chez la femme que chez l'homme [43] ». Dès la fin du siècle, Manouvrier ouvrait aux femmes l'espoir de ne pas être condamnées par la biologie, condamnation rédhibitoire prononcée par Broca : « Pourtant il ne faut pas perdre de vue que la femme est en moyenne un peu moins intelligente que l'homme ; différence qu'on a pu exagérer, mais qui n'en est pas moins réelle. Il est donc permis de supposer que la petitesse relative du cerveau de la femme dépend à la fois de son infériorité physique et de son infériorité intellectuelle [44]. » Madeleine Pelletier entrevoit dans la méthodologie de Léonce Manouvrier, la possibilité de relever, d'un point de vue scientifique, le défi sexiste de Paul Broca. On peut donc imaginer ce qu'a pu représenter pour elle d'être admise au Laboratoire d'Anthropologie. Et Madeleine se met à mesurer des squelettes de Japonais !

Madeleine Pelletier commence son article de manière originale, par des *considérations générales* sur l'Anthropologie et la notion de race : « C'est sur ces caractères [les plus visibles qui différencient les hommes] qu'il [l'anthropologue] se base pour classer l'espèce humaine en des groupes différents ; partant ensuite de ces groupes comme des postulats il étudie les caractères de chacun d'eux et arrive à constituer un ensemble de qualités qu'il désigne sous le nom de "race [45]". » Mais Madeleine Pelletier ajoute que le vrai but de l'Anthropologie n'est pas d'établir une classification en catégories, qui ne sont d'ailleurs que « postulées », mais de devenir une science. L'anthropologie pour être scientifique doit s'enrichir de « l'anatomie explicative [qui], considérant les caractères qui différencient les races, les sexes, les âges, etc., fait abstraction de ces divisions de l'espèce humaine et partant, des caractères considérés pour ainsi dire abstraitement, cherche leur « explication » dans d'autres caractères [46] ». On sait que Madeleine Pelletier utilisera souvent le mot « race » par la suite et que cela peut choquer en 1992, aussi m'a-t-il paru intéressant de commenter ce préambule dans lequel elle vide le concept *race* d'une pertinence scientifique. Puisque les catégories classificatoires ne sont pas un facteur explicatif des différences observées, alors la recherche doit se fonder sur la comparaison des os entre eux. Madeleine Pelletier paraît très moderne sur ce point, dans la lignée de Manouvrier, mais aussi du grand Cuvier. C'est certainement sa sensibilité à la complexité du biologique qui lui fait rejeter les catégories comme non explicatives. Elle énonce : « Le moindre fait dès qu'on l'analyse apparaît comme le résultat d'une multitude de causes dont les actions se multiplient et qui souvent même sont en interdépendance réciproque ; c'est ce qui fait que l'influence de chacune d'elles n'apparaît pas immédiatement, voilée qu'elle est par les autres. D'ailleurs si l'Anthropologie est encore aussi peu avancée, c'est en raison de sa complexité même [47]. »

En choisissant d'étudier une série de Japonais, elle évacue tout d'abord la catégorie de race. Mais, contrairement à ses déclarations, elle conserve la catégorie de sexe, ce qui va lui permettre de renverser les conclusions de Broca sur l'infériorité des femmes.

Il est de notoriété publique que les crânes de femmes pèsent en moyenne moins lourd que celui des hommes. Broca en avait déduit : moins de matière, moins d'intelligence. Madeleine Pelletier pèse les crânes japonais : les femmes et les hommes ne manifestent pas de différence (7 g). Mais Madeleine Pelletier ne s'arrête cependant pas à ce résultat encourageant et poursuit son raisonnement. Le poids du crâne dépend d'une part, de la capacité crânienne liée au poids de l'encéphale (qui dit quelque chose de l'intelligence) et d'autre part du développement de la face et des superstructures osseuses du crâne qui ne sont corrélées qu'à la masse organique. C'est pourquoi elle pèse aussi les fémurs dont le poids est corrélé à celui de la masse organique totale. Les fémurs des Japonais sont plus lourds que ceux des Japonaises. En calculant ensuite l'indice crânio-fémoral, Madeleine Pelletier cherche à « délimiter la partie de ce poids [du crâne] qui se rapporte à la masse organique de celle qui est due à la capacité crânienne [48] ». Ses résultats confirment ceux de Manouvrier : chez les hommes, la somme des fémurs pèse plus que le crâne, alors que c'est l'inverse chez les femmes. Madeleine Pelletier interprète ces résultats de manière originale et intéressante : « Faut-il y voir une loi mystérieuse ; un arrangement particulier du tissu osseux qui aurait avec le sexe des rapports aussi étranges qu'inconnus ? Nullement ; car si la femme a un crâne plus lourd que son fémur « ce n'est pas en tant que femme [49] » ; mais en tant qu'être plus grêle et dont le tissu musculaire et osseux est moins développé que celui de l'homme [50]. » En conclusion, « l'indice cranio-fémoral n'est pas en rapport avec le sexe mais bien avec la masse active de l'organisme [51] ». Madeleine Pelletier veut dire que le poids du cerveau n'est pas lié au sexe biologique mais à un facteur extérieur qui fait que les femmes sont plus grêles. Malheureusement, ne poussant pas le raisonnement plus loin, elle ne décryptera pas les facteurs sociaux qui influent sur les catégories de sexe, telles l'alimentation ou l'activité musculaire différentielle entre petits garçons et petites filles. Mais Madeleine Pelletier sera oubliée dans l'histoire des sciences. Il faudra attendre 75 ans pour que les recherches et études féministes parviennent à formuler une question semblable, puis à partir des concepts de sexe biologique et sexe social, à envisager leur interface [52].

Madeleine Pelletier utilise alors ses résultats sur les femmes pour, l'appliquant aux races, interpréter le rapport entre capacité crânienne et poids du crâne, qui différencie femmes et hommes d'une part et Japonais et Européens d'autre part. « Cette différence entre les sexes doit être rattachée à une inégalité de stature, ce qui fait que « les hommes grêles ont comme les femmes [53] » une capacité crânienne relative plus grande. Cela est bien montré, avec ce que nous trouvons sur nos Japonais (race petite) un indice, chez les mâles, de 39,3, plus faible encore que celui trouvé par M. Manouvrier sur les Européens femmes, et qui est de 40,1 ; celui des Européens hommes est de 41,37 [54]. »

Enfin, Madeleine Pelletier s'interroge sur la quantité cérébrale qui ne varie pas avec la masse active du corps. Léonce Manouvrier l'attribue au « degré d'intelligence » mais Madeleine Pelletier trouvant cette formulation « bien vague », inventorie les facteurs constitutifs de l'intelligence et conclut : « l'intelligence est aussi, surtout peut-être, cette agrégation entre les états de conscience qui fait que l'on perçoit les rapports des choses ; cette sorte de chimie mentale dont les réactions nous sont encore inconnues, peut-être est-ce à cela que correspondrait la quantité constante du cerveau [55] ? »

Enfin, Madeleine Pelletier est évolutionniste et non créationniste. Dans sa comparaison de l'humérus et du fémur, elle enracine l'humain dans le monde animal : « Les frappantes homologies que l'on rencontre entre le membre supérieur et le membre inférieur (...) font que l'esprit en arrive à ne plus douter que chez un de nos ancêtres éloignés le membre supérieur et le membre inférieur ou plutôt le membre antérieur et le membre postérieur étaient identiques [56]. » Elle compare l'indice pondéral huméro-fémoral des quadrupèdes, des anthropoïdes et des humains. Elle ne distingue pas les races prenant même les Japonais comme référence humaine, mais quelques lignes plus bas, elle les qualifie de « race inférieure ». L'article est d'une trop grande cohérence pour supposer qu'elle se contredit. Aussi faut-il plutôt en déduire que, en 1900, ce concept n'avait pas le sens qu'il prit par la suite. Enfin, Madeleine Pelletier affirme d'une manière très synthétique son intuition de l'influence du social sur le biologique ainsi que sa conviction en l'évolution : « la division du travail a spécialisé chacun des membres supérieurs dans des fonctions un peu différentes [57] ».

## Pelletier, 1901 : mesure de la capacité crânienne

Ce travail [58] a consisté à construire une nouvelle formule pour évaluer la capacité crânienne. Je n'en préciserai pas les détails, car depuis un siècle et demi les anthropologues s'évertuent à rechercher la formule qui permettrait de calculer cette capacité : ils n'y sont toujours pas parvenus, mais on sait aujourd'hui que l'imprécision est grande. En ce qui concerne Madeleine Pelletier, elle maintient avec force la position matérialiste défendue par Paul Broca : « les mesures de la tête, dont le rapport avec le développement intellectuel n'est plus mis en doute aujourd'hui [59] ». Mais si, tout en restant dans le cadre de l'anthropologie classique, elle reprend des mesures et des calculs, c'est avec l'intention de rectifier une formule défavorisant trop les femmes. Ses critiques concernent l'utilisation, par Paul Broca, des mensurations externes du crâne pour le calcul de la capacité crânienne alors que ces dimensions ne sont pas indépendantes du dimorphisme osseux (épaisseur et superstructures de l'os). Elle recherche donc les mesures qui ne seraient pas influencées par le sexe.

Elle effectue une seconde transformation des variables, liée à une réflexion sur la mécanique osseuse. « Cette mesure (...) [qui] peut se prendre sur le vivant [60] » est avantageuse puisqu'alors on pourra comparer « les races humaines et les catégories sociales [61] ». Son propos est cependant modéré par sa sensibilité à la variabilité car elle ajoute immédiatement « la forme du crâne varie avec chaque individu [62] ».

Madeleine Pelletier effectue une démarche favorable aux femmes, mais elle reste engluée dans les grands poncifs de l'époque : « il existe entre toutes ces différences des caractères communs ; les deux types crâniens sexuels par exemple [63]. » Madeleine Pelletier s'est donc laissé piéger. D'abord, elle a vidé les catégories classificatoires de race, de sexe et d'âge de leur pertinence scientifique mais ensuite, n'arrivant pas à les interroger, elle doit, contre son gré, les faire fonctionner. Enlisée dans cette contradiction, elle ne pourra que renverser les modèles : « étant donné la supériorité du poids relatif du cerveau chez la femme [64]. » Madeleine Pelletier propose une description des crânes totalement opposée à celle de la majorité des anthropologues. Ainsi, les crânes féminins inférieurs, ces « crânes à indice faible » sont des crânes légers, à diamètres extérieurs petits et à capacité grande : ce sont ces crânes que l'on a nommé « supérieurs » parce qu'ils sont caractérisés par la prédominance du développement de l'encéphale sur le développement somatique, (...) inversement les « crânes à indices forts » [masculins] sont caractérisés par la prédominance du développement somatique sur celui de l'encéphale et par conséquent sont des crânes « inférieurs [65] ».

## Pelletier, 1902 : la phylogénèse du maxillaire inférieur

C'est surtout par cet article [66] sur la mandibule humaine que Madeleine Pelletier manifeste qu'elle est évolutionniste dans sa pensée scientifique aussi. Par le développement d'un raisonnement dont l'argumentation est presque parfaite, elle parvient à mettre en mouvement la structure osseuse. Même Raoul Anthony reconnaît que « le travail de Melle Pelletier est intéressant [67]». Elle maîtrise à ce point son envol logique de la dynamique osseuse qu'elle se permet de synthétiser sa pensée par un lyrisme abrupt, par exemple dans cette expression lapidaire : « l'os n'étant qu'un muscle fixé. » Alors que cette proposition contient la notion très moderne des ensembles anatomiques, il surprend à son époque puisque Raoul Anthony

« désire que les choses soient exprimées avec plus de clarté ». Madeleine Pelletier excelle donc dans le raisonnement scientifique mais peu dans le travail statistique. On peut supposer que, sans cette lacune, elle aurait pu développer de brillantes recherches féministes et anti-raciologiques.

## Pelletier, 1901, 1903, 1904 : la mesure de l'intelligence

« Nous avons cherché (...) dans quelle mesure la forme et les dimensions céphalométriques de la tête vivante peuvent servir comme critérium dans l'appréciation intellectuelle d'un sujet [68] ». Mais l'objet scientifique visé, l'intelligence, reste mal défini et les 36 pages qui lui sont consacrées reflètent l'embarras des auteurs. Ces derniers, conscients que leur « projet renferme un cercle vicieux (...) [vont] se contenter de données vagues, intuitives [69] ». Leur pressentiment qu'« il y aurait un véritable danger (...) [de] voir la société faire un triage des enfants selon certains caractères physiques [70] » ne les conduit pas à remettre en question l'axiome anthropologique qui lie le volume crânien et le degré d'intelligence. Il est encore plus surprenant que Madeleine Pelletier, engagée explicitement sur la non-pertinence du concept de race [71], co-signe un article qui se fonde sur le présupposé : « le cerveau de l'Européen est plus volumineux que celui du Nègre et de l'Australien, qui, en moyenne, sont moins intelligents que lui [72] ». A une problématique énoncée de manière floue s'ajoutent des résultats dépourvus de pertinence statistique. Leur conclusion — « il semble donc résulter que le développement céphalique des sujets intelligents se comporte anthropologiquement d'une manière autre que celui des sujets non intelligents [73] » — conforte ainsi un courant idéologique bien contraire à leur volonté de construire une société où « le bonheur et le progrès seraient augmentés [74] ». Ce travail ne présente enfin que peu d'originalité, si ce n'est dans la composition disciplinaire de l'équipe qui associe une anthropologue et un psychologue. Ces articles reflètent en conséquence, le développement historique des recherches sur l'intelligence, recherches menées au XIXe siècle par la craniométrie anthropologique et au XXe siècle par les batteries de tests psychologiques.

Le but idéologique sous-jacent — « reconnaître dès l'enfance, et sans négliger personne, les intelligences supérieures (...) [pour qu'elles] soient une élite intellectuelle capable de promouvoir la société (...) [et d'assurer aux enfants socialement défavorisés, la possibilité du] développement intellectuel auquel ils ne peuvent parvenir aujourd'hui que s'ils ont pour père un homme distingué [75] » — remplace simplement l'inégalité entre humains due à l'héritage des inégalités sociales, c'est-à-dire acquises, par celles qui correspondraient à des inégalités innées, c'est-à-dire génétiques. Elle repose sur le présupposé que la part d'intelligence innée est plus importante que la part d'intelligence acquise par l'éducation. Elle s'enracine donc dans un déterminisme biologique inquiétant.

## Pelletier, 1905 : craniectomie et régénération osseuse

Cet article [76] présente un double intérêt. D'une part, l'aspect relativement nouveau de son thème, la dynamique osseuse, manifeste le dynamisme scientifique de Madeleine Pelletier. D'autre part, les discussions dont il fut l'objet suggèrent plus, par leur ton, une attaque contre Madeleine Pelletier de la part d'un rival, Raoul Anthony, soutenu par le maître, Léonce Manouvrier, qu'un débat scientifique. Ainsi, lorsque Marie et Pelletier analysent les conséquences d'une intervention chirurgico-psychiatrique à la mort d'un sujet interné et trépané en asile, deux de leurs conclusions sont considérées, avec abus, comme triviales et la troisième, contestée à tort.

Tout d'abord, Marie et Pelletier concluent sur le rôle du périoste dans la dynamique osseuse : « la régénération osseuse est presque complète malgré l'étendue considérable de l'exérèse ». Raoul Anthony minimise la nouveauté de l'observation et insiste sur l'antériorité de ses propres découvertes, « ces dernières années, (...) j'ai obtenu des régénérations crâniennes, (...) j'ai signalé ces résultats [77] » et « en fouillant soigneusement la littérature anatomo-chirurgicale on en trouverait d'autres cas encore [78] ». Or, Anthony avait démontré cette régénération sur le Chien et non sur l'Homme comme Pelletier. Cette dernière est attaquée au lieu d'être reconnue comme membre du groupe scientifique qui découvrait l'explication à l'échec des craniectomies : les chirurgiens devront prendre « la précaution de laisser le périoste [79] ». Léonce Manouvrier choisit ainsi de valoriser le jeune chercheur et non pas la jeune chercheuse. « Nous connaissons bien [la régénération] (...) d'après les expériences de M. Anthony [80]. »

Ensuite Marie et Madeleine Pelletier s'élèvent contre certaines pratiques psychiatriques : « l'observation du sujet montre l'inanité de la craniectomie comme moyen thérapeutique de l'idiotie ». Léonce Manouvrier, pourtant en accord sur cette conclusion, en réduit la portée « ... la craniectomie comme moyen curatif de la microcéphalie. Cette erreur manifeste ne manqua pas d'être relevée dès l'invention du procédé thérapeutique depuis longtemps discrédité ». Or, le sujet craniectomisé étudié par Pelletier était entré à l'Asile de Bicêtre en 1894, ce qui montre que le concours de Madeleine Pelletier dans la lutte pour la suppression de la craniectomie n'était pas si dérisoire !

Enfin, Marie et Pelletier soutiennent que « la suture coronale semble bien elle aussi s'être régénérée (...) par ossification convergente des deux feuillets périostiques (...) et engrènement final des travées osseuses opposées », mais ils pressentent en outre que « les sutures n'ont pas un rôle passif ». C'est en 1954 qu'il sera démontré [81] que les sutures sont des zones mécaniques de contacts osseux et n'ont pas de rôle dans l'ostéogénèse ; Marie et Pelletier avaient donc en partie raison et en partie tort. Mais les arguments de 1905 sont injustes ou faux ; Léonce Manouvrier affirme que « là où cette suture a été coupée par craniectomie, elle n'existe plus » et Raoul Anthony : « Je suis de l'avis de M. Manouvrier ; on ne voit sur la pièce présentée aucune réparation de la suture. »

Ces discussions menées sur le travail de Pelletier n'ont pas dû être insignifiantes : l'année suivante, en effet, celle-ci quittera la recherche anthropologique alors que Raoul Anthony se verra confier un poste d'enseignement à l'Ecole d'Anthropologie puis deviendra directeur de la Chaire d'Anatomie comparée du Muséum.


## Pelletier, 1905 : la prétendue infériorité psycho-physiologique des femmes

C'est l'un des rares textes [83] où Madeleine Pelletier critique les anthropologues. « Comme les autres hommes, les savants sont pénétrés de ce mépris suranné de la femme. (...) En ce qui concerne le crâne, certains anthropologistes ont énoncé des propositions parfaitement erronées. » Ensuite, Madeleine Pelletier se lance dans une longue description qui montre que le crâne féminin est plus évolué que le crâne masculin. Ce discours, non seulement ne choque plus maintenant, mais tous les anthropologues contemporains admettent, et pour aller vite, que « l'hominisation est une féminisation » ou plus exactement « l'hominisation est une gracilisation ». Voici ce texte assez drôle que la science « tout court » réinventera dans les années 1970, à la suite de l'étude de milliers de fossiles humains : « [Certains anthropologues] ont prétendu, en effet, que le crâne de femme rappelle, par sa morphologie, le crâne simien, alors qu'au contraire, c'est le crâne masculin qui, beaucoup plus que le crâne féminin, se rapproche de celui du singe. Comme le crâne simien, le crâne masculin a la glabelle très prononcée, les arcades sus-orbitaires proéminentes, la mandibule forte : les crêtes qui donnent insertion aux muscles sont nettement accusées. Le crâne féminin présente, par contre, les caractères que l'on retrouve dans les races supérieures ; la glabelle n'est que virtuelle, les arcades sourcilières sont planes et les crêtes d'insertion sont peu marquées. »

## CONCLUSION

Les recherches anthropologiques de Madeleine Pelletier se sont très vite arrêtées. Serait-ce par dégoût du travail scientifique ? Non, car elle maintiendra toute sa vie sa foi dans la science. Cette désertion n'est pas non plus la conséquence d'un échec intellectuel, puisque son travail sur la morale, jugé comme relevant « au premier titre, de l'anthropologie », est encensé : « Je ne connaissais pas le Dr Madeleine Pelletier et je n'ai, je l'avoue, qu'une confiance médiocre dans l'aptitude des cerveaux féminins sinon à former, du moins à comparer logiquement des concepts. Je suis donc doublement à l'aise pour imprimer que son petit travail sur la morale mérite d'être lu et médité. Il y a, dans ces quelques pages, tout un cours d'éthique aboutissant à la seule solution passable du problème qui fit dérailler Kant [84] ». Ce n'est pas non plus le sexisme du discours anthropologique qui lui fait préférer la psychologie car « la psychologie des sexes n'a guère été étudiée avec impartialité. (...) Les études scientifiques ou soit disant telles de la mentalité féminine ne sont guère plus sérieuses et non favorables aux femmes [85] ». Ce n'est pas non plus son comportement social, ce travestissement qu'elle affectionne, car « les savants que j'ai fréquentés pour obtenir mes diplômes n'y ont trouvé rien à redire ; il faut que j'arrive chez les hommes du bouleversement social pour m'entendre conseiller de ne pas "me faire remarquer", au fond, d'endosser la livrée de servitude du sexe que l'on veut maintenir inférieur [86] ». Ce n'est pas par manque de subsides, puisqu'elle est médecin. L'analyse du milieu anthropologique permet de mettre en évidence deux faits explicatifs de l'exclusion de femmes chercheurs dans cette discipline. La Société d'Anthropologie est masculine à plus de 98 % — 10 femmes seulement pour 550 membres adhérents en 1900 ! — et la difficulté d'une carrière scientifique féminine dans un tel contexte est bien connue. Enfin, parmi les garçons de la génération de Madeleine Pelletier qui réussiront en anthropologie — Raoul Anthony, Paul Rivet, Pierre Teilhard de Chardin, Camille Arambourg [87] — le premier a exactement son âge. Une concurrence qui présente de tels aspects sociologiques dans une discipline où les postes sont rares, peut expliquer, au moins en partie, l'abandon par la jeune femme d'un projet qui lui tenait à cœur. Est-ce cela qu'elle évoque lorsqu'elle écrit « que les génies masculins soient plus nombreux et plus grands, c'est incontestable. (...) La faute en est aux conditions sociales qui sont à la fois très différentes et extrêmement inégales dans les deux sexes [88] ».

# La doctoresse Madeleine Pelletier
## et les psychiatres

### Jean-Christophe Coffin

Ce travail concerne la période qui débute avec les études médicales entreprises par Madeleine Pelletier et se termine par son échec au concours d'adjuvat de 1906. Comme un certain nombre d'éléments nous ont déjà été fournis par des travaux récents [1], plus qu'une approche strictement biographique je voudrais en profiter pour étudier à travers l'exemple de Madeleine Pelletier les rapports, le jeu complexe, qui s'exercent au sein d'un individu entre la formation d'un savoir scientifique et les représentations culturelles dont il hérite de son époque, de son milieu. Si l'on a, pendant un temps, considéré la science comme une sorte d'abstraction, une espèce d'immanence que rien ne pouvait atteindre, on convient aisément aujourd'hui que des rapports étroits existent entre la science et l'époque, le moment historique dont elle est issue. En outre, la psychologie, la psychiatrie et toute définition de ces disciplines et des savoirs qu'elles élaborent passe par une définition de l'homme [2]. Déjà en ce sens elles quittent le terrain du laboratoire pour pénétrer celui nettement plus incertain de la philosophie et des choix intellectuels de chaque scientifique, de chaque médecin. Lorsqu'on est confronté à un individu dont ses choix nous sont connus, dont ses engagements ont été importants et dominants dans sa vie, on est naturellement tenté d'en voir la trace dans toutes ses activités. Madeleine Pelletier est en cela un parfait exemple : elle était féministe, elle s'est engagée dans le combat politique à gauche, elle a donc combattu la médecine des hommes et des républicains bon teints. Pour tenter de voir si cette

équation, que j'ai volontairement forcée, est exacte, j'ai pensé qu'il
pouvait être de quelque intérêt de reprendre sa période d'étudiante
en médecine et surtout d'interne en psychiatrie et d'étudier à la fois
le milieu qu'elle a fréquenté c'est-à-dire ses professeurs et les collègues que nous lui connaissons, et d'autre part de reprendre ses
publications en évaluant les propos qu'elle tient sur des sujets qui
sont sensibles pour elle, au regard de ses combats et de ses choix
personnels, et sensibles au regard d'une histoire des idées psychiatriques. En étudiant cet environnement, j'ai eu le souhait de recons-
tituer la généalogie intellectuelle de Madeleine Pelletier psychiatre,
c'est-à-dire tenter d'élucider ce qu'il lui a transmis et surtout chercher
ce qu'elle en a reçu et accepté ; ceci afin d'esquisser la cohérence de
son savoir et de mieux saisir les liens possibles entre ce savoir et ses
engagements personnels.

Je dirai qu'elle est confrontée à deux groupes de médecins et
qu'elle participe à la rédaction de deux séries d'articles.

Il y a tout d'abord les médecins avec lesquels elle a travaillé : Alexis
Joffroy (1844-1908), Georges Dumas (1866-1946), Nicolas Vaschide
(1876-1907?), Paul Maurice Legrain (1860-1939), Edouard Toulouse
(1865-1947), Auguste-Armand Marie (1865-1934), Paul Dubuisson
(1847-1908) et, ensuite ceux dont elle analyse les propos et, bien
qu'absents de son quotidien sont dans toutes les têtes des médecins
d'alors, c'est-à-dire Bénédict-Augustin Morel (1809-1873) et Cesare
Lombroso (1836-1909). Il faudrait ajouter, pour être totalement
complet, les personnes qu'elle cite à l'occasion dans ses travaux et
notamment dans sa thèse.

Le milieu qu'elle a été amenée à fréquenter présente un visage
assez homogène. En premier lieu ces médecins appartiennent
sensiblement à la même génération et ce n'est pas sans influence [3].
C'est notamment le cas de ses patrons d'internat ; ils ont autour de la
quarantaine hormis Dubuisson qui est plus âgé (Legrain 43, Toulouse
38, Marie 38, Dubuisson 55). Ils exercent leur métier depuis une
dizaine d'années et leurs carrières sont déjà bien orientées. Joffroy [4],
son directeur de thèse, est incontestablement le plus important de
tous : chaire des maladies mentales à la Faculté de médecine de Paris,
cours de clinique mentale à l'hôpital Sainte-Anne, membre de
l'Académie de médecine (1901), de la Société médico-psychologique
(1891), président de la Société de neurologie (1899) ; il dirige en outre
les *Archives de neurologie*, fondées par Charcot dont il fut un proche,
et il est le rédacteur des *Archives de physiologie*. Il est une pièce centrale

d'un réseau de connaissances et d'influences [5]. Ses quatre patrons Legrain, Toulouse, Dubuisson mais aussi Marie sont, quant à eux, engagés dans le milieu hospitalier ; Legrain est médecin-chef à l'asile de Ville-Evrard, Dubuisson à Sainte-Anne, Marie à Villejuif tout comme Toulouse qui est sans doute le plus actif : il dirige le laboratoire de psychologie expérimentale qu'il a lui-même fondé à l'Ecole des Hautes Etudes en 1897, il est directeur de la *Revue de psychiatrie et de psychologie expérimentale*, directeur de la *Revue scientifique* (1904), directeur de deux collections, l'une chez l'éditeur Octave Doin : la Bibliothèque biologique et sociologique de la femme [6] et l'autre chez Alcan : Bibliothèque internationale de psychologie expérimentale, normale et pathologique [7]. Marie est, lui, très engagé dans les questions d'organisation des asiles, les questions sociales et juridiques que posent l'internement des aliénés ; il fait partie de la rédaction de la *Revue de psychiatrie* ; dirige le journal *L'Assistance*. Legrain, quant à lui, a fait du combat antialcoolique une spécialité médicale ; il crée à ce propos une section spéciale pour les alcooliques. Tous ont déjà abondamment publié, participent aux diverses sociétés de la communauté psychiatrique [8], aux congrès que celle-ci organise en France ou en collaboration avec les communautés étrangères.

Sur le plan des conceptions médicales et des doctrines, le milieu que fréquente Madeleine Pelletier possède également de nombreux caractères d'homogénéité. Ces hommes représentent une génération de médecins positivistes (Dubuisson est un membre actif de la Société positiviste), souvent franc-maçons (Legrain, Toulouse), matérialistes en ce sens qu'ils estiment que la méthode expérimentale doit être appliquée à l'homme au même titre qu'on le fait en étudiant les phénomènes de la nature et en ce sens que les questions métaphysiques ne doivent pas venir interférer dans les questions de travail scientifique. Ils sont les représentants d'un évolutionnisme à la française, c'est-à-dire perpétuant l'influence de Lamarck qui avait posé au début du XIXe à la fois le principe de l'hérédité des caractères acquis mais aussi l'influence du milieu sur les formes vivantes et donc leurs lentes modifications ; ils sont attentifs aux problèmes sociaux et de là aux causes sociales des maladies [9]; en même temps ils maintiennent une orientation très physiologique voire biologisante (Toulouse) à la médecine psychiatrique française de l'époque. Sur la question des femmes, il faut savoir que c'est Toulouse qui s'en est le plus occupé parmi tous ces psychiatres. Il a publié en 1904 un livre intitulé *Les conflits intersexuels et sociaux* dans lequel il estime que

« l'indépendance de la femme l'amène à des collisions d'intérêts avec l'homme [10] » d'où ce titre. « J'incline à penser que la femme est intellectuellement différente de l'homme par cela même qu'elle est physiquement différente de lui [11] », annonce-t-il dans son premier chapitre [12]. Quant à Legrain et Marie, leurs épouses respectives s'occupent activement des questions d'assistance et de protection des aliénés, des indigents etc. Mme Marie reçoit le prix Carlier de l'Académie des sciences morales et politiques pour son œuvre sociale.

C'est donc ce milieu que Madeleine Pelletier rencontre lorsqu'elle commence son internat, c'est-à-dire en janvier 1904 [13]. Elle est successivement sous la direction de Legrain, Marie/Toulouse et Dubuisson. C'est pendant cette courte période qu'elle publie la majeure partie de ses travaux de médecine mentale.

Je les diviserai entre des écrits de psychologie et de psychiatrie (la thèse et les articles qui lui en sont proches) et des articles qui discutent de questions sociales ou de thèmes largement débattus au sein de la communauté psychiatrique mais dont l'écho dépasse le cercle des professionnels et appellent plus que les premiers à des réflexions de type extra-médical. Je me réfère ici à ces articles sur l'homme de génie et la doctrine des dégénérescences.

Sa thèse, soutenue en octobre 1903, s'intitule « L'association des idées dans la manie aiguë et dans la débilité mentale ». C'est une thèse plutôt volumineuse pour l'époque puisqu'elle atteint 148 pages, mais ce qui est plus important est que les membres du jury se déclarent « extrêmement satisfaits [14] » ; un jury présidé par Joffroy qu'elle a déjà rencontré, notamment lors d'un stage à l'asile Sainte-Anne pendant ses études. Elle obtient également une médaille de bronze [15] et le prix Lorquet de l'Académie de médecine qui récompense des travaux en matière de médecine mentale ; enfin elle parvient à faire publier sa thèse l'année suivante [16]. C'est donc considéré comme un bon travail qui démontre à la fois une bonne connaissance d'un certain positivisme, notamment anglais à travers Stuart Mill, et surtout elle se place dans la lignée de la psychologie expérimentale qui est en plein essor ; une raison de son succès peut être expliquée par le fait qu'elle parvient à établir des liens évidents entre une approche nouvelle et des thèmes chers à la psychiatrie que ce soit la question de la débilité qui est ici son cas d'étude ou du thème plus général de l'association d'idées. Elle le dit d'ailleurs très bien elle-même dans la préface de sa thèse : « La psychiatrie est une branche de la médecine et comme telle, elle a un but pratique. (...) Mais d'un autre côté, par le caractère spécial des maladies qu'elle étudie, les maladies de l'esprit, elle se rattache à la psychologie [17]». Elle répond en cela aux desiderata des promoteurs de la psychologie expérimentale que sont Théodule Ribot (1839-1916) et ses principaux élèves Pierre Janet (1859-1947) et Georges Dumas (1866-1946) à qui d'ailleurs elle a dédié sa thèse [18]. Ribot incitait ses disciples à étudier la médecine afin de donner à la psychologie, tenue essentiellement par les métaphysiciens tout au long du XIXe, une figure véritablement scientifique, d'où cet adjectif « d'expérimentale » qui naturellement fait référence à la médecine expérimentale de Claude Bernard [19]. Dans sa thèse, Madeleine Pelletier cite abondamment Janet et les idées de Dumas sont fidèlement mentionnées. On peut les résumer ainsi : attention donnée aux faits pathologiques, et de là plus à l'homme qu'à son milieu ; recherche clinique poussée plus que recherche de conceptions générales sur les maladies ; tentative de bouleverser les rapports normal/pathologique qui est le grand apport de cette psychologie. Contrairement à la psychiatrie dont on pourrait dire qu'elle cherche à délimiter ce qui sépare la normalité de la pathologie nerveuse et mentale, cette psychologie au contraire cherche à montrer que l'opposition n'est pas nécessairement la meilleure voie pour comprendre les phénomènes psychiques. Ainsi Dumas affirme qu'il y a une identité entre les mécanismes psychologiques normaux et les mécanismes pathologiques. On retrouve cet état d'esprit dans les travaux de Madeleine Pelletier. On peut dire qu'elle reste très fidèle à l'enseignement reçu. Dans un compte rendu, mitigé, de son livre, paru dans la *Revue scientifique*, l'auteur note cette fidélité tout en reconnaissant que le livre « est même pourvu d'idées [20] ». Outre un article, qui est condensé dans sa thèse, publié dans le journal *La Médecine moderne* en décembre 1903 [21], elle fait paraître plusieurs écrits [22] qui tournent autour des questions qu'elle a abordées dans son travail de thèse. Dans ces articles, dont certains sont des résultats ou des analyses de cas (ceux de thérapeutique par exemple) elle maintient l'approche adoptée dans la thèse : références à ces inspirateurs, tel Janet, rapprochement du normal et du pathologique et enfin le somatique domine dans ses travaux. Ce sont des articles courts et ceux publiés dans *La Médecine moderne* sont avant tout de vulgarisation. Il est à noter qu'elle publie, en dehors de *La Médecine moderne*, dans les revues de ses patrons.

Parallèlement à ses travaux qui sont en liaison directe avec son métier d'interne, elle publie des articles portant sur des questions sociales. Ils concernent l'alcoolisme, le divorce et l'internement. Ils sont publiés dans la *Médecine moderne* et deux sont rédigés en collaboration avec Armand-Auguste Marie.

Le texte sur l'alcoolisme est issu d'une communication prononcée devant la Société des Educateurs tempérants en juillet 1904 lorsqu'elle fait son internat chez Legrain. L'article concerne avant tout l'alcoolisme ouvrier. Elle estime difficile de faire passer le message antialcoolique car les tempérants sont assimilés aux bourgeois, néanmoins elle pense qu'on boit moins qu'avant, ce qui est déjà un résultat encourageant. Elle n'est cependant pas exempt d'un discours médical assez traditionnel sur ce sujet : « Comme l'enfant, comme le sauvage, l'homme inculte et en général tous ces inférieurs, l'intempérant vit dans le présent et ne connaît pas l'avenir [23]. »

Le thème de l'imprévoyance des classes pauvres a de vieilles origines dans le discours médical ; on le retrouve en particulier dans les écrits des observateurs sociaux de la Monarchie de Juillet. En fait, au-delà d'une appréciation générale, elle tente de faire une sorte de psychologie de l'homme-alcoolique qu'elle présente sans volonté, comme un être veule et que rien ne rehausse à ses yeux ; « Tyran dans sa famille, il devient l'esclave du camarade au verbe haut et au geste violent qui l'entraîne au cabaret [24]. » Elle aborde ensuite le problème des causes dont elle reconnaît qu'elles sont multiples et que cela constitue par là même une des difficultés. Elle conclut en disant que « l'éducation des masses est un bien grand mot facile à dire et même à imprimer, mais dont la réalisation est un monde [25] ».

Le second article qu'elle consacre à des problèmes de société, elle le réalise en collaboration avec Marie au moment où elle effectue sa seconde année d'internat, sous sa direction. La question qu'ils soulèvent est de savoir si la folie peut être présentée comme une raison légitime et suffisante pour demander le divorce. La question du divorce est très débattue à l'époque [26]. Leur article est une contribution à un des aspects de ce débat qui en contient d'autres. L'article s'insère dans un certain discours des hommes laïques et engagés à gauche qui tendent à donner à la loi de 1884, l'interprétation la plus large possible, c'est-à-dire, à leurs yeux, qui prenne en compte l'évolution des mentalités et des mœurs. L'article commence par résumer les arguments de chaque camp, puis ils répondent à la question en estimant que la folie ne peut constituer une raison pour demander le divorce ; si le mariage est d'amour, nous est-il expliqué, il n'y a pas de raison de quitter son conjoint : on l'aime comme il est. En outre dans la mesure où le mal s'est déclaré après le mariage on ne peut qu'admettre que « vous n'avez pas été trompé sur la qualité de la marchandise [27] ». Ensuite l'article reconnaît qu'il y a une évolution des mœurs et des pratiques et estime qu'à terme le divorce sera plus courant et finira par incorporer la possibilité juridique du consentement mutuel. Eux-mêmes proposent quelques aménagements : « La vie de la femme mariée à un alcoolique est un véritable martyre. (...) Une modification s'impose donc ici et l'on pourrait, par exemple, établir qu'à la troisième attaque, le conjoint puisse obtenir le divorce [28]. » Comme dans l'article précédent, il y a une grande attention donnée à l'individu ; c'est finalement autour de lui et grâce à lui que se règlent les problèmes. La conclusion de l'article signale d'ailleurs ce déplacement qui s'opère vers l'individu : « A mesure des progrès de la civilisation, l'autorité des collectivités diminue de plus en plus pour faire place à une liberté individuelle, sans cesse plus grande. (...) Aujourd'hui la famille et société tendent à n'être plus que des agrégats d'individus libres [29]. »

Le troisième article, à nouveau en collaboration avec Marie, est un appel à la laïcisation des hôpitaux et à ce que l'Etat prenne sa responsabilité devant les questions médico-sociales [30]. C'est un sujet sur lequel Marie s'est déjà penché et qui retiendra toute son attention dans sa carrière. C'est aussi une question très débattue et dont l'arrière fond idéologique est indéniable [31]. On ne sera pas surpris que, du fait même de ses positions personnelles, Marie se range derrière une telle politique. Au-delà de cet enjeu, dont on n'a oublié la vigueur, l'article témoigne de l'importance accordée à l'asile comme un lieu de soins bien organisé, possédant un personnel compétent et adapté ; il y a en quelque sorte une volonté d'offrir à tous une aide médico-psychiatrique de haut niveau et identique pour tout patient.

Il nous reste maintenant à considérer les écrits de Madeleine Pelletier sur deux questions très importantes et qui ont suscité bien des controverses et des discussions au sein du milieu psychiatrique mais pas seulement. Ces articles ne sont pas le résultat de ses stages d'internat ; ils ont cependant été rédigés grosso modo durant cette époque. Ils marquent, selon moi, l'intérêt de Madeleine Pelletier de participer à un débat engagé depuis plusieurs décennies. C'est le cas tout particulièrement de la dégénérescence.

Formulée par un médecin du Second Empire, Bénédict-Augustin Morel (1809-1873), la doctrine des dégénérescences a tenté d'offrir une nouvelle lecture de la maladie et, appliquée à la médecine mentale, d'élaborer une classification des pathologies à partir de leurs causes, ce qu'on appelle en médecine mentale une classification étiologique. L'entreprise de Morel était très ambitieuse dans la mesure où il voulait présenter une synthèse en utilisant des travaux d'anthropologie, de sciences naturelles, d'hygiène etc. Il publia ses résultats en 1857 dans un livre volumineux qui s'intitule *Traité des dégénérescences physiques, intellectuelles et morales de l'espèce humaine.* Pour Morel, la dégénérescence est une maladie et en conséquence elle présente des symptômes spécifiques, une évolution et une origine. Il la présente comme une déviation par rapport à un type normal, cette normalité étant définie dans son esprit par l'origine divine de l'homme. Morel se situe dans cette tradition qui considère que le monde et l'homme ont été créés par Dieu. Ainsi l'espèce humaine se perpétue à partir de cet homme primitif. Tous les individus qui, pour une raison ou pour une autre ne correspondent plus à cet homme originel sont des dégénérés. Morel nous explique pourquoi et comment ils subissent cette maladie. L'ensemble de l'ouvrage est consacré à ces mécanismes dans lesquels milieu et hérédité sont complémentaires pour en expliquer le fonctionnement. Ce qui va retenir l'attention des lecteurs de Morel c'est précisément les mécanismes de déclenchement de la maladie et les mécanismes de sa transmission. L'originalité de cette maladie est qu'elle se perpétue, selon Morel, en s'aggravant à chaque fois qu'elle passe d'une génération à l'autre. A la fin du XIXe siècle, la psychiatrie française, à force de remanier les idées de Morel, à force de ne prendre que ce qui lui convenait, a provoqué beaucoup d'ambiguïtés et de contradictions dans sa lecture de Morel tant et si bien que si les termes « dégénéré » et « dégénérescence » sont particulièrement employés, personne ne sait exactement ce que leur utilisateur veut dire. L'article de Madeleine Pelletier se situe donc dans cette atmosphère de relative confusion. Ce n'est d'ailleurs peut-être pas un hasard si elle l'intitule : « Qu'est-ce que la dégénérescence [32] ? », si Vaschide intitule le sien : « Qu'est-ce qu'un dégénéré [33] ? », et si d'autres avant eux se sont fait l'écho de la confusion qui règne derrière ce terme qui a pris un telle ampleur dans le vocabulaire psychiatrique [34]. Madeleine Pelletier démontre une grande clarté dans son explication de la théorie morellienne et contrairement à beaucoup d'autres textes sur le même sujet, elle ne fait pas de contresens dans son interprétation. En fait, parce qu'elle s'applique à ne considérer que les mécanismes de transmission de la maladie et ignore volontairement tout l'apparat philosophique sur lequel elle ne peut tomber d'accord. Ce qu'elle se refuse de faire également, et on retrouve une fois de plus ses premières influences, c'est d'opposer le dégénéré à l'homme normal car cette entité n'est pas définie par Morel qui n'a pas été capable de le faire, selon elle, puisqu'il a dû se référer à la métaphysique pour cela et qu'en aucune façon ce recours ne peut être un comportement scientifique.

Sa conception de la dégénérescence reflète l'attention toute particulière qu'elle donne au système nerveux. Dans ses premiers articles, elle estimait que les débiles ne parvenaient pas à associer leurs idées sur un mode cohérent, car ce qu'elle appelait leur « niveau mental » n'était plus assez élevé, n'avait pas assez de puissance pour mener à bien cette coordination comme est capable de le faire un homme normal ; on retrouve en partie ce schéma dans sa conception de la dégénérescence qu'elle considère comme un amoindrissement du système nerveux [35] ; à partir de là l'individu n'est plus capable de satisfaire à ces fonctions tant organiques que psychiques. Sa description des dégénérés est, à cet égard, très suggestive : « Livrés à eux-mêmes, ces individus mourraient infailliblement de faim ou de froid (...) ; aussi lorsqu'on considère et leur débilité somatique et leur misère physiologique, et leur affaiblissement mental, on ne peut s'empêcher de songer à ces plantes rabougries que donnent les graines semées dans de mauvais terrains [36]. »

Une fois donnée sa propre interprétation, elle insère ses propos dans les débats en cours en critiquant très directement, et sans ambiguïtés, l'utilisation du concept opéré par certains de ses contemporains, notamment par Lombroso et ses collègues italiens :

« L'école lombrosienne a mis, on peut le dire, la dégénérescence à la mode. Le criminel, l'homme de génie sont devenus des dégénérés et les disciples, exagérant encore le maître, comme cela arrive toujours n'ont pas hésité à classer parmi les dégénérés, supérieurs ou inférieurs, tous les hommes qui, d'une façon quelconque, se sont écartés du commun [37]. »

Sur cette question, elle est parfaitement en harmonie avec tout un courant de la psychiatrie française qui donne du concept de dégénérescence à la fois une orientation très organique et qui met en avant le caractère particulièrement héréditaire de cette maladie. Alexis Joffroy, son maître, est un bon exemple [38]. Dans un article sur « la débilité mentale chez l'enfant [39] » on retrouve de façon plus marquée cette proximité intellectuelle avec certains de ses collègues et notamment avec Legrain. On peut dire qu'à travers cet article, elle épouse les conceptions des psychiatres français sur la question des dégénérescences : grande attention donnée à l'hérédité, mais sans oublier les facteurs sociaux de cette maladie. Enfin sa critique de Lombroso est également une attitude que l'on retrouve de plus en plus au sein du milieu psychiatrique. Toulouse, Legrain ont également critiqué le médecin italien, le premier sur cette question du génie dont il s'est occupé [40] et le second sur ses travaux concernant l'homme criminel [41]. Pour ce qui regarde Madeleine Pelletier, ce n'est d'ailleurs pas la première fois qu'elle adopte cette attitude critique, ni la dernière. En effet, elle développe tout particulièrement ses arguments contre Lombroso en abordant la question de l'homme de génie, à travers deux articles l'un portant sur les théories en présence sur cette question [42] et l'autre qui considère la possibilité du génie chez la femme [43].

Elle commence donc par faire référence à Lombroso. Celui-ci est sans doute un des hommes les plus renommés du monde scientifique. Il a toujours su susciter à la fois un grand intérêt et de vives critiques [44]. Au moment où Madeleine Pelletier écrit ses articles, l'homme est à la fin de sa vie et son aura s'est considérablement estompée et ses considérations sur les hommes de génie sont sous le feu de la critique. Elle y ajoute sa propre salve.

Lombroso a publié plusieurs milliers de pages sur la question du génie [45]. Chaque nouvelle publication a apporté une sorte de durcissement dans sa vision du génie qui est devenu au fil du temps toujours plus pathologique. Dans ses derniers travaux, Lombroso s'est mis à identifier le génie à une dégénérescence en grande partie parce qu'il estimait possible d'établir un parallèle avec l'épileptique, considéré comme un dégénéré par beaucoup :

« L'identité du génie et de l'épilepsie nous est prouvée surtout par l'analogie de l'accès épileptique avec le moment de l'inspiration, par cette inconscience active et puissante qui crée dans l'un et produit des convulsions dans l'autre [46]. »

Sa critique de Lombroso revient sur les arguments exprimés quant à la dégénérescence. Ce qu'elle lui reproche à nouveau, c'est de condamner tout individu qui ne se noie pas dans la masse. Lombroso, c'est le représentant de la culture moyenne. Sa critique est dirigée sur l'interprétation sociale du génie que ferait Lombroso plus que sur ses explications physiologiques et l'assimilation qu'il fait avec le dégénéré. Elle refuse cette assimilation non pas tant parce qu'elle est physiologiquement fausse mais parce que la dégénérescence c'est l'échec, c'est l'incapacité de l'individu de se servir de ses fonctions tandis que le génie, c'est au contraire la capacité d'utiliser ses propres possibilités à son maximum. « L'originalité est la condition primordiale du génie [47]. » Elle insiste particulièrement sur cet aspect social dans son article de la *Suffragiste* qui est celui consacré à la possibilité du génie chez la femme.

Sur le plan médical, elle va presque dans la direction de Lombroso en reconnaissant qu'il y a une certaine identité entre le génie et l'aliéné (« Tous les deux sont possédés par leur idée [48] »), mais cette identité s'arrête, selon elle, aux aspects psychologiques, tandis que Lombroso poussait la similitude jusqu'au plan physiologique. Ce qui la sépare de Lombroso, c'est un positivisme moins mécanique et l'idée qu'à un fait psychologique ne correspond pas nécessairement et directement un fait physiologique. Ce qu'elle attaque, c'est vraiment le mépris qui, selon elle, pousse des hommes comme Lombroso à critiquer les hommes de génie. Elle trouve cela « néfaste », car « une société qui n'a pas d'hommes de génie est condamnée par cela même au statu quo et à la mort intellectuelle [49] ». Si sa critique de Lombroso n'est pas en soi une originalité, son contenu l'est déjà beaucoup plus. En considérant la possibilité du génie chez la femme, elle se distingue radicalement de ses contemporains. Donc, à la fois elle refuse en soi la pathologisation de l'homme de génie et confère à la femme ce qu'elle considère comme une valeur positive. C'est à replacer dans les propos qu'elle développera par la suite à savoir que l'infériorité de la femme n'est pas intrinsèquement liée à des dispositions organiques mais à un milieu qui ne lui est pas favorable pour son épanouissement intellectuel [50]. Alors que ses travaux sont peu dirigés sur le rôle du milieu dans la genèse des maladies, elle est néanmoins tout à fait consciente que la psychologie chez l'individu est aussi, sinon plus une affaire de milieu que d'hérédité. Dans un article consacré précisément à ce sujet, elle écrit : « l'hérédité somatique, physiologique, ou pathologique n'est contestée par personne ; l'hérédité psychologique au contraire est beaucoup moins évidente [51] ».

Pour conclure, je dirai qu'elle est loin de refuser toute influence de la part de ses maîtres, et que souvent ses propos s'insèrent dans un discours psychiatrique général, bien qu'il ne soit pas particulièrement sensible à des valeurs que pourraient épouser des féministes. En ce sens elle ne se détermine pas seulement comme femme et comme féministe mais comme une citoyenne qui opte pour tel ou tel courant intellectuel ou politique plus ou moins dominant dans le milieu professionnel qu'elle fréquente. Et lorsqu'elle se permet des commentaires qui révèlent plus ses engagements idéologiques que ses connaissances médicales, force est de constater que c'est sans doute parce que le traitement de ses sujets, par ses pairs, n'a pas répondu aux critères d'objectivité, d'analyse que la science prétend présenter. Enfin je crois qu'il est intéressant de constater que c'est en partant de ses choix doctrinaux, comme son discours sur la femme, qu'elle parvient à établir une autre vérité scientifique (la non-infériorité de la femme) que celle à laquelle les scientifiques du XIXe siècle, dans leur majorité, avaient habitué leurs contemporains.

# L'action suffragiste de Madeleine Pelletier

## Laurence Klejman / Florence Rochefort

### LE FÉMINISME AU TOURNANT DU SIÈCLE

Quand Madeleine Pelletier entre de plain-pied dans le mouvement féministe en 1906, celui-ci a déjà une solide histoire derrière lui [1]. Né à la fin du Second Empire, au sein de l'opposition républicaine, il s'est structuré dans les premières années de la Troisième République autour de personnalités telles que Maria Deraismes, André Léo, Paule Minck et Léon Richer. Menant campagne essentiellement pour l'éducation, le droit au travail et les droits civils, ils repoussent à « plus tard » une mobilisation pour le suffrage. Mais, dès 1878, la question est mise à l'ordre du jour par une jeune militante, Hubertine Auclert. Marginale à ses débuts, cette revendication finit par s'imposer comme une évidence dans le mouvement autour des années 1906-1910.

Eclaté en différents courants et groupes plus ou moins importants en nombre de militants, le mouvement s'est récemment élargi (1901) grâce au ralliement de la philanthropie féminine avancée. Sur le modèle anglo-saxon, ces « dames d'œuvres charitables » se consacrent au combat pour l'égalité des sexes. En 1906, l'instance la plus représentative du mouvement français, le Conseil National des Femmes Françaises (CNFF), décide de créer une section destinée à revendiquer le suffrage féminin.

Par ailleurs, la tendance plus radicale, issue des analyses et actions

d'Hubertine Auclert, redouble d'activité suffragiste. Six mille signa-
tures sont réunies pour une pétition revendiquant le droit de vote
pour les femmes célibataires, veuves ou divorcées ; l'idée séduit
même le député Gautret qui rédige un projet de loi — jamais discuté
à la Chambre. En 1901, Hubertine Auclert mène une bataille intense,
soutenue par l'émission d'un timbre « pirate » en faveur du droit de
vote. Une campagne d'affichage à Paris et en province vient complé-
ter l'action du Suffrage des Femmes.

En 1906, la plupart des groupes qui considèrent la lutte suffragiste
comme une priorité se retrouvent pour mener des actions publiques.

Cette année-là Madeleine Pelletier a la surprise de se voir confier
la direction d'un groupe féministe : la solidarité des femmes.


## LA SOLIDARITÉ DES FEMMES


La solidarité fait partie de cette mouvance féministe que l'on peut
qualifier de radicale. Fondée en 1891 par Eugénie Potonié-Pierre et
Maria Martin et dirigée depuis 1898 par Caroline Kauffmann, elle
affiche un programme intégral : droits civils, travail, éducation,
droits politiques. Elle se réclame aussi d'une sensibilité socialiste,
même si le noyau dur de ses militantes se recrute essentiellement
dans la petite bourgeoisie désargentée. En revanche, la présidente est
membre de la SFIO. Deux fois par mois, une réunion publique à la
mairie du VIe arrondissement de Paris témoigne des divers centres
d'intérêt du groupe : débat sur le sport féminin, les droits civils,
le divorce, l'amour libre. Il n'y a a priori pas de sujet tabou. La
solidarité s'est fait remarquer lors d'actions publiques, notamment
avec une manifestation organisée à l'occasion du centenaire du code
civil (1904).

Mais tout autant que son programme, le caractère convivial de la
structure de la Solidarité est un facteur de cohésion pour ses militantes.
Des dîners, des fêtes, des cours de cuisine et de gymnastique y sont
régulièrement organisés. Cette sociabilité féminine, qui reflète une
des aspirations du féminisme du tournant du siècle à une plus
grande communication entre les femmes, va poser des problèmes à
la toute nouvelle présidente : Madeleine Pelletier.

## L'ACTION FÉMINISTE SELON MADELEINE PELLETIER

Rien ne prédisposait Madeleine Pelletier à prendre la tête de ce groupe : elle n'en était pas membre, n'y avait donc pas gagné ses galons et ne l'avait pas non plus créé — les deux façons habituelles d'accéder à la direction d'un groupe. Son intronisation, elle la doit à sa notoriété de jeune femme médecin qui s'est battue pour s'imposer et, aussi, à ses idées politiques avancées. Fort peu démocratiquement, Caroline Kauffmann, la présidente en exercice a jugé que cette personnalité conviendrait pour diriger — en son absence — son groupe. Madeleine n'est pas enthousiasmée par la proposition. Mais son activité de médecin aliéniste la déçoit et elle n'accepte la présidence du groupe que pour échapper à « l'ennui » qui la mine : « Le groupe, je le connaissais, une trentaine de femmes qui parlaient toutes à la fois... Enfin, c'était tout de même une affaire pour moi, j'entends une affaire morale. Plus encore que de la gêne, je souffrais de l'ennui [2]. »

La passation des pouvoirs s'est faite dans le cabinet médical de Madeleine Pelletier. Celle-ci le raconte avec humour dans ses mémoires :

« Alors Caroline Kauffmann sortit des profondeurs d'un invraisemblable sac où il y avait des brochures et... une salade. Elle tira disje une sonnette fêlée et solennellement me la remit. Je me pinçais pour ne pas éclater de rire. Une sonnette fêlée, le symbole de mon nouveau pouvoir, oui c'était bien cela [3]. »

Mais Madeleine Pelletier n'entend pas se trouver à la tête d'un cercle de femmes désœuvrées. Elle n'a que faire des causeries ou des cours de cuisine. Son objectif est de structurer la Solidarité en un véritable groupe militant. Elle se veut le général d'une armée féministe, organisée autour du groupe dont elle est la présidente. En cela, elle n'échappe pas au syndrome du chef : dans le mouvement, aucune leader n'a formulé autrement ses ambitions. La différence majeure entre elles et Madeleine Pelletier est que cette dernière dispose d'une formation militante et qu'elle sait formuler en termes politiques cette nécessité pour le mouvement de se structurer pour gagner.

Dans son texte *La femme en lutte pour ses droits, la tactique féministe* [4], elle précise son programme :

— mettre l'accent sur le droit de vote
— créer de vastes organisations féministes
— faire de l'entrisme dans les partis politiques existants.

Là encore, aucune originalité : Hubertine Auclert a fait du suffrage son cheval de bataille depuis 30 ans et a brillamment développé tous les arguments en faveur du vote. La création du CNFF en 1901 voulait répondre à la volonté de former un parti, qui plus est rattaché à une instance internationale (Conseil International des Femmes). Quant à militer dans des partis ou des structures masculines (Franc-Maçonnerie, Libre Pensée, Syndicats), Maria Deraismes et Hubertine Auclert l'avaient déjà préconisé dans les années 1880.

Madeleine Pelletier qui fréquente de loin le mouvement féministe depuis les années 1890 (elle connaissait Astié de Valsayre et fut présente au Congrès de 1896) connaît bien les faiblesses du mouvement. Pense-t-elle réussir là où les autres ont échoué ? Certainement, et cette certitude s'appuie sur son parcours personnel et l'idée qu'elle se fait de sa propre émancipation. Si le féminisme piétine, c'est qu'il ne se fonde pas suffisamment sur la Raison. Empêtré dans une réflexion identitaire, il perd ses forces. A contrario, un mouvement débarrassé de ces scories peut prétendre imposer ses vues. Le mouvement féministe qui fait une part belle au discours valorisant la spécificité féminine pour réclamer les droits politiques (qualité de gestion traditionnelle des femmes, qualités de cœur...) est pris au piège de son propre discours. Selon Madeleine Pelletier, il ne peut y avoir combat pour l'égalité et revendication d'une spécificité. Si les femmes sont différentes des hommes, cela est dû aux conditions différentes d'éducation et de vie. Il en va de même pour le parti : pour réussir, il doit s'organiser selon le modèle qu'elle connaît : fixer des objectifs précis et s'y tenir rigoureusement. Pour s'en convaincre et se former les féministes doivent donc s'inscrire dans les partis existants. Tolérante, Madeleine Pelletier précise que ces partis peuvent être de droite, l'objectif prioritaire restant le droit de vote. Là les féministes apprendront la discipline et le b.a.-ba du militantisme.

« Tout d'abord, il faut que la féministe ne se fasse pas illusion sur sa propre valeur. Loin d'être capable de conduire et d'enseigner, c'est elle qui doit être tout d'abord conduite et enseignée car elle a énormément à apprendre. »

A partir d'une analyse exacte de la faiblesse de la formation militante au sein du féminisme, Madeleine Pelletier est cependant incapable de concevoir que le féminisme puisse proposer sa propre approche du militantisme et de la politique. Quand, dans le même texte, elle conseille la lecture d'ouvrages politiques et de journaux, elle fait abstraction des textes et de la presse féministes. En fait, et elle le dit, il n'y a pas à ses yeux de doctrine féministe véritable.

Ses conseils pour pénétrer une organisation politique sont judicieux : ne pas rester passive, ne pas arborer un "féminisme outrancier", mais intervenir à bon escient pour faire reconnaître son point de vue, voire faire adopter des résolutions... Néanmoins, même si elle rappelle que le féminisme doit rester pour chacune l'objectif principal, Madeleine Pelletier ne propose rien de concret sur la stratégie de ce parti féministe à construire. Elle ne prend d'ailleurs pas position sur les débats au sein du mouvement ; tout procède comme si aucune structure n'existait déjà. A un moment où la question du vote devient centrale et où le mouvement regroupe quelques dizaines de milliers de militants, Madeleine Pelletier propose une analyse qui conviendrait davantage à la période 1890-1895, comme en témoigne son article de 1909, *Le féminisme et ses militantes* [5] qui ne mentionne même pas l'existence de l'Union Française pour le Suffrage des Femmes, jeune groupe suffragiste en pleine expansion, section française de l'importante Alliance Internationale pour le Suffrage des femmes.

En fait, les débats internes au mouvement sur la stratégie à adopter lui importent peu (revendication des droits politiques intégraux ou fractionnement tactique par étapes, vote municipal puis vote politique...). Seule compte à ses yeux la reconnaissance de la validité de la revendication suffragiste par le monde politique, et plus particulièrement par le mouvement socialiste.

Pourtant, elle connaît la stratégie des suffragettes anglaises, pour lesquelles elle a de la sympathie mais elle ne croit guère à la capacité des Françaises à s'organiser sans en passer par les fourches caudines du militantisme politique. Elle-même, au moment où elle prend la direction de la Solidarité, s'inscrit à la SFIO et suit à la lettre ses propres conseils. Mais ce prêche par l'exemple peut-il être mobilisateur pour l'ensemble des femmes qui composent le mouvement féministe ?

## L'ACTION SUFFRAGISTE DE MADELEINE PELLETIER

Madeleine Pelletier ne se contente pas de porter la question féministe au sein de la SFIO : elle tente de faire fonctionner le groupe dont elle a hérité. Mais cela commence mal. Peu encline, nous l'avons vu, à accepter un groupe non efficace — et pour elle est non efficace tout ce qui relève de la mise en avant d'une spécificité féminine, elle « maltraite » ses troupes — ce qui a pour effet instantané de les réduire de moitié. De plus, une manœuvre malhabile fait perdre au groupe la salle de la mairie du VIᵉ. Reste un noyau de résolues, qui ne gagnent pas pour autant la sympathie de leur leader.

Que fait Madeleine Pelletier dans ces années 1906-1910 ? Campagne pour le vote, comme d'autres groupes.

En mai 1906, la France est en pleine période électorale. Les groupes radicaux se mobilisent. Une affiche commune est signée par la Solidarité, le Suffrage des Femmes (H. Auclert), la Société pour l'amélioration du sort de la femme et la revendication de ses droits (créée par Maria Deraismes), le Groupe français d'études féministes et cinq autres groupes. On y réclame le droit de vote intégral après un préambule qui fait référence aux droits politiques des femmes dans l'Ancien Régime.

Le même mois, la Solidarité organise une manifestation en fiacre à travers Paris. On y exhibe l'affiche et des oriflammes. Cette promenade dominicale n'attire essentiellement que des quolibets et un ou deux articles humoristiques.

Madeleine Pelletier a plus de chance auprès des socialistes : en novembre, à Limoges elle fait voter une motion en faveur des droits politiques — qui restera sans lendemain (bien que revotée en août 1907 à Nancy).

En 1908, l'agitation électorale reprend. Cette fois, Madeleine Pelletier veut que l'on parle du vote des femmes : elle entreprend une action de « propagande par le fait », bien modeste, il est vrai mais qui réussit à se faire remarquer. Elle casse les vitres d'une salle de vote.

Hubertine Auclert obtient le même succès lorsqu'elle renverse une urne électorale quelques jours plus tard.

Comme d'autres leaders, M. Pelletier décide de publier, à ses frais personnels, une revue, *La Suffragiste*. De parution irrégulière, ces huit pages servent principalement de tribune à la directrice de la Solidarité et à Caroline Kauffmann. Une certaine Madame Remember, qui apporte quelques fonds pour la revue, l'utilise aussi comme tribune personnelle. L'action du mouvement y est passée sous silence.

La même année, à l'initiative d'une autre doctoresse, Mme D'Oranevskaia, et grâce aux amitiés socialistes de Madeleine Pelletier, un petit groupe de féministes s'immisce à la Chambre des Députés et y organise un lâcher de tracts suffragistes. Une fois l'émotion passée, les huissiers admonestent les suffragettes et les laissent repartir... On est loin du succès des suffragettes anglaises que Caroline Kauffmann et Madeleine Pelletier rencontrent à Londres en juin 1908. Invitées à la manifestation à Hyde Park (500 000 partisans du vote des femmes) et hébergées par la célèbre militante R.M. Billinghurst, elles ne peuvent que constater le retard de la France quant à la mobilisation féministe. Quelques candidatures... une goutte d'eau dans l'océan de l'indifférence, estime Madeleine. Et puis, il y a candidature et quand, en franc-tireuse, une jeune femme, Jeanne Laloé, s'est présentée aux élections et a recueilli 987 voix (22% des voix), son acte est jugé antiféministe par Madeleine Pelletier. Sa candidature invalidée, on refuse de comptabiliser les voix, le procès, avec l'avocate et dirigeante féministe Maria Vérone comme défenseur de la candidate, n'y change rien. L'affaire fait pourtant grand bruit et la question du vote est largement débattue dans la presse.

En 1910, à l'initiative de Marguerite Durand un certain nombre de militantes décident d'organiser des candidatures féministes dans les différents quartiers de Paris. Madeleine Pelletier fait partie du nombre et brigue le V$^e$, un quartier intellectuel, supposé plus ouvert aux idées progressistes. Caroline Kauffmann est candidate elle aussi. A l'origine, Madeleine Pelletier entend réellement proposer un programme féministe et s'apprête à affronter le courroux des membres de la SFIO. Mais elle est prise de vitesse : on lui propose une candidature dans le VIII$^e$ arrondissement. Dès lors, il ne s'agit plus de mener une campagne féministe. « Je crus de meilleure tactique, étant donné le public spécial, de laisser le féminisme un peu dans l'ombre, et après avoir dit pourquoi j'étais là, de faire une campagne presque uniquement socialiste [6]. »

Est-ce là où conduit la tactique féministe que préconise Madeleine Pelletier ? Entre la discipline de parti et les intérêts féministes qu'elle dit ne devoir jamais perdre de vue, Madeleine Pelletier a fait son choix. A qui profite-t-il ? La contradiction (expérimentée avant elle par Hubertine Auclert notamment) ne lui échappe sans doute pas mais elle feint de la mettre au service de sa propre tactique... elle va même jusqu'à critiquer les autres candidates, les jugeant trop peu révolutionnaires. En revanche, l'aile modérée du mouvement a condamné les candidatures pour le motif opposé.

En 1912, Madeleine Pelletier est candidate aux municipales, désignée par la SFIO dans le Faubourg St Germain, le quartier de St Thomas d'Aquin. Mais cette fois encore, Madeleine a des « réticences » et la presse se montre réservée. Madeleine y voit le signe d'un ostracisme social, faisant essentiellement référence à la campagne de Marguerite Durand : « Dame, Elisabeth Renaud et moi nous n'avions ni hôtel, ni automobile, ni lion. Des femmes sérieuses qui se présentaient, cela n'avait aucune importance pour MM les journalistes qui ne s'intéressent au féminisme que lorsqu'il prête le flan à la blague ou à pis encore [7]. »

En 1914, elle participe modestement à la campagne suffragiste organisée par Le Journal.


## EN CONCLUSION


Ce n'est pas par son activité suffragiste que Madeleine Pelletier présente le plus d'intérêt au regard de l'histoire du féminisme.

Au plan théorique, elle n'a pas fait progresser l'argumentation.

Au plan pratique, elle a, au mieux, suivi les féministes radicales.

De même, sa tactique d'entrisme dans les partis politiques n'est pas davantage couronnée de succès que celles d'Hubertine Auclert dans la Libre Pensée ou au Parti socialiste ou encore Maria Deraismes dans la Franc-Maçonnerie.

Toutefois, la question du vote et celle de l'organisation du féminisme en parti mettent en lumière certaines limites de la pensée féministe de Madeleine Pelletier. Le comportement individualiste qu'elle affiche sans cesse (lors du bris de la vitre en 1908, elle a agi contre la volonté de son groupe, accompagnant sa décision d'un « Qui m'aime me suive ! ») n'est guère propice à mobiliser des militant(e)s autour de soi. Mais ce travers existe de façon récurrente dans l'histoire du mouvement. Plus handicapant pour la réalisation du grand parti féministe dont rêve Madeleine Pelletier est sa conception même du féminisme. Il peut paraître provoquant de risquer que, dans le mot « féminisme », Madeleine Pelletier aimerait gommer le mot « femme ». Pourtant, ce raccourci rend compte d'une des limites de Madeleine Pelletier : elle ne peut pas comprendre ce que représente le féminisme pour une grande partie de ses militantes et sympathisantes : un milieu porteur d'une quête d'identité, un laboratoire où se testent de nouvelles pratiques, de nouvelles façons de vivre, de nouvelles cultures. Un laboratoire d'où émergera peut-être une

« femme nouvelle ». Pour mobiliser, l'utopie est nécessaire.
Le souci d'efficacité politique que revendique M. Pelletier suffit-il
pour expliquer ce refus du « stérile bavardage féminin » ? Ne peut-
on trouver dans le parcours personnel de Madeleine Pelletier, dans
son choix de vie, dans la construction de sa personnalité des éléments
qui expliquent l'intransigeance de ses positions ?

Un des reproches que Madeleine Pelletier fait aux féministes est de
n'être pas assez rationnelles : les féministes sont trop prises par des
questionnements sur la maternité, le corps, en bref, sur la spécificité
biologique féminine, la féminité. Et ce corps vivant du féminisme,
elle le rejette comme inutile, pesant — comme elle-même semble
rejeter son corps de femme (voir notamment sa correspondance avec
Arria Ly). Son incapacité à penser la spécificité féminine autrement
que comme un des stigmates de l'asservissement féminin la rend
sourde aux débats féministes. Son point de vue est simple : « Il faut
être des hommes, socialement », écrit-elle dans ses mémoires. Mais
que propose-t-elle aux femmes sinon être des hommes comme les
autres quand elle préconise la masculinisation des comportements
(voir son projet d'éducation des petites filles) !

On notera toutefois que ce refus radical de prendre en compte
l'existence d'une spécificité féminine conduit Madeleine Pelletier à
réclamer pour l'individu femme des droits qui autoriseraient une
libération véritable du corps : maîtrise de la fécondité, avortement,
satisfaction des pulsions sexuelles. Mais ce combat pionnier, para-
doxalement tout à fait désincarné, ne peut, tel qu'il est formulé,
trouver un écho dans le mouvement féministe. Après des siècles de
mépris pour les femmes, les militantes ont justement besoin de
valoriser leur individualité féminine.

Comment pourraient-elles servir d'armée à une générale qui écrit :
« Je n'aime pas les femmes telles qu'elles sont
pas plus que je n'aime le peuple tel qu'il est.
Les mentalités d'esclaves me révoltent [8]. »

# De la libre maternité
# à la désagrégation de la famille.

## Anne Cova

Se définissant elle-même comme d'abord une féministe intégrale, Madeleine Pelletier revendique, pour les femmes, le droit de vote, le droit au travail et ceux à l'éducation et à la libre maternité. Sa conception de la maternité [1] est originale au sein du mouvement féministe français. « La Maternité doit être libre » est le titre d'un chapitre du livre de Madeleine Pelletier intitulé *L'émancipation sexuelle de la femme* [2], publié en 1911. « La désagrégation de la famille » est celui d'un autre chapitre d'un recueil de textes, *La rationalisation sexuelle* [3], qui paraît pendant l'entre-deux-guerres, en 1935. Deux ouvrages capitaux qui permettent de cerner la pensée de Madeleine Pelletier sur la maternité et la famille, ces deux questions traversant nombre de ses autres écrits.

### REFUS DE LA MATERNITÉ ET DÉPOPULATION

#### Un dégoût précoce de la maternité

A l'âge de la puberté, à douze ans, lors de l'apparition de ses premières menstruations, après s'être heurtée au refus de sa mère d'en discuter, Madeleine se tourne vers son père et, en le questionnant, découvre avec stupéfaction que toutes les femmes, sa mère y compris, sont dans cette situation. Profondément choquée, elle écrira plus tard :

« Je n'avais jamais eu d'amour pour ma mère mais je sentais pour elle un certain respect ; je le perdis à l'instant en me la représentant... comme moi et j'en eus un dégoût qui me resta très longtemps [4]. »

Dans son roman en partie autobiographique, *La femme vierge* [5], l'héroïne, Marie, apprend par son père, dès l'âge de treize ans, l'existence des relations sexuelles et perd alors son respect pour sa mère [6]. Douze/treize ans semble être un âge important pour Madeleine Pelletier puisque dans un roman utopique, *Une vie nouvelle*, elle considère que c'est à cet âge que doit être enseignée la reproduction [7].

Au XIXᵉ siècle, alors que les mères jouent un rôle fondamental dans la transmission du savoir [8], la sexualité est tabou et il s'opère une véritable rupture de la transmission, un mutisme mère/fille sur ce sujet.

Ces événements ont dû marquer Madeleine Pelletier, son parcours sera en totale opposition avec celui de sa mère. Volonté de ne pas répéter le modèle ? Pourtant sa mère lui transmet le mépris des hommes. Cette crise décisive de la puberté marque son refus d'un destin de femme et son dégoût du corps féminin. Comme le souligne Charles Sowerwine :

« La rupture avec sa mère semble lui avoir fourni l'énergie psychique nécessaire pour devenir une personnalité indépendante [9]. »

Madeleine Pelletier a certainement été frappée également par les dix grossesses [10] que sa mère n'a pas menées à terme, et cela peut expliquer en partie son aversion pour la maternité. Dans *La femme vierge*, elle transcrit ainsi les pensées de Marie :

« Les révélations de son père lorsqu'elle avait treize ans sur la vie sexuelle lui en avaient à jamais inspiré l'horreur. La grossesse, l'allaitement lui apparaissaient comme des choses laides et animales. Sa raison lui disait bien que cette animalité était indispensable ; mais elle ne voyait pas la nécessité de se soumettre personnellement à un état qui lui répugnait, pour le profit d'une impersonnelle humanité [11]. »

Marie et Madeleine choisiront le célibat, refusant de subir le même destin que leurs mères. Madeleine Pelletier ne fait pas du célibat un modèle à suivre pour toutes les femmes mais considère que c'est un « état supérieur [12] » dans une société future telle qu'elle se plaît à l'imaginer. Madeleine Pelletier renonce à l'hétérosexualité et ne s'est jamais affichée comme une lesbienne [13].

Prenant part au débat de son époque, elle écrit sur la dépopulation.

## « La Dépopulation est-elle un mal ? »

C'est le titre du chapitre IV de *L'émancipation sexuelle de la femme* [14].

Depuis 1870, la crainte que l'Allemagne victorieuse envahisse la France hante les esprits, et une population importante apparaît comme un rempart efficace ; or le taux de natalité français ne cesse de décroître ; l'angoisse de la dépopulation est très forte et les passions patriotiques s'affichent [15]. La France n'est pas le seul pays à avoir un taux de natalité en baisse mais elle est la première à subir le déclin avant que, vers 1920, la baisse de la natalité ne se généralise aux autres pays : pays le plus peuplé d'Europe sous l'Ancien Régime, elle ne figure qu'au cinquième rang en 1914. Pendant la guerre, avec la mobilisation des hommes, les femmes sont peu nombreuses à enfanter et le nombre moyen annuel des naissances vivantes se réduit : de 600 000 avant la guerre, dans les 77 départements non envahis, il passe à 386 000 en 1915, à 313 000 en 1916 et n'atteint que 400 000 en 1918 [16]. Fort de ces chiffres et hanté par l'hécatombe, le mouvement repopulateur sort revigoré de la guerre.

Madeleine Pelletier fustige les repopulateurs et cite une enquête portant sur cent d'entre eux à Paris, d'où il ressort qu'ils ont en moyenne un demi-enfant par ménage et elle conclut ironiquement que si la France suivait leur exemple, il s'ensuivrait sa « disparition totale [17] ».

Enseigner aux femmes les procédés anticonceptionnels est le but poursuivi par les néo-malthusiens avec lesquels Madeleine Pelletier milite et dont elle estime que la propagande est efficace [18]. Le néo-malthusianisme est selon elle une théorie pleine de raison, dont le chapitre le plus important concerne la femme [19]. Le néo-malthusianisme est d'abord un problème féminin [20] mais les néo-malthusiens ont par trop tendance à ne considérer l'oppression des femmes que sous l'angle de la sexualité, contrairement aux féministes qui situent le problème dans un cadre plus large.

Les repopulateurs sont, selon Madeleine Pelletier, des hommes politiquement « rétrogrades [21] ». Les néo-malthusiens ne cessent de se moquer d'eux dénonçant le décalage entre leur discours théorique qui glorifie les familles nombreuses et leur pratique malthusienne d'avoir peu d'enfants. Les écrivains tels Arsène Dumont, célibataire, auteur de plusieurs ouvrages sur la dépopulation [22] ainsi que Jacques Bertillon [23], fondateur en 1896 de l'Alliance nationale pour l'accroissement de la population française, père de deux enfants, qui symbolise le mouvement pro-nataliste sont les cibles de leurs attaques.

Madeleine Pelletier est une des rares féministes à dénoncer ceux qui se laissent prendre aux arguments patriotiques et sont ainsi dupes des mots. Sans nier le phénomène de dépopulation, elle considère qu'il n'est que relatif et ne constitue pas un « fléau social [24] ». En effet, selon elle, le phénomène de la dépopulation montre le degré de civilisation d'un peuple et entraîne une baisse de la criminalité, alors que la surpopulation est synonyme d'ignorance et engendre la guerre.

A l'argument de poids des repopulateurs que la baisse de la natalité mène à la guerre, Madeleine Pelletier rétorque qu'au contraire c'est l'augmentation de la population qui aboutirait à une guerre et aux enfants chair à canon [25]. Restriction volontaire et civilisation marchent de pair et elle cite les pays du nord de l'Europe qui ont une faible natalité comme des modèles à suivre [26]. Madeleine Pelletier est perçue par le mouvement pro-nataliste comme « dangereuse » et Paul Bureau, fondateur de la ligue Pour la Vie, affirme qu'elle est la plus « "avancée", intelligente, dangereuse et impitoyable [27] » des féministes.

En 1910, Madeleine Pelletier écrit dans le journal de Gustave Hervé, *La guerre sociale*, un article intitulé « Faut-il repeupler la France [28] ? » dans lequel elle revendique pour les femmes le droit de choisir ou non la maternité. *La guerre sociale* partage l'opinion de Madeleine Pelletier sur le droit des femmes à ne pas avoir d'enfants et fait une large publicité dans ses colonnes à un ouvrage intitulé *L'éducation sexuelle* [29], qui décrit les méthodes pour éviter les grossesses non désirées.

Madeleine Pelletier collabore à d'autres journaux néo-malthusiens dont *le Malthusien*. Elle écrit aussi dans des journaux anarchistes tels *le Libertaire* de Sébastien Faure et l'*Idée libre* d'André Lorulot, tout en déclarant qu'elle n'est pas anarchiste.

Avec la Grande Guerre tout bascule, les femmes remplacent les hommes mobilisés. Les féministes participent à l'Union sacrée. La guerre est, selon Madeleine Pelletier, anti-féministe car les femmes en sont exclues [30] et elle fustige les féministes, telles Marguerite Durand et Maria Vérone qui font des chandails [31]. Madeleine Pelletier demande, elle, l'autorisation [32] de partir comme médecin des hôpitaux militaires et se heurte à un refus. Elle s'engage alors dans la Croix-Rouge[33]. Pendant la guerre, elle adopte, selon un rapport de police du 2 février 1916 une « attitude effacée[34] » mais le même texte suppose qu'elle a l'intention de reprendre son rôle de militante pacifiste qui jusque-là s'est traduit par sa participation active à des réunions pacifistes. Pourtant, lorsque son amie féministe Hélène Brion est accusée fin 1917-début 1918 de diffuser des brochures pacifistes et est traduite en conseil de guerre, Madeleine Pelletier ne témoigne pas à son procès.

Au lendemain de la guerre, qui consolide les rôles masculin/féminin[35], les femmes sont sommées de retourner à leur foyer. Madeleine Pelletier qui, au début du conflit, redoutait une régression pour l'émancipation des femmes, fait, plusieurs années après, un bilan plutôt positif : selon elle, la guerre a ouvert de larges horizons aux femmes et leur a donné goût à l'indépendance économique que procure le travail[36]. Elle a eu un effet accélérateur sur l'émancipation économique des femmes mais « la natalité souffre évidemment du nouveau genre de vie[37] » et Madeleine Pelletier affirme « que les maternités nombreuses ne reviendront jamais[38] ». Considérant cela comme un progrès, elle a comme devise la libre maternité.

## « LA MATERNITÉ DOIT ÊTRE LIBRE »

### N'être mère qu'à son gré

Très minoritaires au sein du mouvement néo-malthusien et dans le mouvement féministe lui-même, les féministes néo-malthusiennes telles Madeleine Pelletier, Nelly Roussel[39] et Gabrielle Petit insistent toutes sur le thème de la libre maternité et du droit des femmes à disposer de leurs corps.

Madeleine Pelletier va même plus loin lorsqu'elle écrit que ce droit est absolu puisqu'il peut aller jusqu'au suicide[40]. Elle donne plusieurs conférences sur le néo-malthusianisme.

« C'est à la femme seulement de décider si et quand elle veut être mère[41] », écrit-elle et, faisant un parallèle avec l'image d'une fleur qui fructifie et se fane[42], elle met en garde les femmes contre les grossesses répétées qui les affaiblissent.

La maternité, c'est aussi le corps des femmes et la femme enceinte est, selon elle, dans un « état d'infériorité tant au point de vue physique que dans ses facultés intellectuelles [43] ». Les « affaires de bas-ventre [44] », comme elle les nomme, dégoûtent Madeleine Pelletier et elle évoque les grossesses pénibles et les accouchements douloureux [45]. Madeleine Pelletier est une des rares féministes avec Nelly Roussel [46] à insister sur les douleurs de l'accouchement ; elle parle ici en tant que médecin alors que Nelly Roussel se réfère à son expérience personnelle. Toutes deux rejettent le « tu enfanteras dans la douleur » de la Bible.

Madeleine Pelletier dénonce la maternité qui « fait de l'amour une véritable duperie pour la femme [47] » subissant seule le risque de l'enfantement. Elle critique ainsi le résultat de l'amour : « l'éventualité de la grossesse [48] » qui rend les conséquences de la sexualité inégales pour la femme et pour l'homme.

Duperie car si dans l'acte initial de la reproduction il y a du plaisir, la reproduction elle-même est un esclavage et il n'y a pas d'égalité en amour :

« En amour comme en toute chose, la femme n'est aux yeux de l'homme qu'un instrument [49]. »

Madeleine Pelletier définit ainsi le rôle de la femme : « Elle satisfait l'homme et elle enfante [50]. »

Elle s'insurge contre le « noble rôle de l'épouse et de la mère [51] » que défendent beaucoup de féministes et déplore que ces dernières se focalisent sur cette question [52]. Epouse et mère [53] est la destinée des femmes, contre laquelle Madeleine Pelletier et Marie se révoltent. Elles rejettent ainsi les propos de leurs mères dont celle de Marie déclare : « Les femmes ne deviennent rien du tout ; elles se marient et élèvent leurs enfants [54]. » Selon Madeleine Pelletier, la maternité est aliénante et cette idée est originale au sein du mouvement féministe dont la majorité glorifie la fonction maternelle.

Madeleine Vernet, féministe et fondatrice en 1917 du journal *la Mère éducatrice* écrit éprouver un sentiment de pitié à l'égard de Madeleine Pelletier qui présente la maternité comme « asservissement, animalité et abêtissement [55]. » Si la position de Madeleine Pelletier est à l'opposé de celle de Madeleine Vernet, la plupart des féministes exaltent la maternité.

Selon Madeleine Pelletier le sentiment maternel tout en étant beau parce qu'altruiste est caractérisé par un côté animal, et de ce fait inférieur [56]. Si extrêmes que soient les opinions de Madeleine Pelletier, elle reconnaît néanmoins que la maternité est nécessaire [57]. Elle ne renie pas l'instinct maternel, prolongement de l'instinct sexuel [58] et qui est indispensable à la vie de l'espèce [59]. Mais il ne faut pas surestimer la nature et l'instinct maternel qui, une fois que les enfants ont grandi, fait place à l'affection [60]. Ce qu'elle souhaite est que la maternité ne soit plus la raison d'être de la femme mais un moment dans la vie de celles qui le désirent, un simple « épisode [61] ».

Pour Madeleine Vernet et la plupart des féministes, l'allaitement maternel est un devoir. Madeleine Pelletier considère, elle, qu'il n'est en rien indispensable : c'est une question d'hygiène et de soins appropriés [62]. Il n'est pas nécessaire que les mères s'épuisent [63] en allaitant. De plus, la qualité de leur lait peut être défectueuse. Madeleine Pelletier note que dans les milieux aisés, la maternité est moins contraignante que dans les milieux pauvres [64] où la charge des enfants et le travail ménager reposent entièrement sur la mère. Par exemple, les mères fortunées ne sont pas obligées d'allaiter leur enfant et peuvent avoir recours à des nourrices [65]. La question de l'allaitement maternel fait l'objet d'un véritable débat national auquel parlementaires, féministes, médecins, hygiénistes, démographes et écrivains prennent part. Envisagé dans la perspective de la dépopulation, le problème de l'allaitement maternel prend toute son ampleur comme un antidote à la mortalité infantile, et un consensus s'établit sur les bienfaits de l'allaitement maternel, considéré comme un véritable devoir pour la mère.

Cette opinion est battue en brèche par Madeleine Pelletier : elle critique les études réalisées par ses collègues médecins, notamment celles d'Adolphe Pinard, célèbre accoucheur à la maternité Baudelocque, qui montre les multiples dangers de l'allaitement artificiel pour le nouveau-né (diarrhées et gastro-entérites). Madeleine Pelletier qui a l'art des formules incisives qualifie Adolphe Pinard de « repopulateur frénétique [66] ».

Elle s'élève aussi contre la théorie de Jean-Jacques Rousseau [67] qui prône l'allaitement maternel.

Madeleine Pelletier rejette la stratégie des « petits pas » préconisée par la majorité des féministes qui souhaitent investir la sphère du public, dont elles sont exclues, par le biais notamment de la maternité. Par exemple, les féministes réclament le droit de vote des femmes en insistant sur leur fonction maternelle : une fois le droit de vote conquis les femmes s'occuperont de la protection de la maternité. Madeleine Pelletier, elle, ne conçoit pas que la maternité puisse émanciper les femmes, au contraire. La glorification de la maternité depuis des siècles n'a pas empêché les femmes d'être subordonnées. Madeleine Pelletier considère même que la maternité peut être un obstacle à l'éligibilité des femmes, tout en affirmant que jusqu'à quatre mois une femme enceinte pourra siéger à la Chambre [68].

Madeleine Pelletier ne réclame pas pour les mères des congés de maternité car cela pourrait retarder leur émancipation. Le mouvement féministe est traversé par le problème de l'acceptation ou du refus de lois spécifiques sur la protection du travail des femmes. Madeleine Pelletier, au nom de l'égalité, se prononce contre les lois de protection car selon elle il ne doit pas y avoir deux poids et deux mesures [69]. Ce que Madeleine Pelletier souhaite ce n'est pas l'égalité dans la différence mais l'égalité tout court. Elle s'oppose à la maternité considérée comme une fonction sociale [70], dûment rétribuée par l'Etat car la maternité confine les femmes au foyer. Elle envisage néanmoins le cas où le nombre de maternités serait insuffisant et préconise alors que des avantages soient données aux mères [71], répondant ainsi aux accusations des repopulateurs qui considèrent que les féministes sont responsables de la dépopulation. Ces avantages précise Madeleine Pelletier seront semblables à ceux conférés par un séjour aux colonies [72].

Pour la ménagère [73] pas de salaire qui la discrédite ni d'assimilation de la maternité au service militaire [74] comme certaines féministes le souhaitent, qui présentent la maternité comme un succédané du service militaire. Selon Madeleine Pelletier cela est dangereux et elle redoute que les femmes soient complètement enfermées dans leur rôle de mère. Logique avec sa défense de l'égalité des sexes [75] à tout prix, Madeleine Pelletier souhaite que les femmes accomplissent le service militaire. Marie s'élève contre la féministe Jeanne Oddo Deflou qui considère que la maternité est le « champ de bataille de la femme [76] ».

Dénonçant tout ce qui confère aux femmes une place spéciale dans la société [77], Madeleine Pelletier critique le matriarcat dont Bachofen s'est fait le chantre. Fine tacticienne au féminisme fondé sur la raison et l'action, Madeleine Pelletier déplore que des féministes radicales se complaisent à rêver du matriarcat et n'agissent point telle Cécile Renooz [78].

Madeleine Pelletier stigmatise les femmes qui polarisent leur énergie sur l'éducation de leurs enfants. Pourtant elle écrit en 1914 une brochure sur l'éducation mais il s'agit de l'éducation féministe des filles. Elle y dénonce l'éducation sexiste et propose tout un programme d'éducation des filles, question fondamentale pour l'émancipation des femmes. Il est indispensable que l'éducation des filles et des garçons soit similaire car la féminité est une construction sociale ; pas de poupées [79] pour les petites filles car elles préparent à la servitude de la maternité.

Madeleine Pelletier est persuadée que la différence sexuelle est le produit de la culture, de l'éducation. Elle dénonce, avant Simone de Beauvoir et en d'autres termes [80], la construction sociale de la féminité et conteste la nature féminine, position originale au sein du mouvement féministe français. Elle est également une des rares féministes à réclamer le droit à l'avortement.

## Le droit à l'avortement

Lorsqu'est publiée la brochure de Madeleine Pelletier, *Pour l'abrogation de l'article 317. Le droit à l'avortement*, l'avortement est puni par l'article 317 du Code pénal et est considéré comme un crime. Mais le nombre de poursuites pour avortement est faible car l'indulgence des cours d'assises est notoire envers les femmes avortées.

Néanmoins, Madeleine Pelletier s'insurge contre le fait que l'avortement soit envisagé comme un crime, et réclame l'abrogation de l'article 317 et la légalisation de l'avortement pour qu'il devienne un droit. La femme ayant le droit de disposer de son corps, elle a le droit de se faire avorter. Le fœtus n'est pas selon elle un individu [81] et l'Etat n'a pas à légiférer sur son statut : il appartient au corps de la femme.

Madeleine Pelletier combat aussi le préjugé social qui ne permet pas à la femme d'être mère hors du mariage [82] et défend les filles-mères, sur lesquelles pèsent l'opprobre, doublé de l'interdiction de recherche de la paternité jusqu'à la loi du 27 novembre 1912. Avant cette date, Madeleine Pelletier dénonce les hommes sans scrupules qui ne reconnaissent pas leurs enfants [83]. Les femmes, selon Madeleine Pelletier, amélioreront la condition des filles-mères [84]. L'abandon et l'avortement sont les deux « fruits amers [85] » de l'amour hors mariage. Madeleine Pelletier a certainement été marquée, dès son enfance, par le fait que sa mère était une enfant naturelle. En tant que médecin, Madeleine Pelletier a été confrontée à la détresse des filles-mères.

Mais si Madeleine Pelletier réclame le droit à l'avortement pour les femmes, elle le conçoit comme tous les néo-malthusiens comme un dernier recours, dans les cas de détresse, c'est un « pis-aller [86] », et elle en précise les modalités : il ne pourra se faire que durant les trois premiers mois [87]. Elle a donc une position originale et novatrice au sein du mouvement féministe français car le C.N.F.F. crée en 1909 une Ligue contre le crime d'avortement [88].

Madeleine Pelletier dénonce les avortements réalisés dans des conditions lamentables. Madeleine Pelletier réfute l'argument de la raison d'Etat contre l'avortement ; elle est profondément individualiste [89]. L'avortement est, selon elle, un moyen de prévenir les infanticides [90]. Pas de clémence pour ces derniers, qu'elle considère comme de véritables « crimes [91] ».

Sur les dangers de l'avortement, Madeleine Pelletier considère qu'il est moins risqué qu'un accouchement [92].

Mais les droits des femmes ne priment pas toujours pour Madeleine Pelletier et elle refuse de faire un avortement à une femme qui a été violée [93] estimant qu'elle n'a eu que ce qu'elle méritait. Elle souligne aussi dans une lettre à son amie Arria Ly que l'avortement augmentera le dévergondage [94].

Madeleine Pelletier en tant que médecin pratiquera elle-même des avortements et considérera que ces derniers sont très répandus [95]. Mais elle sera victime des lois dites « scélérates » de 1920 et de 1923.

Votée, après la guerre, par la Chambre « bleu horizon », au moment où le mouvement familial et nataliste atteint son apogée, la loi du 31 juillet 1920 réprime toute incitation même non suivie d'effet, à l'avortement, que ce soit par paroles, écrits, ventes ou distributions d'écrits et de documents relatifs à l'avortement ou de substances abortives ; la peine encourue est un emprisonnement de six mois à trois ans et une amende. La loi de 1920 est complétée par la loi du 27 mars 1923. La personne qui procède à l'avortement encourt une peine d'emprisonnement de un à cinq ans et une amende. La femme avortée s'expose à des sanctions moins lourdes : de six mois à deux ans de prison et à une amende. Ces deux lois provoquent l'affaiblissement irréversible du mouvement néo-malthusien. L'avortement devient un délit, de ce fait déféré aux tribunaux correctionnels et puni d'une façon plus systématique. Madeleine Pelletier proteste en vain contre cette loi de 1920 et semble, par cette revendication, être à nouveau isolée parmi les féministes. Elle l'est encore plus lorsqu'elle prône l'effondrement de la famille.

## LA DESTRUCTION DE LA FAMILLE

## De la désagrégation de la famille à l'éducation des enfants par l'Etat

Madeleine Pelletier publie un roman utopique, en 1932, *Une vie nouvelle*, où elle relate la mise en place, en France, d'un monde nouveau, plusieurs années après une révolution. Dans cette société nouvelle, le mariage n'existe pas ; les enfants sont élevés par des instances officielles[96] ; l'avortement est légalisé[97] ; le travail domestique est industrialisé ; cinq heures de travail par jour [98] ; trois mois de congés [99] pour tout le monde etc. Dans nombre de ses écrits, Madeleine Pelletier se tourne vers l'avenir et y projette l'image d'une société telle qu'elle la souhaiterait, sans structure familiale notamment. Cette idée est originale car la majorité des féministes ne remettent pas en cause la famille, au contraire la confortent enjoignant à la mère un rôle bénéfique en son sein. Madeleine Pelletier considère que les féministes sont souvent contraintes d'adopter cette attitude de défense de la famille dans la mesure où les anti-féministes les rendent responsables de la destruction de cette institution et cela a pour effet d'éloigner du féminisme d'éventuelles recrues[100]. Afin de n'offusquer personne, les féministes se consacrent à ce qui est considéré relever du domaine des femmes[101] : la maternité. Madeleine Pelletier, elle, ne cache pas ses idées : pour aboutir à une réelle égalité, la famille doit être supprimée[102]. Madeleine Pelletier dénonce particulièrement la famille bourgeoise qui possède d'après elle beaucoup plus le sens de la famille que la famille ouvrière[103].

Etant donné la position de Madeleine Pelletier sur la maternité, qu'elle conçoit comme aliénante, elle souhaite la suppression du mariage dont la finalité est la reproduction. A plusieurs reprises, Madeleine Pelletier considère le mariage[104], comme un « esclavage[105] », symbole de l'oppression que subit la femme au sein de la famille.

L'union libre ne vaut guère mieux selon elle[106] que le mariage et elle se démarque des néo-malthusiens, tel Paul Robin, qui défendent l'union libre. Madeleine Pelletier a choisi elle-même de renoncer au mariage. Ce dernier est pour une femme intelligente un « suicide moral[107] ». La nuit de noce est selon elle un « viol légal[108] » et elle assimile le mariage à la prostitution [109] car la femme, que toute son éducation a préparé au mariage [110], vend son corps. La jeune fille lorsqu'elle se libère de sa famille tombe sous le joug d'un homme [111]. Madeleine Pelletier dénonce les couples qui restent ensemble pour la « façade [112] » et elle considère qu'un mauvais mariage est pire que le célibat [113].

La famille « porte préjudice à l'un et à l'autre sexe [114] », elle est « asservissement, immobilisme et ennui [115] ». Mais alors que l'homme y exerce une « petite monarchie absolue [116] » par le pouvoir que lui confère la loi et les mœurs, la femme, elle, se doit de le servir afin de remplir son devoir [117] d'épouse. Madeleine Pelletier attaque ainsi la famille, institution « essentiellement conservatrice [118] », et sa pensée est originale à une époque où le monde ouvrier est imprégné de « l'alternative » proudhonienne, ménagère ou courtisane pour la femme et où le mouvement féministe glorifie le rôle de la mère au foyer.

La femme étant particulièrement oppressée dans la famille, pour aboutir à une vraie égalité, la famille doit être supprimée : c'est un « groupement périmé [119] ». Madeleine Pelletier établit une distinction entre la femme riche, dont le sort est meilleur, et la femme pauvre [120].

Elle critique les lois du code civil qui font de la femme une éternelle mineure. Madeleine Pelletier soulève la question de la loi et des mœurs, de leur décalage et considère qu'il y a interaction [121] entre les deux. Elle a, contrairement aux néo-malthusiens, confiance dans la loi, qui est nécessaire puisqu'elle pense que c'est l'Etat qui, par la législation, émancipera les femmes [122]. D'où, dans la société future qu'elle envisage, une destruction de la famille qui s'opérera de façon progressive en raison de l'évolution très lente des lois et des mœurs. Le triomphe du féminisme implique la destruction de la famille [123]. De même la lutte des sexes disparaîtra [124].

La famille rend la sexualité de la femme dépendante et subordonnée et Madeleine Pelletier dans cette société nouvelle revendique l'émancipation sexuelle, qui verra le jour après l'émancipation politique et économique des femmes. Cette « nouvelle morale sexuelle [125] » sera donc la dernière à se réaliser [126].

Madeleine Pelletier pose dans plusieurs de ses écrits la question du plaisir sexuel [127]. Elle dissocie l'acte sexuel, source de plaisir [128], de la maternité, fonction reproductrice synonyme d'aliénation. La sexualité est naturelle et Madeleine Pelletier cite Freud dont le mérite est d'avoir fait connaître l'importance de la sexualité dans la vie humaine, tout en considérant qu'il « l'universalise [129] » trop, en rendant sexuels tous les sentiments. Elle revendique le droit au plaisir pour les femmes, elle qui, d'après ses déclarations, n'a jamais eu de relation sexuelle. Mais si la sexualité est une fonction physiologique, il est inconvenant d'étaler ses passions en public [130]. Ce n'est pas la liberté sexuelle que réclame Madeleine Pelletier mais la fin de la femme considérée comme un objet sexuel, la fin de « l'esclavage sexuel [131] » de la femme. Madeleine Pelletier nuance ses propos lorsqu'elle affirme qu'avec le mariage et surtout avec la maternité, la femme n'est pas seulement un objet sexuel, elle peut devenir une « compagne intellectuelle et morale [132] ». Le côté positif de la maternité est que le rôle sexuel de la femme diminue et sa situation morale se relève [133].

Le plaisir de l'homme étant reconnu, il est juste de l'accorder aussi à la femme car une des raisons qui rend difficile l'émancipation des femmes est qu'elles sont les esclaves sexuelles des hommes. Reconnaissance des désirs sexuels des femmes et droit au plaisir sont ses deux leitmotive. Influencée par Freud, elle pense que la femme pratique le refoulement freudien, qu'elle réprime ses désirs et que cela peut être la cause de maladies nerveuses [134].

Posant la question sexuelle, à une époque où les femmes et même les féministes sont très prudes, Madeleine Pelletier dédramatise tout ce qui entoure la sexualité et conseille à la jeune fille vierge de se rendre chez son médecin avant la nuit de noces afin de se faire inciser l'hymen [135].

Les propos de Madeleine Pelletier choquent dans une période où domine la morale. Elle a des difficultés à trouver un éditeur pour son ouvrage *La rationalisation sexuelle* [136].

Madeleine Pelletier dans sa société future admet le matriarcat [137] qu'elle comprend comme l'appartenance des enfants à leur mère. Elle n'envisage pas le matriarcat comme un système mais considère que le père n'a pas de droit de regard sur l'enfant puisque son rôle n'est que d'un instant.

Selon Madeleine Pelletier, la seule raison d'être de la famille est la protection de l'enfant ; or la société de demain y pourvoira. L'assistance est un droit, ce n'est pas une « déchéance [138] ». La charité selon elle revêt un « caractère humiliant [139] » et elle souhaite l'intervention étatique par la collectivisation à tous les niveaux. Madeleine Pelletier fait la description d'un établissement modèle, une « maison de puériculture [140] » où tous les enfants bénéficient des mêmes soins et par conséquent des mêmes chances. Le but étant d'élever les enfants dès leur plus jeune âge par la collectivité. A la fin du roman *La femme vierge*, Marie s'occupe d'un de ces établissements [141]. Après la maison de puériculture ou la pouponnière, l'enfant est orienté vers l'internat [142] car les enfants en majorité aiment la vie en commun et dans cette société nouvelle beaucoup réclament d'eux-mêmes à leurs parents de les envoyer en internat [143]. Une fois l'internat achevé, pour les plus brillants ce sera l'université et pour les autres des écoles professionnelles [144]. Madeleine Pelletier insiste sur les joies de la vie en communauté et, dans cette optique, l'abandon [145] ne sera pas une calamité mais un bonheur puisqu'il substituera l'Etat à la famille. Néanmoins, Madeleine Pelletier reconnaît qu'il n'est pas aisé au début d'amener les parents à confier leurs enfants à l'Etat [146], mais lentement les femmes reconnaîtront les bienfaits de l'éducation par l'Etat et elles se libéreront des « chaînes maternelles [147] ». Les femmes aimant les enfants deviendront fonctionnaires de la maternité sociale [148], c'est-à-dire qu'elles s'occuperont des enfants des autres.

Dans la société utopique de Madeleine Pelletier, les grossesses sont des événements heureux [149]. Les femmes accouchent dans des maternités, il n'y a plus d'accouchement à domicile [150] et chaque femme dispose d'une chambre équipée de la T.S.F [151]. Un personnage d'*Une vie nouvelle*, Claire, se rend à la maternité pour accoucher et lors de son accouchement, elle ne ressent aucune douleur grâce à une simple piqûre [152]. Beaucoup de parturientes accouchent en lisant un roman ou en écoutant la radio [153]. Ce ne sont plus des sages-femmes mais des accoucheurs ou des accoucheuses [154] spécialisés qui effectuent les accouchements. Après l'accouchement, la mère ne voit pas son enfant qui est envoyé directement en pouponnière, sauf si elle manifeste le désir de l'élever elle-même [155]. En plus des congés de maternité durant la grossesse, la femme après l'accouchement bénéficie d'une année de congés de maternité [156]. Ainsi les femmes n'hésitent plus à mettre au monde des enfants et Claire en a déjà quatre [157]. Dans cette nouvelle société, les mères étant bien rémunérées et ne devant pas s'occuper de leurs enfants, elles mettent au monde sans contrainte. Et de citer l'exemple de la Russie [158].

## Un modèle : La Russie bolcheviste ?

Après la scission du congrès de Tours, en décembre 1920, Madeleine Pelletier entre au parti communiste et y restera jusqu'en 1925.

Elle écrit des articles dans des journaux communistes tels *l'Ouvrière* et *la Voix des femmes*.

En 1922, Madeleine Pelletier publie un roman intitulé *Mon voyage aventureux en Russie communiste*. Elle y raconte un séjour qu'elle a effectué en 1921 à Moscou et ses péripéties pour atteindre « la terre promise [159] ». Avant son départ, la Russie communiste représente pour elle la réalisation des idées pour lesquelles elle n'a cessé de militer.

Une fois sur place, très vite elle met en doute la sincérité révolutionnaire de la Russie bolcheviste en constatant que le communisme n'est l'œuvre que d'une infime minorité de militants qui a imposé ses idées à la masse, qu'elle qualifie de « pâte amorphe [160] ». En ce qui concerne la situation des femmes, elle approuve le code [161] qui a été rédigé sur le mariage et se réjouit de la liberté d'allures [162] des femmes. Dans ce nouveau code, la femme ne perd pas son nom en se mariant ; l'égalité est complète entre les époux ; la femme ne doit pas obéissance à son mari ; l'adultère n'est pas un délit et le divorce est accordé sur la volonté d'un seul des époux [163].

Madeleine Pelletier constate l'arrivée des femmes dans plusieurs secteurs professionnels mais note leur faible nombre voire leur absence dans les fonctions supérieures de l'Etat [164] avec la brillante exception d'Alexandra Kollontaï aux Affaires sociales, première femme commissaire du peuple dès 1917. Sa rencontre avec Alexandra Kollontaï, Madeleine Pelletier la relate en ces termes :

« Elle me dit assez peu de choses : bien que j'aie pu la voir plusieurs fois. Elle semble redouter de parler de questions politiques, parce qu'il y a toujours quelqu'un là [165]. »

Alexandra Kollontaï vient d'écrire un ouvrage sur la question sexuelle avec lequel Madeleine Pelletier trouve beaucoup de points d'accord dont le droit à l'avortement [166] et l'éducation des enfants par l'Etat. Mais Madeleine Pelletier exprime sa divergence lorsqu'Alexandra Kollontaï fait de l'acte sexuel une obligation morale [167]. Madeleine Pelletier craint la logique du contrôle social sur l'individu et entre en conflit avec Alexandra Kollontaï.

Les idées d'Alexandra Kollontaï sur la sexualité suscitent des polémiques en Russie. La « femme nouvelle [168] » qu'elle préconise et notamment le droit à l'union libre sont mal acceptés et, en 1920, Lénine exprime son désaccord avec elle.

Madeleine Pelletier, quant à elle, constate le décalage entre la théorie d'Alexandra Kollontaï et les réalisations pratiques, lors de sa visite de la Maison des enfants trouvés [169] à Moscou. Elle est choquée par le fait que les mères n'ont pas le droit de venir y abandonner leurs enfants, pour cause de surnombre, alors qu'Alexandra Kollontaï préconise l'éducation par l'Etat. De plus, durant cette visite guidée on lui fait l'apologie de l'allaitement maternel et elle croit entendre les propos du docteur Pinard [170]...

Madeleine Pelletier constate que les femmes russes sont cantonnées dans les activités relatives aux enfants et que les réunions féminines « ressemblaient un peu aux œuvres de bienfaisance dans lesquelles nos confessions religieuses groupent les femmes [171] ».

Elles passent, selon le mot de Lénine, de la maternité individuelle à la maternité sociale.

Le bilan de Madeleine Pelletier est que si au point de vue de la loi, l'égalité est complète (sauf pour le service militaire) dans la pratique, subsistent de nombreux préjugés et la Russie n'a pas réalisé le « féminisme intégral [172] » tant souhaité par elle. Néanmoins, c'est sur une note optimiste qu'elle achève son récit en soulignant que « peu à peu, des supériorités féminines se feront jour [173] » et qu'il faut soutenir le communisme russe de « tout notre pouvoir [174] ».

Soutien envers le modèle soviétique mais aussi scepticisme car il est utopique de chercher la « régénération des hommes [175] » dans les révolutions. Madeleine Pelletier est profondément élitiste et individualiste et la raison d'Etat n'est jamais, selon elle, une bonne raison. Cette disparition, désagrégation de la famille s'effectuera au profit de l'individu. Sa société idéale tourne autour de l'épanouissement de l'individu. Défense de la liberté de l'esprit, de l'individualisme et de la femme en tant qu'individu [176]. Dans *Capitalisme et Communisme* [177], elle reproche à la révolution russe d'avoir ignoré la liberté individuelle, principe de base.

Se détachant de plus en plus du mythe de la révolution, Madeleine Pelletier, dans le secret médical, pratique des avortements. En janvier 1933, elle est convoquée chez le juge d'instruction pour une affaire d'avortement [178] qu'elle déclare ignorer. Elle pense qu'il s'agit d'une cabale des cléricaux. L'affaire n'a pas de suite mais en avril 1939, des perquisitions ont lieu dans son cabinet. Il ressort que depuis 1937, date à laquelle elle est à moitié paralysée, elle a chargé deux femmes complices de faire des avortements (dont l'une est sa femme de ménage). Madeleine Pelletier est inculpée et le juge d'instruction considère utile de la faire examiner par un médecin aliéniste qui établit qu'elle souffre de troubles psychiques. Un non-lieu est alors signé et Madeleine Pelletier déclarée « irresponsable » est internée à l'asile du Perray-Vaucluse en juin 1939. Elle y apprend la déclaration de guerre et veut croire que le conflit ne s'étendra pas [179]. Sept mois après son internement elle meurt, le 29 décembre 1939, à l'âge de 65 ans. Fin tragique pour la première femme interne des asiles de la Seine [180]. Rien ne prouve qu'elle était devenue folle, et d'après les dernières lettres [181] qu'elle écrivit à son amie Hélène Brion le doute subsiste. Ne s'agissait-il pas surtout d'éviter un procès public...

De la revendication des femmes à disposer de leurs corps, Madeleine Pelletier réclame pour les femmes le droit à la libre maternité, à l'avortement, et même la destruction de la famille. Ces idées qui l'isolent au sein du mouvement féministe français, elle les défendra tout au long de sa vie, comme une constante, et sera la victime de l'une d'entre elles : le droit à l'avortement.

# La virilisation des femmes
# et l'égalité des sexes

## Christine Bard

Rares sont les féministes qui ont dit aux femmes aussi clairement que Madeleine Pelletier qu'« il faut être des hommes socialement [1] », autrement dit, qui ont considéré la « virilisation » des femmes (l'expression est d'elle) comme une condition sine qua non de l'égalité des sexes. « Tant que, selon leur expression, elles (les femmes) continueront à rester femmes, le féminisme ne sera qu'un vain mot. Leur émancipation ne se réalisera pas parce qu'elles ne mériteront pas d'être libres [2]. »

Madeleine Pelletier est la militante la plus connue de la virilisation des femmes, un thème particulièrement impopulaire parmi les féministes, un poncif, aussi, du discours anti-féministe. Cet objectif, s'il a pu intéresser un milieu assez restreint de femmes au début du siècle devient dans l'entre-deux-guerres le symbole même — pour les féministes et l'opinion publique — des excès les plus condamnables du féminisme.

Ce mot d'ordre de Madeleine Pelletier est aux antipodes du souci féministe majoritaire de faire valoir la différence des sexes, de préserver et même de développer une spécificité féminine positive, tout en revendiquant des droits civils et politiques égaux pour les deux sexes. La différence de nature ne pouvant justifier l'infériorité sociale des femmes. La dichotomie des genres non plus.

Je laisserai de côté les formes banales de la virilisation des femmes qui, prise dans un sens large, signifierait l'accès nouveau et de plus en plus massif des femmes à tous les domaines jusque là réservés aux hommes : l'éducation, le travail, l'art, l'écriture, pour développer les formes de virilisation vivement contestées comme le droit au duel, le droit au service militaire, le port des vêtements masculins, la chasteté militante.

Ces thèmes sulfureux nous éloignent du terrain juridique des luttes féministes les plus répandues à cette époque. La conquête de ces libertés interdites par les mœurs aux femmes, le rejet des préjugés et des conventions fait appel à l'audace des femmes (femme, ose être !) et à l'affranchissement des femmes par elles-mêmes. « Quiconque est vraiment digne de la Liberté n'attend pas qu'on la lui donne : il la prend [3]. »

En fait elle inverse complètement le contenu de l'objectif d'« une seule morale pour les deux sexes » — une des plus anciennes doléances féministes — qui signifie habituellement le triomphe de la morale féminine et la répression des vices masculins. Chez Madeleine Pelletier le masculin devient en principe la norme commune puisque les oppresseurs se sont octroyé la plupart des bonnes choses de ce monde : la liberté, les meilleurs salaires, les vêtements les plus pratiques... « Ce sont les porteurs de cheveux courts et de faux cols qui ont toutes les libertés, tous les pouvoirs, eh bien ! je porte moi aussi cheveux courts et faux cols à la face des sots et des méchants, bravant les injures du voyou de la rue, et de la femme esclave en tablier de cuisine [4]. »

## LA VIRILISATION

Comme le mot « féminisme », « virilisation », un peu plus tardif semble-t-il, a été détourné dès sa création de son sens médical premier. D'après *le Petit Robert*, le mot date du XXᵉ siècle et n'a qu'un sens biologique : « apparition chez la femme pubère de caractères sexuels secondaires masculins ». Virilisation est un néologisme fréquemment employé par Madeleine Pelletier. Il n'a pas tout à fait le sens de « masculinisation » : « viril » a un sens psycho-social, fait référence au genre, masculin a un sens plus biologique.

Le dictionnaire propose comme synonymes de « viril » : « courageux, énergique, ferme », autant de qualités universelles... Madeleine Pelletier utilise donc un mot déjà lourd de significations patriarcales. Arria Ly lui en fait d'ailleurs le reproche :

« il est indispensable comme le dit fort justement Madeleine Pelletier que la femme s'applique — je ne dirai pas à se viriliser, l'expression étant impropre et masculiniste — mais à tremper son caractère. Et au sujet des expressions masculinistes, je me permets d'adresser une critique à Madeleine Pelletier : pourquoi continue-t-elle les anciens errements. Pourquoi fait-elle de viril un synonyme de fermeté et de féminité un synonyme de faiblesse ? Cela détonne sous une plume féministe et c'est d'ailleurs confondre l'effet avec la cause [5]. »

Mais Madeleine Pelletier, séduite sans doute par le caractère polémique et provocateur de ce terme, lui donne un contenu très concret et envisage la virilité sous ses formes les plus controversées.

## L'usage de la violence

Madeleine Pelletier milite pour le droit des femmes à l'autodéfense. Elle leur conseille de porter un revolver pour les sorties du soir. Outre les services qu'il peut rendre en cas de danger, dit-elle, « le revolver a un pouvoir psychodynamogène, ce fait seul de le sentir sur soi rend plus hardi [6] ».

Dans son premier groupe féministe, celui d'Astié de Valsayre, le sport et l'escrime sont déjà à l'ordre du jour. Elle admire Astié, parce qu'elle « s'était battue en duel avec une autre femme. Je jugeais cela très grand ». Mais l'argument avancé en faveur de l'escrime « était... le développement des seins : i.e. : pour développer une féminité qui n'avait valu aux femmes que l'esclavage [7] ».

En 1911, l'affaire du duel d'Arria Ly contre un journaliste qui l'avait offensée soulève une vaste polémique.

Madeleine Pelletier approuve entièrement Arria Ly :

« Mademoiselle, je crois comme vous que le duel d'un homme et d'une femme pour une cause extra-sexuelle serait une excellente propagande pour notre cause. Seulement, notre adversaire refusera de se battre avec vous. Du moins cela est très probable. J'ai il y a 2 ans offert une réparation par les armes à un rédacteur de *la Guerre Sociale* qui se jugeait offensé par moi et le directeur Hervé s'y est formellement opposé, alléguant que cela était ridicule que... que... enfin les préjugés courants [8]. »

Mais, écrit Madeleine Pelletier à Arria Ly, ces dames de la Solidarité, tout en approuvant « la crânerie de votre attitude », « font des restrictions au sujet de vos idées. Cela ne doit pas vous étonner [9] ».

Une militante, Mme Gevin-Cassal exprime dans une lettre à Caroline Kauffmann son désaccord :

« Je suis féministe jusque dans la moelle des os et pour cause, mais je suis anti-duelliste tout autant. Ce n'est pas en imitant les gestes antihumains, féroces des hommes que les femmes feront prévaloir leurs doctrines. Arria Ly a une arme supérieure à son épée : sa plume, son éloquence. (...) Je ne signerai pas l'adresse de félicitations [10]. »

Lettre extrêmement intéressante qui souligne les limites posées par la majorité des féministes radicales à l'égalité totale des sexes. Elle traduit d'une certaine manière l'insuffisance de la seule revendication égalitaire : le féminisme se doit aussi de promouvoir une autre manière de concevoir l'éthique, et cette militante propose ici celle de la non-violence. Le service militaire est aussi, comme le duel, et d'une manière plus actuelle [11], un autre exemple de la fracture du féminisme radical.


## Le service militaire pour les femmes

Favorable au service féminin, elle exprime sa position dans un article, « La femme soldat », paru dans *La Suffragiste* en octobre 1908. Cette prise de position trouve son origine dans un incident survenu pendant un meeting suffragiste. Un homme dans la salle lui aurait crié « sac au dos », ce à quoi elle répondit « mais je veux bien ». La revendication suffragiste explique en partie la position de Madeleine Pelletier, obligée de reconnaître ce fait : depuis la naissance des démocraties, conscription et suffrage universel vont de pair, et aujourd'hui encore, « la logique actuelle de la conscription masculine repose en fait implicitement sur l'exclusion des femmes de la citoyenneté [12] ».

L'article de Madeleine Pelletier fait grand bruit, il provoque notamment la colère d'Hervé, le chef de file du courant le plus antimilitariste de la SFIO [13], qui la traite d'excentrique. Située dans son contexte, la position de Madeleine Pelletier n'a rien d'aberrant : il existe en Europe, et en France, une longue tradition de femmes combattant sous une identité masculine, entreprise qui leur était facilitée par l'absence de visite médicale jusqu'au début du XIXe [14]. A partir des années 1880, le rôle de soutien des femmes à la guerre s'institutionnalise progressivement [15]. La Première Guerre mondiale accélère le processus : 700 000 Françaises servent comme auxiliaires civiles [16]. En Russie, 6000 femmes participent directement au combat, situation légalisée en 1917 par le gouvernement provisoire [17].

La position de Madeleine Pelletier est malgré tout fort difficile à tenir, de quelque côté qu'elle se tourne. Leur pensée est sur ce sujet assez audacieuse : elle a de quoi choquer le mouvement féministe dans son ensemble, aussi bien les modérées, respectueuses de la distribution des rôles sexuels, que les radicales, antimilitaristes, non-violentes et pacifistes. A celles, fort nombreuses, qui disent que les femmes ont déjà un champ de bataille, qui est celui de la maternité [18] (argument qui sera repris par Hitler), elle répond qu'il faut supprimer les champs de bataille, pour les hommes, et pour les femmes.

Son antimilitarisme et son pacifisme ne peuvent être mis en doute. Elle donne à l'égalité des sexes la priorité absolue. Elle imagine, dans *Une vie nouvelle*, les femmes citoyennes et travaillant dans l'armée, prenant des forces à la caserne et métamorphosées par les exercices et les marches au grand air [19].

Bien peu de féministes approuvent Madeleine Pelletier, mais il faut noter une exception de taille, celle d'Hélène Brion. Peu après son procès pour « défaitisme » en 1918, elle s'enthousiasme pour le service militaire volontaire pour les femmes tout juste institué en Russie soviétique [20] : les femmes ne doivent plus considérer les hommes comme leurs « protecteurs naturels » : elles doivent assurer elles-mêmes leur défense, par l'apprentissage du maniement des armes devenu dès lors un objectif féministe, au service d'une Révolution qui est aussi la leur ; il va de soi qu'elles ne doivent en aucun cas se mettre au service de l'ordre « masculiniste et bourgeois [21] ». Sa position est fondée sur son aspiration à l'égalité totale des sexes, y compris, donc, dans le domaine très réservé de la défense. Cette brèche qu'elle veut ouvrir séduit aussi par sa puissance symbolique dans la démonstration du caractère essentiellement social des différences sexuelles.

Que l'on pense, comme le propose Emmanuel Reynaud, au rôle de l'armée dans la représentation et la production de la différence des sexes, à son caractère de fief masculin extrêmement ancien, à son but, aux conditions de disponibilité qu'exige son efficacité ou au fait que la participation à la violence armée est historiquement liée à la citoyenneté, alors, force est de reconnaître que Madeleine Pelletier soulève là courageusement un problème fondamental et tabou, hier comme aujourd'hui [22].

## Le travestissement

Autre enjeu problématique de la virilisation : la modification du costume.

Madeleine Pelletier a affiché toute sa vie ses opinions en se « travestissant ». Elle le reconnaît volontiers : « j'aime à extérioriser mes idées, à les porter sur moi comme la religieuse porte son Christ, le révolutionnaire son églantine rouge [23] ». « Mon costume dit à l'homme : je suis ton égale » et dit aux femmes, vous êtes leurs esclaves... car elle n'est pas loin de penser qu'il y a deux catégories de femmes : les « femmes supérieures », totalement indépendantes des hommes, y compris sexuellement... et les autres, dont elle tient à tout prix à se démarquer : « Je n'ai pas l'air d'une asservie comme les autres femmes, évidemment je suis née plusieurs siècles trop tôt [24]. »

Son autobiographie est truffée d'anecdotes liées à son travestissement. Elle y raconte sa joie quand, dans son premier groupe féministe, elle rencontre une écrivaine qu'elle avait d'abord identifiée comme « un grand collégien ». Elle découvre grâce à elle « toute une voie lumineuse d'affranchissement [25] ». Le travestissement a donc aussi la valeur d'un signe de reconnaissance, de complicité. Quand elle rencontre Maximilienne Biais, directrice de l'*Action féminine*, portant « la jaquette tailleur, le col empesé et le canotier [26] », un courant de sympathie s'établit immédiatement à cause de leur « identité de costume ».

Mais sa joie est mélangée de tristesse. D'abord, il n'est pas facile de se travestir : elle ne peut s'habiller de cette manière dans son cabinet. Elle se trouve « petite et grosse » et reconnaît que les habits masculins ne lui vont pas tout à fait. Elle doit « dissimuler, contrefaire sa voix, dans la rue, elle doit marcher vite pour passer inaperçue [27] ». Elle souffre des remarques déplaisantes, et quand Lafargue lui signifie fermement sa désapprobation, elle parle de « viol moral ». Elle doit sans cesse protester, défendre sa liberté de s'habiller comme elle l'entend, et son droit de ne pas ressembler à celles qu'elle appelle les « poupées sexuelles [28] ».

Mais surtout, les réactions suscitées par son travestissement lui valent d'innombrables mésaventures et altercations. La plus grave, sans doute, advient pendant la guerre, quand, à Nancy, une foule hurlante de 2000 personnes se rassemble autour d'elle, la prenant, à cause de son allure étrange, pour une espionne [29].

Au delà de la simple transgression vestimentaire, de l'inconvenance de porter le vêtement du sexe opposé, est stigmatisé le travestissement psychologique. Les femmes habillées en hommes se font remarquer par leur grande liberté de manières : Madeleine Pelletier, ou Hélène Brion, ne se conduisent pas « comme il faut ». Madeleine Pelletier choque par ses manières rudes et vulgaires, qui irritent Angelica Balabanoff, la grande révolutionnaire russe [30]. Elle vocifère, elle parle l'argot, elle a de mauvaises fréquentations. Sa pauvreté accentue sans doute la répulsion qu'elle provoque si souvent. Caroline Kauffmann [31] la suspecte d'« amoralité » et l'accuse d'être une « énergique ambitieuse [32] ». Son amie Hélène Brion est décrite comme provocatrice, impulsive, déséquilibrée, exaltée [33].

## L'argumentation en faveur du travestissement

Madeleine Pelletier n'invente pas la réforme du costume. Déjà en 1896, une *Ligue de l'affranchissement des femmes* exige la liberté du costume. Peu après, une pétition d'Astié de Valsayre demande à la Chambre la suppression de l'interdiction faite aux femmes de porter le costume masculin. Elle tire argument de la surmortalité féminine lors de l'incendie du bazar de la charité. Depuis le début du siècle, des féministes militent pour une rationalisation du vêtement féminin, pour le droit de porter des vêtements adaptés notamment au sport. Elles luttent contre le corset et les jupes trop longues, sources de mortalité non négligeable. Madeleine Pelletier établit même une corrélation entre le taux de mortalité féminine à New York et la longueur des jupes... Cet argument du danger est repris par une étudiante en médecine qui soutient en 1919 sa thèse sur *le costume féminin et ses dangers* [34]. Au nom de la préservation de la race et de la préservation du corps des femmes qui transmettent la vie, elle exige l'interdiction du corset, des talons hauts, et l'obligation pour les femmes d'une gymnastique intensive. Petit détour pour illustrer la gravité du problème d'un point de vue strictement médical, et aussi pour montrer qu'une conjonction d'arguments très divers, et pas seulement féministes, jouent en faveur d'une réforme du costume. J'aurais pu citer aussi Augusta Moll-Weiss, féministe extrêmement modérée, qui elle aussi milite pour des mesures prophylactiques et préconise le port de chaussures rationnelles, l'abandon du chapeau, la résistance à la tyrannie de la mode, le respect dû au corps, au libre jeu des muscles et de tous les organes [35].

Dans *Une Vie nouvelle*, les pantalons et les robes ont été abandonnés, la culotte du XVIII^e siècle est portée par les deux sexes. Ce changement intervient à l'époque du chaos révolutionnaire, alors que les viols et les meurtres de femmes se multiplient en toute impunité : « les femmes commencèrent à s'habiller comme les hommes, mode qui se généralisa par la suite [36] ».

Le port des vêtements masculins participe aux stratégies de lutte contre les violences masculines. Il dissuade les suiveurs, et éventuellement les violeurs. Il donne aux femmes de l'assurance et l'aisance nécessaires pour réagir en cas d'agression. Il modifie l'allure, les attitudes, mais il est aussi appelé à transformer en profondeur le corps féminin débarrassé de ses entraves, corps appelé à se développer, à se muscler.

Pour Madeleine Pelletier, la débilité physique — cet argument « biologique » qui soutient de nombreuses discriminations sexistes — n'est pas une fatalité. La liberté conquise par le travestissement démontre l'égalité des sexes : les soldates endurantes, courageuses, voire héroïques en sont la preuve vivante [37].

Mais ce qui motive par dessus tout Madeleine Pelletier, c'est la puissance symbolique du travestissement. C'est la transgression, vécue en pleine conscience politique, d'un code, le code vestimentaire, qui met en scène la différence des sexes, leurs rôles respectifs et hiérarchisés. Le vêtement féminin résume d'une façon simple, évidente, l'esclavage des femmes. C'est pour cette raison que le problème du costume est de toute première importance : « ce n'est pas sans raison qu'on met un uniforme aux soldats, un habit aux religieux : un habit semblable est censé refléter une mentalité semblable [38]. »

## L'opposition des socialistes, hommes et femmes

Les attitudes vestimentaires de Madeleine Pelletier déplaisent aux socialistes. Aux réunions de la SFIO, on se moque d'elle, on lui suppose des buts libidineux. Un jour, on ne la reconnaît pas et on la prend pour un mouchard [39].

Hervé lui reproche ses « cheveux courts et ses costumes tailleurs » et l'invite à suivre l'exemple de Louise Michel qui, bien qu'« asexuée, s'habillait comme toutes les femmes [40] ».

En 1911, Rappoport, un intellectuel socialiste converti de fraîche date au féminisme s'indigne qu'elle ose porter les insignes de « Masculina » sans en avoir le droit [41].

L'exemple de Madeleine Pelletier n'est guère davantage approuvé par les femmes socialistes qui, selon elle, « se gardent bien de paraître des affranchies sexuelles. Rosa Luxembourg porte robe traînante, longs cheveux, voilette et fleurs à son chapeau, Clara Zetkin fait de même ». A la tribune, quand elle gesticule, son grand chapeau oscille comiquement de gauche à droite. Paule Lafargue apparaît en public couverte de voiles, pour cacher son âge. Madeleine Pelletier juge qu'une « tactique semblable est de l'avilissement moral [42] ».

Elle ne trouve pas plus de compréhension du côté des féministes.


## Les féministes contre la virilisation

Elle écrit dans son autobiographie :

« Les féministes ne m'aimaient pas. Mes costumes tailleurs et mes cols empesés à la masculine leur paraissaient d'une audace inouïe. C'était, disaient certaines, aller contre la nature et faire tort au féminisme [43]. »

Son travestissement est une des raisons de sa mise à l'écart : elle choque quand elle tente de rentrer à *la Fronde* où elle est très mal reçue par une « dame très décolletée [44] ».

Grande déception aussi quand elle découvre le groupe de *la Solidarité des femmes* « ce groupe lamentable de vieilles femmes et combien peu affranchies à en juger par leur mise ». Elle s'avoue navrée de voir tant de féministes aux visages peints, ornés de chapeaux ridicules.

Madeleine Pelletier n'aura de cesse de dénoncer, avec un mépris certain, les féministes qui veulent rester féminines.

« Je ne dissimule pas que nombre de féministes m'accuseront de vouloir que les femmes renoncent à leur sexe, mais si elles veulent bien réfléchir un peu, elles se rendront compte que pour être courante, cette expression n'en est pas moins dénuée de sens ». « La suppression de la servitude féminine » (...), « servitude que perpétuent la coquetterie, la retenue, la pudeur exagérée, les mièvreries de l'esprit et du langage » (...) ; « la femme émancipée sera une personnalité libre qui, comme l'homme, gagnera sa vie avec ses bras et son intelligence ; la liberté d'allures décèlera chez elle l'indépendance du caractère et l'énergie de la volonté. Elle sera un individu avant d'être un sexe [45]. »

En fait, il est assez difficile de démêler, dans l'opposition des féministes à la virilisation, la part des choix stratégiques et celle des convictions. Je suppose que l'opportunisme politique explique en grande partie leur condamnation de la virilisation.

A la fin du XIXᵉ siècle, Maria Deraismes, célibataire sans enfants, par refus de la servitude explique-t-elle, s'y oppose :

« Je proteste absolument contre le port du costume masculin. Je veux qu'une femme reste femme, qu'elle conserve sa grâce qui est en même temps sa force. Je suis l'ennemie de ces vêtements laids et douteux qui font de nous des êtres hybrides et je ne sais quels intermédiaires neutres et louches entre l'homme et la femme. A qui a-t-on affaire avec ces figures sans sexe auxquelles on ne peut décemment appliquer un nom ? Cela est ridicule et grotesque (...) celles qui veulent abandonner nos jolies étoffes claires, brillantes, me font l'effet d'assombrir encore la vie [46]. »

Plus de vingt ans plus tard, la présidente de l'*Union Française pour le Suffrage des Femmes*, Cécile Brunschvicg, considère que « l'émancipation n'est pas le dérèglement et la masculinisation non raisonnée. L'émancipation est un problème social (...) Le but de la femme doit être d'abord de rester femme, enfin de devenir vraiment l'associée de l'homme » [47].

Marcelle Tinayre, romancière à la mode, considérée comme féministe, distingue elle aussi les féministes des « émancipées de l'ancienne morale » qui « vivent en hommes parce qu'elles aiment trop les hommes ou — quelquefois — parce qu'elles ne les aiment pas assez (...). Le féminisme n'a rien à voir dans ces affaires intimes [48] ».

Dès lors, il n'est pas étonnant que Gina Lombroso, porte-parole féminine de l'antiféminisme déclare en 1927 :

« La femme d'aujourd'hui est plus malheureuse qu'autrefois (...). Le fait même que la femme se masculinise constitue une défaite (...). Le vrai bonheur chez la femme est d'être aimée et d'aimer, de pouvoir dédier aux autres ses actions et ses intentions, et de vivre dans l'illusion qu'elle est tout pour les autres [49]. »

L'assimilation du féminisme à la virilisation et à la perte de la féminité est un des poncifs de ce discours antiféministe, aujourd'hui comme hier [50]. Fernand Goland [51] résumait le féminisme à l'inversion des rôles et à l'asexuation du genre humain. Les théories révolution-naires de Madeleine Pelletier sur la question ont contribué à perpé-tuer ces attaques qui, avant elle, n'étaient que fantasmes tant était grande la prudence des féministes, mais qui après elle, reflètent effectivement une des options choisies par le féminisme.

## Sur la critique des féministes

La virilisation implique selon Madeleine Pelletier de nouvelles méthodes militantes : action directe, manifestations de rue, collages d'affiches par les militantes elles-mêmes, toutes interventions non dépourvues de risques : un voyou lui retourne un pot de colle sur la tête, ces expéditions se terminent souvent au poste de police [52]. Madeleine Pelletier n'est pas tout à fait seule à défendre cette voie qu'Hubertine Auclert, avant elle, a ouverte.

Quand Madeleine Pelletier passe en correctionnelle, pour jet de cailloux contre un bureau de vote, elle reçoit la réprobation des féministes, qui la voient comme une dangereuse révolutionnaire [53].

La modérantisme des moyens d'action rejoint la timidité théori-que : la plupart des féministes refusent de reconnaître, dit-elle, que « les hommes dirigent, dominent et exploitent, et que les femmes sont dirigées, dominées, exploitées [54] ».

Certes, « les progrès de l'émancipation féminine ne sont pas nuls [55] », mais ils sont « lents, très lents ».

Les réactions des féministes révèlent et reflètent la situation de crise latente du mouvement féministe dans l'entre-deux-guerres, crise due en grande partie aux difficultés rencontrées : depuis la fin du XIX$^e$ siècle, le mouvement revendique l'égalité des droits civils et politiques. Mais si la cause marque des progrès dans l'opinion publique, si le mouvement féministe lui-même progresse, les reven-dications ne trouvent pas leur accomplissement légal et concret. Le droit de vote ne sera obtenu qu'en 1944. Face à cette situation de blocage, les féministes réformistes préconisent une attitude rassu-rante, pour gagner le soutien des masses et surtout celui des hommes politiques. En faisant du « féminisme féminin ».

Où l'on retrouve l'égalité et la différence...

Partisanes de l'égalité des droits, les féministes majoritaires n'en sont pas moins attachées à « la différence des sexes » : elles sont souvent même convaincues de la supériorité des femmes, notamment sur le plan moral. Leur tendance à valoriser un féminin tant dénigré, ridiculisé ou haï les conduit à présenter leur différence comme un bienfait social : leur compassion, leur tendresse, leur amour maternel, exemplaires, remplaceraient tôt ou tard les valeurs masculines : le pouvoir, la haine, la guerre. Le vêtement pouvait être un moyen d'extérioriser cette différence. Mais la plupart sont attachées aux apparences de la féminité par pur conformisme. Leur moralisme apparaît éclatant dans leur condamnation de la Garçonne qui, loin de représenter un modèle d'émancipation, leur semble représenter une dangereuse déviance, une figure de perverse symbole de la dépravation des mœurs [56].

La condamnation du travestissement est d'autant plus forte qu'elle est profondément enracinée dans l'histoire occidentale. Le marquage social (des classes, des ordres) par le vêtement est une tradition ancienne, et le marquage des sexes est un des plus évidents. Déroger à cette obligation légale peut coûter cher. Le travestissement fut le principal chef d'accusation contre Jeanne d'Arc. Les cas de transvestisme féminin au sens strict (usurpation de l'identité masculine), nombreux à l'époque moderne en Europe du Nord [57], ont été très sévèrement réprimés. Le travestissement des femmes est considéré comme une tromperie qui porte atteinte aux intérêts des hommes. On pourrait prendre l'exemple d'ouvrières travaillant sous identité masculine, et qui doublent leurs gains de cette manière.

Mais le travestissement n'est pas seulement réprimé, il est aussi utilisé par la société et parfois admis sous conditions.

Depuis le XVIe siècle, la sévérité à l'égard du travesti coexiste avec la fascination et le désir d'androgynie, désir hétérosexuel ou homosexuel [58]. La passion pour l'androgynie a été souvent instrumentalisée au service des hommes. Ainsi la tradition des amazones a servi pendant des siècles à mettre en scène leur défaite finale. L'inversion des rôles sexuels dans la société grecque antique ne relève pas de la tragédie, elle est surtout un motif de réjouissance comique pour les hommes [59]. La peur du ridicule intervient aussi dans l'opposition ou les réticences à la virilisation.

La théorie de la virilisation des femmes n'est pas sans danger pour la cause féministe. Car l'ambiguïté du jeu avec l'identité sexuelle n'est pas toujours maîtrisée. Ce ne sont pas tant les audaces vestimentaires de Madeleine Pelletier qui marquent l'opinion publique que les frasques de Rachilde ou de Colette qui par ailleurs, surtout pour Rachilde, donnent des gages de bonne conduite féminine. Ainsi, Rachilde qui a vécu travestie dans sa jeunesse, écrit, après ses premières œuvres, qui jouent audacieusement avec l'ambiguïté de l'identité sexuelle, un *Pourquoi je ne suis pas féministe*. Et Colette néglige de soutenir le droit de vote des femmes.

Les réactions masculines à la Garçonne, explique une féministe [60], sont de toutes façons douteuses : favorables, elles s'enthousiasment uniquement pour la liberté sexuelle de cette petite femme épatante, négatives, elles ne font que perpétuer l'hypocrite double-morale. Parmi les ambiguïtés de la virilisation, il faudrait relever celle qui consiste finalement à faire de la norme masculine la norme commune. Déjà, l'imposition d'une nouvelle norme est peu compatible avec le droit à l'individuation réclamé par des féministes comme Nelly-Roussel, qui considère que la virilisation suppose une admiration pour les hommes que les féministes n'ont pas [61]. Est-il enviable pour une femme, d'être un homme ? Madeleine Pelletier répond oui, sans aucun doute possible.

## C'est pourtant l'époque de la Garçonne

La sévérité de ces condamnations peut surprendre, si l'on songe à la fameuse libération des mœurs qui caractérise, pour beaucoup d'historiens, la guerre et les années folles. La Garçonne est-elle un miroir aux alouettes ? N'est-elle pas comme le disait Marie-Jo Bonnet, « un compromis idéal propre à apaiser la guerre des sexes [62] » ?

Toujours à contre-courant, Madeleine Pelletier apprécie [63] le livre de Victor Margueritte [64] et le soutient publiquement au Club du Faubourg. Elle s'éloigne une fois de plus des positions féministes orthodoxes.

Les audaces des Garçonnes des boîtes de nuit ou la liberté des femmes artistes [65], des Américaines exilées sur la rive gauche fuyant le puritanisme ne doivent pourtant pas faire illusion.

Néanmoins, le succès même de la garçonne est symptomatique d'une évolution.

La mode de la Garçonne et le développement du sport féminin ont fait prendre au débat sur la femme nouvelle et la virilisation un tournant décisif en banalisant de nouvelles attitudes vestimentaires et corporelles (cheveux courts, cigarette), qui en se répandant perdent de leur teneur subversive, mais créent dans le même temps de nouvelles formes à la féminité (robes près du corps découvrant les jambes, par exemple). Cette mode garçonnière fut de courte durée, et dès 1929, les robes reprirent de l'ampleur, de la longueur, comme la chevelure [66]. La tendance de retour à la féminité s'accentua dans les années 1940 et 1950 [67].

## Le soupçon d'homosexualité

L'intransigeance de Madeleine Pelletier sur le célibat, sur la chasteté, ses allures masculines ont suscité un bon nombre de rumeurs et de soupçons. Un rapport de police indique que : « Madeleine Pelletier passe pour avoir des mœurs spéciales et est représentée dans les milieux qu'elle fréquente comme une tribade [68] ».

Malgré les apparences trompeuses de son travestissement, parce qu'il est aussi un signe de reconnaissance pour certaines lesbiennes caractérisées comme « viriles [69] », Madeleine Pelletier n'est pas homosexuelle. Quand elle envoie son portrait en homme à son amie Arria Ly, elle précise : « surtout, ne tombez pas amoureuse, c'est alors qu'on crierait à Lesbos. Le voyage à Lesbos ne me tente pas plus que le voyage à Cythère [70] ».

Elle n'est pas non plus hétérosexuelle : elle n'éprouve aucun désir pour les hommes, ni attirance, ni répulsion, ni haine. Et, politiquement, elle critique l'hétérosexualité, en la liant complètement au système d'oppression des femmes. A l'évidence, elle a quelques traits communs avec certaines lesbiennes de son temps, elle est une âme libre et virile prisonnière d'une enveloppe féminine, comme Radclyffe Hall et son personnage Stephen, dans *Un puits de solitude* [71]. Elle correspond aussi en partie à la définition médicale fin XIXème de l'invertie : « l'invertie pure », écrit Forel en 1906, « se sent homme. L'idée du coït avec les hommes lui fait horreur. Elle aime prendre des habitudes, des mœurs, des vêtements masculins [72] ». Je ne crois pas qu'il faille pour autant parler à son propos d'une homosexualité non-assumée. Pourquoi ne pas, tout simplement, la croire, puisqu'elle déclare n'avoir jamais pratiqué l'amour lesbien, et qu'elle ne l'a jamais non plus défendu. Son dégoût pour la sexualité semble l'éloigner de toutes les formes de sexualité [73]. Et, si l'on considère que le lesbianisme est plus qu'une pratique sexuelle « autre [74] », on ne peut pas non plus voir chez elle une défenderesse d'une sécession amoureuse ou affective au profit exclusif des femmes. Elle ne rencontre que des femmes « inférieures » qui l'exaspèrent ou l'indiffèrent, et considère l'amitié comme une « bien petite chose [75] ». Il faudrait adopter la définition aussi extensive que poétique de Monique Wittig pour, peut-être, la considérer comme lesbienne en tant que « résistante à la norme [76] ». Ou envisager, peut-être, malgré toutes les affirmations contraires, la possibilité d'un secret très bien gardé.

Comme l'immense majorité de ses contemporains, Madeleine Pelletier pense que l'homosexualité n'est pas « naturelle », et dans la société future rêvée, elle régresse :

« La société nouvelle avait donné droit de cité aux homosexuels hommes et femmes. Elle reconnaissait que l'homosexualité n'était pas normale, néanmoins, elle trouvait archaïque et arbitraire de réglementer les caresses, de désigner ce qui est permis et ce qui est défendu.

Seul le scandale public était réprimé, et on le punissait également lorsqu'il s'agissait de sexualité naturelle.

Chose inattendue, l'inversion sexuelle, au lieu d'augmenter diminua. Une bonne part de sa force tenait à l'importance donnée à la sexualité en général. Beaucoup de pédérastes l'étaient par snobisme, par besoin de se singulariser, d'être remarqués, même en mauvaise part. (...)

Chez la femme, l'homosexualité avait toujours été moins répandue et sa grande pourvoyeuse avait été la continence forcée des femmes qui, n'ayant pu se marier, n'avaient pu prendre un amant. Des femmes mariées recherchaient dans le lesbianisme un amour moins brutal enjolivé de tendresse. La liberté sexuelle de la femme fit disparaître le saphisme à peu près complètement [77]. »

Son féminisme et son costume d'homme lui valent de toutes façons une réputation de lesbienne. Comme Arria Ly, la grande défenderesse de la virginité féministe, traitée de lesbienne par un journaliste qu'elle provoquera en duel et giflera en public, à la tribune d'un meeting.

La corrélation entre une homosexualité féminine plus visible et les progrès du mouvement d'émancipation des femmes est faite par les contemporains, sexologues, comme Havelock Ellis ou romanciers, comme Victor Margueritte. Ces quelques lueurs ne peuvent hélas guère plus nous éclairer. On peut simplement supposer qu'en étant assimilée à l'homosexualité, son étrangeté devenait soudain plus familière.

CONCLUSION

Madeleine Pelletier conclut son autobiographie par ces mots : « Mais je reste féministe. Je le resterai jusqu'à ma mort, bien que je n'aime pas les femmes telles qu'elles sont. Pas plus que je n'aime le peuple tel qu'il est. Les mentalités d'esclaves me révoltent [78]. » Madeleine Pelletier n'est pas un cas unique de féministe n'aimant pas les femmes. Un refus, plus ou moins profond, plus ou moins durable de la féminité est même courant chez les féministes. Je pense à celle qui a pu dire, avec plus de succès que Pelletier : « on ne naît pas femme, on le devient ». *Le journal de guerre* [79] de Simone de Beauvoir, qui lève le voile sur sa vie intime, et notamment sur ses rapports avec quelques jeunes femmes amoureuses d'elle nous fait découvrir une femme parfois distante, parfois méprisante, voire carrément « macho » vis à vis d'autres femmes. Plutôt que de l'analyser comme de la misogynie bête et méchante, je préfère comprendre cette attitude — le rapprochement avec Madeleine Pelletier pourrait être éclairant — comme une réaction de distanciation plus ou moins violente considérant que « la femme, c'est les autres », et comme une forme de résistance à des contraintes sociales. On n'écrit pas *Le deuxième sexe* ou *La femme en lutte pour ses droits* bien installée dans sa féminité [80].

Madeleine Pelletier est une marginale, dans le monde des hommes, dans le monde des femmes.

On pourrait s'interroger aussi sur les conditions d'émergence de ce féminisme de l'égalité intégrale. Une vie en marge en constitue à la fois l'origine — et le travestissement n'est pour Madeleine Pelletier qu'une transgression parmi bien d'autres : le destin de cette petite fille pauvre était bien improbable — et la conséquence.

Cette marginalité a sans doute déterminé son questionnement politique et pratique sur le genre. Ce questionnement a deux aspects : la déconstruction sociale du genre — pour reprendre nos termes modernes — et une quête identitaire non pas fondée sur la différence

— recherche majoritaire du féminisme — mais sur l'exploration des effets produits par l'égalité des sexes. Ceci mérite d'être souligné car aujourd'hui encore il me semble que l'on sous-estime la quête identitaire du féminisme de l'égalité. Dans cette logique, l'indifférenciation est un faux problème, la peur de l'indifférenciation est par contre un vrai problème [81] : elle est l'obstacle majeur au succès des idées de Madeleine Pelletier.

La radicalité de son féminisme la marginalise, certes, mais, dans le même temps, pour penser la virilisation, il fallait être intégrée ou intégrable dans le monde des hommes (ce qu'elle est, grâce à ses talents, comme scientifique, comme socialiste) : elle a un vrai tempérament de femme politique, fait souvent preuve de réalisme, elle n'appelle pas les féministes au séparatisme, elle conseille aux femmes d'entrer dans les partis politiques. Madeleine Pelletier féministe ne vit pas dans l'attente du Grand Soir. Elle postule :

« La suppression des classes dépendra de la révolution mais l'égalité des sexes peut fort bien se réaliser dans la société présente. C'est même dans la société présente qu'elle se réalisera et la révolution sociale, si elle arrivait demain, aurait au contraire pour effet d'en reculer l'avènement car le prolétariat est encore trop frustre pour concevoir l'émancipation de la femme. Il serait donc maladroit à moi de subordonner à une transformation de la société un état de choses qui se réalisera mieux sans elle et qui se réalisera sans elle [82]. »

Elle prend là acte de la mauvaise volonté des révolutionnaires hommes mais donne aussi dans cette déclaration l'explication fondamentale à ce qui apparaît aux yeux de beaucoup comme une contradiction rémanente dans le féminisme traduite par des questions comme : la libération des femmes passe-t-elle par l'armée pour tous et toutes ou par l'abolition de l'armée, par le travail de nuit pour toutes et tous ou par l'abolition du travail de nuit, débats qui continuent à opposer les féministes. Madeleine Pelletier fait avec la virilisation des femmes un pari, qu'elle juge plus réaliste et plus sûr. Elle n'envisage pas les conséquences générales de la virilisation des femmes : renforcement de la militarisation, ou de l'exploitation capitaliste. On n'arrête pas un processus égalitaire, ou alors, on retrouve une position différentialiste qui pourrait par exemple prôner le retour au foyer pour préserver les femmes de l'exploitation. Aussi doit-on, en bonne logique, reconsidérer le privilège pour les femmes de l'exemption militaire. A-t-elle tort quand elle envisage une dissociation possible entre le système patriarcal et le système capitaliste, en envisageant possible une conquête de l'égalité faisant abstraction de leurs interactions ? La suite des événements semble lui donner raison : la virilisation a suivi son petit bonhomme de chemin, dans beaucoup de sociétés, et si les féministes donnent, de temps à autre, une impulsion décisive à ce mouvement, elles ne le maîtrisent pas.

Au fond, la pensée de Madeleine Pelletier apparaît à l'opposé de complaisance vis à vis de la marginalité, elle n'est pas prête à sacrifier l'égalité pour la préservation d'une position marginale des femmes qui les rendrait plus subversives que celle des hommes, elle ne fétichise pas «la gloire du paria». En ce sens, elle n'appartient que partiellement à la « Société informelle des Marginales » décrite par Virginia Woolf [83].

Madeleine Pelletier propose avec la virilisation des femmes une « transgression du sexe par le genre » pour reprendre l'analyse de Nicole-Claude Mathieu [84]. Madeleine Pelletier va même au delà de la simple inversion possible (et au passage elle rend caduque l'assignation systématique du genre au sexe correspondant) puisqu'elle envisage, grâce à la transgression, une modification du sexe biologique et psychique : la virilisation agissant dans le sens du rapprochement des deux sexes, dans le sens de la réduction progressive de différences physiques. Discours qui rejoint celui de féministes contemporaines.

# Sexualité et prostitution

## Marie-Victoire Louis

Les analyses féministes de Madeleine Pelletier sur la sexualité et la prostitution, inséparables de son propre vécu, peuvent s'expliquer par une double démarche :

Son refus d'être inscrite physiquement dans une sexualité féminine dominée, au nom d'une analyse intellectuelle féministe.

Son adhésion aux valeurs socialement construites comme masculines auxquelles, seul son sexe biologique, lui interdit de participer.

Comme l'héroïne de son roman, *La Femme vierge*, publié en 1933, elle est « révoltée d'un obstacle de sexe qui lui semble une grande injustice [1] ». Vingt ans auparavant, elle écrivait déjà : « Ah que ne suis-je un homme ! Mon sexe est le grand malheur de ma vie [2] . »

### QUELQUES HYPOTHÈSES CONCERNANT LA VIE PERSONNELLE ET LA SEXUALITÉ DE MADELEINE PELLETIER [3]

Madeleine Pelletier avait « poussé à la diable » entre une mère, marchande de fruits, qui « n'avait pris aucun soin d'elle [4] » et un père, cocher de fiacre, hémiplégique qui, « avait été relégué au second plan [5] ». Sa mère était une « femme de tête [6] », « beaucoup plus intelligente que son mari [7] », selon sa fille. Il faut noter cependant que, pas une seule fois, celle-ci n'en donne d'exemple pertinent.

Sa mère partageait « tous les préjugés en cours sur l'incapacité des femmes », tout en affirmant que : « lorsque la femme est la plus intelligente des deux, c'est elle qui doit diriger, sans en avoir l'air bien entendu ». Elle considérait ainsi « ne pas tomber dans l'erreur des féministes qui veulent que les femmes soient des hommes [8] ».

Quant à son père, c'est probablement lui qui lui a transmis sa vision « sceptique » et « réaliste [9] » de la vie, qui font la si grande valeur de ses écrits.

Si sa mère semble lui avoir peu apporté sur le plan intellectuel et affectif — à moins de mettre à son actif le conformisme et le fanatisme qui ont permis la révolte de sa fille — elle a cependant reconnu, en négatif, son exceptionnalité. « Elle répétait notamment que l'on pourrait « rouler » Paris, sans découvrir pareille enfant... La perspective d'être unique en son genre ne laisse pas d'inquiéter l'enfant [10] ».

Son père, pour sa part, en la supposant suffisamment adulte et responsable, lui a transmis un message de démystification des mensonges et des hypocrisies, notamment sexuelles, auxquels la petite fille était confrontée.

Sa mère voulait l'enfermer dans son sexe, son père la traitait en garçon.

Madeleine Pelletier a été élevée sans amour, battue, giflée par sa mère, qu'elle qualifie de « méchante ». Elle se rappelle avoir beaucoup pleuré dans son enfance. Il fallut qu'un jour celle-ci lui fasse un compliment — la petite fille portait des copeaux pour économiser le charbon — et lui donne deux sous, pour qu'elle se pose la question suivante : « Tiens, l'aimerait-elle un peu [11] ? » « L'amour maternel, elle l'a eu en dictée ; elle en a fait des devoirs de style ; elle l'a appris par cœur comme leçon, elle l'a eu comme exercice grammatical. La réalité pour elle avait été beaucoup moins poétique [12]. »

Ses parents ne partageaient, par ailleurs, entre eux, que peu d'amour. L'éloge funèbre de son père par sa mère est, pour le moins, peu chaleureux : « Bien qu'il coûtait cher à entretenir, je l'ai conservé malgré tout. Maintenant il est mort, je suis libre [13]. »

Lorsque Madeleine Pelletier parle d'« un abîme entre les sexes [14] », lorsqu'elle défend la thèse de la famille comme structure sociale à détruire, c'est bien probablement dans la vie quotidienne de ses parents qu'elle a puisé ses analyses.

Madeleine Pelletier a, elle aussi, vécu sans amour. Dans une lettre adressée à Arria Ly, alors qu'elle a quarante-deux ans, elle écrit : « Du soleil, il y en a peu dans ma vie. Le monde n'aime pas les femmes qui se distinguent du troupeau ; les hommes les rabaissent, les femmes les détestent. Enfin il faut se résigner à ce que l'on ne peut empêcher et je ne donnerais tout de même pas ma place contre celle d'une brebis bêlante [15]». Elle a évoqué à plusieurs reprises ce vécu d'une vie sans amour ni sexualité, tout en s'attachant avec beaucoup de constance à démontrer qu'une telle vie était, sinon souhaitable, du moins possible, et en tout état de cause, préférable à celle de l'immense majorité des femmes. « Elle manquait d'amour, il est vrai, mais c'était là en somme une assez petite chose. Normale, pleine de santé, Marie [16] n'était pas sans ressentir l'appel de la nature, mais cet appel n'avait rien d'impérieux... A part cela, la privation d'amour n'altérait en rien sa santé, elle digérait parfaitement et du coucher au lever, elle ne faisait qu'un somme [17]. » Notons que, si dans ce texte autobiographique, l'amour est ici synonyme de relations sexuelles, Madeleine Pelletier s'attachera, dans ses textes théoriques féministes, à dissocier leurs relations, condition nécessaire à l'affirmation de la liberté des femmes.

Madeleine Pelletier fut élevée dans le cadre de valeurs religieuses répressives. Sa mère royaliste et catholique pratiquante, nous dirions aujourd'hui : intégriste, affiche fortement ses idées — comme le fera sa fille sur d'autres valeurs — au point d'être mise au ban du quartier et traitée « de sale jésuite » par la fleuriste [18]. Elle avait même rêvé d'entrer au couvent, où d'ailleurs elle finira sa vie, après son deuxième veuvage. La petite Madeleine se souvient notamment comment, « clouée de stupeur », elle est réveillée un soir par des gémissements. C'est sa mère qui « à la lumière d'un cierge, vêtue seulement d'un jupon, se frappait le dos à coups de martinet en récitant le confiteor [19]».

Sa mère considère que l'on est sur terre « pour souffrir [20] », ne prend jamais de distraction et pense même que « c'est même très mal d'en désirer [21] ». Aussi transmet-elle à sa petite fille ce refus du plaisir, lequel est, pour elle, traduit en termes d'interdit.

C'est ainsi que sa mère déchire les bons que la religieuse lui avait donnés pour faire un tour sur les chevaux de bois, en récompense de ses succès scolaires. Car, c'était le 14 juillet, le jour de l'assassinat de Louis XVI, « fête des assassins ». La petite fille est contrainte, ce même soir, de se coucher tôt, alors que tout le monde s'amuse. L'enfant s'endort en rêvant « d'un homme qui court après elle pour lui couper le pouce [22] » !

Il faut noter que c'est au nom de valeurs politiques et religieuses, considérées comme supérieures, que la mère interdit ce plaisir à sa fille. Sur d'autres fondements, mais dans une même logique hiérarchique, Madeleine Pelletier décidera de subordonner ses désirs sexuels à ses choix politiques féministes.

Sa mère refuse aussi de garder un chat, car « un sou de mou par jour, cela fait 18 francs par an. Merci bien de l'occasion [23] ! » L'un des rares moments de plaisir que Madeleine Pelletier évoque, dans son roman, est d'ailleurs celui où, installée dans son petit appartement, enfin autonome financièrement et libre, notamment de sa mère, lisant ou rêvant, elle se décrit « caressant sur ses genoux, un charmant petit chat blanc abandonné dans la rue, qu'elle avait recueilli [24] ».

Elle se présente comme une petite fille « sans vice », « pas du tout vicieuse » et affirme, dès lors, ignorer « les finesses de la pudeur ». Elle donne à l'appui de cette affirmation le fait, qu'à six ans, « elle avait vu des petits garçons et des petites filles qui se déshabillaient pour comparer leur sexe [25] ». Tant cette nudité, que la curiosité sexuelle qui en était le fondement, semblent lui avoir paru saines et normales. Mais cette approche naturaliste de la sexualité se heurte à celle, dominante à cette époque — chez les femmes surtout — fondée sur la peur, la honte du corps, marquée par le péché. Lorsqu'elle a ses premières règles, elle est repoussée par la religieuse qu'elle interroge, qui la traite de « petite sale » et la renvoie chez elle où sa mère lui répond de « la laisser tranquille [26] ». C'est son père qui lui expliquera ce qui lui arrive et fera son initiation sexuelle. Elle trouve cela « dégoûtant [27] ». Peu de temps après, son père reprend la conversation et transmet toutes les connaissances d'un homme mûr à une petite fille de treize ans : « Il lui parlait du trottoir, des prostituées, de la mise en carte et des maisons closes. Peut-être, voulait-il faire son éducation et l'armer contre les embûches de la vie. Cependant, sans être fou, il perdait un peu la notion exacte des choses ; aussi, peut-on penser que c'était peut-être pour le plaisir de parler du sexe qu'il initiait la petite fille aux vilaines réalités du monde [28]. »

Quand elle découvre — toujours du fait de son père — « qu'elle a été dans le ventre de Madame Pierrot mêlée aux boyaux et au caca, pouah ! Elle aurait mieux aimé être née d'une rose. Ces premières révélations sur les réalités de l'existence lui laissent un goût amer [29] ».

Cette transmission, sans amour, à une petite fille idéaliste et rationaliste, des choses du corps et du sexe, faite brutalement par son père, de la façon que lui-même les avait sans doute vécues, fut incontestablement un traumatisme. Elle découvre, par lui, en même temps, son corps, la prostitution, la sexualité, mais aussi que sa mère était « comme toutes les femmes [30] ». « Elle en a pris un tel dégoût de la vie qu'elle voudrait en mourir [31] ». Il semble aussi que son « horreur » de la grossesse et de l'allaitement, c'est-à-dire de toutes les fonctions féminines du corps provienne aussi de ce choc. Dans *La Femme Vierge*, elle évoque d'ailleurs « cette horreur du mariage que lui avait à jamais inspiré les révélations prématurées de son père [32] ».

Les analyses ultérieures de Madeleine Pelletier concernant la sexualité resteront marquées par ce mélange d'une vision naturaliste et d'un certain dégoût — pour ne pas dire un dégoût certain — du corps des femmes.

Si elle combat toute se vie la « honte », socialement inculquée aux femmes sur le plan sexuel pour mieux les opprimer, le mot « dégoût » est bien, en ce qui la concerne, celui qu'elle emploie le plus souvent. Elle écrit en 1933 à Arria Ly : « Certes, je considère que la femme est libre de son corps, mais ces affaires de bas ventres me dégoûtent profondément : moi aussi, je suis vierge [33] ».

Madeleine Pelletier, que son éducation répressive révoltait, a été élevée dans le contrôle d'elle-même. Dès la première page de son roman, elle se présente d'emblée comme différente des petites filles, comme elle le fera plus tard par rapport aux femmes et aux féministes. « Marie Pierrot ne crie pas ; elle ne crie jamais et elle ne comprend pas pourquoi les petites filles poussent de tels cris lors des récréations et à la sortie de l'école ; elle-même n'éprouve pas le besoin de crier et les petites filles lui semblent ridicules [34] ». C'est probablement par un apprentissage familial et social qu'elle apprend très tôt — dans un environnement hostile — « à garder pour elle ses impressions [35] » et ses sentiments et ce, d'autant plus qu'ils ne correspondent pas aux stéréotypes sexuels et sociaux de son époque. Elle se décrit comme « garçonnière », parce qu'elle « n'observe pas la réserve qui convient aux petites filles [36] » et, alors qu'elle vient d'un milieu peu cultivé, elle rêve d'être « un grand général ». Ce à quoi sa mère lui répond « en la rabrouant d'un ton sec : les femmes ne sont pas militaires, elles se marient, font la cuisine et élèvent leurs enfants [37] ».

Elle a aussi été élevée dans la pauvreté, la laideur et la saleté.

Ce n'était pas tant la pauvreté de biens qu'elle regrettait — et pourtant « la soupe était maigre [38] » — que celle qui empêche d'affirmer son indépendance et sa liberté.

Peut-être autant, sinon plus que de la pauvreté, elle affirme avoir souffert de la saleté et de la laideur, de sa mère, de la boutique de sa mère, comme de la chambre, pas balayée, où elle habitait avec ses parents. Cette saleté est aussi probablement liée à son dégoût des corps. Elle se souvient — et croit nécessaire de l'écrire dans ses Mémoires — de la présence, semble-t-il habituelle, « au milieu de la (seule) chambre d'un vase de nuit rempli de caca [39] ». Rappelons que c'est ce même terme qu'elle reprend lorsqu'elle évoque la découverte des conditions de sa naissance.

Il est probable qu'elle a souhaité, en vain, échapper à cet environnement. A 6 ans, elle rêve « d'avoir une belle robe rouge... comme elle serait belle. Mais c'est impossible, sa maman n'a pas d'argent pour acheter des robes [40] ». Dans son quartier populaire, les seuls souvenirs de beauté, de luxe, de raffinement qu'elle garde sont significativement le fait de personnes qui affichent une vie sexuelle libre ou de type prostitutionnel. Elle se remémore l'image furtive de sa voisine « habillée d'une magnifique robe rose garife de dentelles blanches, bien belle, toute resplendissante de dentelles, tenant à la main une lampe dorée recouverte d'un magnifique abat-jour de soie bleue ». Or, selon sa mère, cette femme « est une femme publique, elle reçoit des hommes toute la journée [41] ».

De même, la seule famille qui attirait la petite fille et qu'elle enviait, c'était la famille Lézard, la famille du coiffeur. Or, selon sa mère, « ceux-ci font de vilaines choses... Le coiffeur fréquente des hommes, tandis que sa fille lui sert de « manteau ». Quant à la mère, si elle a de belles robes, c'est parce qu'elle a des amants et que son mari est cocu [42] ».

Son vécu de la pauvreté expliquera nombre de ses analyses sur la prostitution comme moyen de la promotion sociale. A cette pauvreté et cette laideur, elle oppose le désir « légitime » des femmes des milieux pauvres d'avoir, elles aussi, accès à la beauté, voire au luxe que peut représenter la prostitution : « Il faudrait pour les blâmer avoir mauvais naturel [43] ».

Elle fut en outre élevée dans la séparation avec les petits garçons, puis plus tard avec les hommes. « Marie ne joue jamais avec les garçons : on lui a dit que c'était très vilain. Les garçons d'ailleurs insultent les filles dans la rue... et leur jettent de l'eau qu'ils font gicler d'une fontaine au milieu de la Cour des miracles [44] ».

On peut cependant penser que sa mère lui a transmis, plus ou moins consciemment, un certain mépris des hommes, de fait généralement lié au mépris des femmes. Ainsi, elle proposait de la marier « au premier chien coiffé qui en voudra [45] ». Son père disait d'elle « qu'elle avait horreur des hommes [46] ». De fait, cette affirmation mériterait des nuances. Elle connaît peu et cherche peu à connaître les garçons, puis les hommes. S'étant préservée, d'une certaine manière, d'eux, elle eut relativement peu à souffrir personnellement de leur fait. Elle le reconnaît d'ailleurs. « Elle souffrait des institutions injustes mais, à part quelques passants dans la rue, les hommes en particulier ne lui avaient fait aucun mal [47] ».

Elle évoque cependant à treize ans une situation, que nous qualifierions aujourd'hui de harcèlement sexuel, de la part d'un bibliothécaire « amateur de chair fraîche, (qui) la prend dans ses bras et la serre très fort ». « Si tu voulais être gentille avec moi », lui dit-il... Mais elle réagit avec une lucidité — sans doute reconstruite — bien exceptionnelle pour son âge : « S'il va trop loin, elle poussera des cris terribles, ce sera un scandale épouvantable et le vieux sale bonhomme perdra sa place... Il voit dans ses yeux un éclair de haine et il la lâche [48] ».

La petite fille a été en revanche confrontée à une vision négative, sinon traumatisante de la sexualité. Sa mère eut dix grossesses dont huit se sont terminées par des décès. Son père affirme en outre qu'elle ne l'a jamais « trompé ».

Madeleine Pelletier a été élevée dans un conformisme sexuel très rigide, fondé sur des codes sexuels féminins exclusifs les uns par rapport aux autres, qui peuvent expliquer la radicalité de ses propres choix, notamment celui de sa virginité.

Selon sa mère, la seule alternative au mariage, pour la femme, c'est de devenir religieuse. Or la petite fille ne veut être ni l'une ni l'autre. De même, le choix de la jeune fille d'avoir une vie intellectuelle propre est vécue par sa mère comme synonyme d'une liberté sexuelle inadmissible. Revenue un soir tard de la bibliothèque, après s'être promenée dans Paris, sa mère lui interdit d'y retourner et l'accuse d'être une gourgandine, sur le fondement du raisonnement suivant : « Quand une jeune fille sort sans ses parents, c'est qu'elle a un amant [49] ».

Madeleine Pelletier a, au cours de sa vie, plus souvent, inversé les termes de cette logique binaire, qu'elle ne les a remis en cause. Elle est restée profondément marquée par ces prises de positions antagonistes isolant, opposant, pour reprendre ses propres termes, l'amour et la sexualité, la liberté et le sexe, l'esprit et les sens, la raison et le sentiment, la virginité et l'esclavage. Tout en reconnaissant que ses propres choix ne pouvaient être partagés par les autres femmes, ses analyses restèrent cependant marquées par ces alternatives draconiennes.

Il faut noter que ces oppositions formelles — invivables ? — rejoignent cependant les stéréotypes sexuels féminins de son époque.

Les femmes, et sans doute plus encore les femmes d'exception qui voulaient échapper à ces assignations qui les enfermaient dans leur sexe, étaient jugées, pour mieux les dévaloriser, sur des critères liés à leur sexualité, réelle ou fantasmée. Ce n'est sans doute pas un hasard si Madeleine Pelletier cite, dans *La femme vierge*, l'exemple de Louise Michel « accusée de relations intimes avec Henri Rochefort ».

> « Dans la rue, les gamins chantent :
> "Louise Michel n'est plus demoiselle ;
> Tant pis pour elle,
> C'est Rochefort qui lui a pris
> Tant mieux pour lui" [50]. »

Il en est de même de sa réaction à l'égard de Marie Curie. Dans une lettre à Arria Ly, elle écrit : « Que Marie Curie couche avec M. Langevin fera... (bien qu'elle) prétende ne pas être féministe, un très grand mal à notre cause. On dira, on dit, que pour la première fois que l'on fait une place à une femme, elle se conduit comme une catin. (...) Quand on aura émancipé l'amour, Madame Curie pourra coucher avec qui elle voudra, cela ne fera plus aucun tort au féminisme [51] ».

En outre, cette pression sociale qui acculait les femmes à des choix contraignants et rigides, était renforcée par un mécanisme de la responsabilité collective, appliqué aux femmes, qui fonctionnait le plus souvent sur le mode de la dénégation. Ce qui était mis au passif de l'une, était transféré à celui de toutes les femmes émancipées ou qui cherchaient à l'être. Madeleine Pelletier, qui se brouille néanmoins avec les francs-maçons pour la défense de Marie Curie, se pose, à juste titre la question de savoir « si c'était (de sa) faute ou de celle des féministes que Madame Curie couche avec M. Langevin [52] ».

Certes, nous savons que les statuts sexuels n'étaient pas aussi étanches que la phrase de Proudhon, « courtisane ou ménagère » l'a laissé supposer. Nous savons qu'il existait en réalité tout un continuum de contraintes sexuelles et de situations intermédiaires entre le salariat, le droit de cuissage, l'aide ponctuelle et durable d'un homme, les ménages à la parisienne, la galanterie, la séduction, la prostitution en carte au occasionnelle, sans oublier les liens entre mariage et prostitution... Il n'en demeure pas moins que cette alternative a pesé de tout son poids pour imposer des normes sexuelles rigides et mettre chaque femme mal à l'aise avec sa propre identité.

Pour Madeleine Pelletier, qui avait posé que le « féminisme ne doit pas être un sentiment, mais une idée de la raison [53] », la marge de liberté entre choix intellectuels et sexuels était étroite. Dans cette même lettre, elle écrit : « Dans les conditions actuelles, les relations sexuelles sont une source de diminution pour la femme qui est mariée et de mépris pour celle qui ne l'est pas. Je n'ai pas voulu faire l'éducation de mon sens génital. Un tel choix n'est que la conséquence de la situation injuste faite à la femme. » Elle se pose ainsi comme elle-même toute entière définie par la raison : « Si Marie résistait à ses instincts, c'était parce qu'elle était intelligente [54]. » Elle considérait qu'elle était libre — et capable — de dominer ses désirs sexuels : « Elle avait remarqué que la lecture des romans légers lui donnait des langueurs. Elle avait cessé d'en lire [55]. »

Le refoulement de ses désirs sexuels devient la condition de sa liberté.

Confrontée sans cesse à des affirmations non étayées, pour elle incompréhensibles, erronées et injustes, fondées sur des jugements sommaires, dont la seule logique était de préserver l'ordre des sexes, Madeleine Pelletier décidera de tout passer au crible de la raison, de sa raison. Bien qu'elle ait affirmé qu'elle a « toujours été féministe, du moins depuis qu'elle a (eu) l'âge de comprendre [56] », c'est bien dans le cadre de la formation de sa propre personnalité que s'affirmera sa révolte.

Elle découvre et dénonce l'interdit sexuel, qui pèse essentiellement sur les femmes, l'hypocrisie et la double morale en vigueur selon les sexes. Petite fille, chez les religieuses, elle avait eu l'impudeur de rattacher sa jarretière devant M. Sibémol, le professeur de collège. « Outre les 100 lignes à copier, la sœur Gertrude lui avait fait tellement honte que toute la classe l'avait mise en quarantaine... Mais ce qu'il y avait de pire c'est que Marie ne comprenait pas la noirceur de son crime [57]. »

Par ailleurs, elle ne comprend pas non plus comment alors qu'elle est « studieuse», et « pure », sur le seul fondement d'un préjugé, « elle peut être jugée sur des soupçons ignobles. » Sa mère, toujours parce qu'elle sortait seule le soir, avait même parlé « de la faire examiner par un médecin pour savoir si elle est vierge. Elle se disait que le monde n'est qu'injustice et hypocrisie [58] ». Accusée, elle revendique alors le « droit d'avoir un amant ». Sa mère menace en outre de la faire exorciser : « Il doit y avoir le diable en toi » disait-elle... « Les vicieuses, on les enferme pour ne pas qu'elles apportent le déshonneur dans la famille [59]. » Quand on connaît les conditions de sa mort, cette phrase, prémonitoire, sonne comme un glas. L'enfermement n'était-il pas un moyen de rejoindre sa mère ?

Et c'est ainsi, par découvertes progressives, que cette petite fille qui rêvait d'être Napoléon, découvre la profondeur de l'aliénation des femmes. « Qu'a t-elle fait de mal ? Odieux... Elle est gardée comme une chienne que l'on veut préserver. Quel dégoût ! Alors, elle n'est pas une personne, mais une chose, on veille à son sexe et on parle de l'enfermer pour qu'elle ne se livre pas au mâle, afin d'être livrée un jour au mari comme un instrument qui n'a jamais servi. Comme si sa personne, son esprit, son corps n'était pas à elle et rien qu'à elle [60] ? »

Sans remettre en cause son attachement laïc, ni son anticléricalisme, on peut enfin penser que son désir de pureté, de cohérence, voire de sacrifice ou de rédemption est incontestablement marqué par une logique religieuse. Avant de faire sa première communion, après s'être confessée, « elle est convaincue d'être pure comme un ange. L'idée de cette pureté lui procure un grand bien-être : tout lui semble bon et beau... Elle prend la religion au grand sérieux. Elle tient, comme on le lui a recommandé, une comptabilité de son âme. Elle note les victoires remportées sur sa paresse, sa gourmandise, son indocilité. Elle repousse les tentations du démon qui ne manque pas de lui souffler toutes espèces de désirs de pécher [61]. » De manière significative, elle signa l'une de ses premières lettres à Arria Ly datée du 19 octobre 1911 : « Docteur Pelletier, capable de délivrer Orléans. »

Sa virginité est alors vécue comme un choix des femmes supérieures.

## QUELQUES HYPOTHÈSES SUR SES ANALYSES
### EN MATIÈRE DE SEXUALITÉ ET DE PROSTITUTION

Pour Madeleine Pelletier, tout ce qui contribue à desserrer les relations de pouvoir entre les sexes et à poser l'affirmation de la liberté individuelle est positif. « Il y a un principe qui domine tout, c'est que la valeur de la liberté est indiscutable [62]. »

Or, pour elle, la mise en tutelle des femmes comme le pouvoir des hommes repose essentiellement sur l'institution familiale. Comment « faire sortir la femme de la famille pour entrer dans la société [63] », est

bien, alors, le problème central. Tous les moyens sont bons pour y
parvenir — y compris « la débauche », terme qui, dans le contexte de
l'époque signifiait le fait pour une femme d'avoir un ou plusieurs
amants. « La débauche a cela de bon qu'elle détruit la famille qui,
depuis qu'elle existe, a à peu près partout asservi la femme. Dès qu'il
y a une famille, cette famille a un chef et ce chef est l'homme qui a
pour lui la force physique, l'argent, la loi... A la fin, je pense que pour
la femme, la débauche fait plus de bien que de mal [64]. »

C'est bien là que ses analyses se différencient de celles des féministes
qui veulent bien émanciper les femmes mais sans remettre en cause
ni les comportements sexuels ni la structure familiale. Elle critique
ainsi Caroline Kauffmann pour qui « la femme doit rester dans son
domaine et montrer qu'elle ne comptait pas l'abandonner, même
lorsqu'elle réclamait ses droits [65]. »

## Ses analyses sur la sexualité

Madeleine Pelletier inscrit ses analyses dans une logique d'opposition binaire entre le corps et l'esprit dont elle voudrait, chez les
femmes surtout, inverser l'ordre hiérarchique : « Le cerveau et le sexe
sont deux choses essentiellement distinctes. Le sexe a son domaine
mais c'est avant tout l'idée qu'il faut aimer [66]. »

Cette sexualité, ainsi artificiellement isolée, relève, pour elle, de
l'animalité. Mais parce qu'elle est nécessaire, parce que c'est une
fonction naturelle, elle doit être démystifiée. « En bonne justice, l'acte
sexuel pour l'homme comme pour la femme n'est ni honorable ni
déshonorant. C'est une fonction physiologique qui devrait pouvoir
s'accomplir sans plus scandales que les autres [67]. »

Sa position n'est donc pas pudeur, pudibonderie ou moralisme.
Elle critique notamment l'Angleterre de Malthus de ce fait : « Les
mœurs étaient dissolues mais on accouchait sous les couvertures. La
chirurgie du ventre n'existait pas ; pour rien au monde une femme
n'aurait montré au médecin son sexe malade, elle préférait souffrir et
mourir. C'est tout juste si elle osait se laver après la menstruation [68]. »

Elle s'attache en revanche avec beaucoup de constance à démysti-
fier le sexe : « L'utérus n'est pas plus honteux que l'estomac, le cœur
ou le cerveau [69] » et la sexualité, qui « n'est pas plus une honte pour
la femme qu'elle ne l'est pour l'homme [70] ». Elle démystifiera aussi la
sexualité : « Aujourd'hui les femmes sont élevées de telle sorte que

l'acte sexuel leur paraît comme un fait grave qui décide de leur existence. Le langage courant porteur de préjugé séculaire confirme cette opinion ; « se donner, être subornée, mis à mal » etc... Il faudra pénétrer les jeunes filles de l'idée que cet acte n'a pas une telle importance ; qu'il n'entraîne pas le déshonneur et qu'il ne donne aucun droit dans l'avenir sur la personne [71]. »

Néanmoins, tout en reconnaissant qu'il s'agit d'un rapport historiquement construit, elle part du point de vue selon lequel « l'appétit sexuel est loin d'être égal dans les deux sexes. Impérieux comme la faim chez l'homme, il est chez la femme souvent très vague, parfois complètement inexistant [72] ». Ainsi le besoin s'en fait sentir surtout chez l'homme lequel se voit ainsi rabaissé vers l'animalité ; « L'homme n'aime pas avec son cœur, mais avec ses sens [73]. »

Ce qu'il faut noter, c'est qu'elle ne remet pas en cause « la force du besoin sexuel chez Masculina [74] », et en accepte le primat ; tout au plus critique-t-elle, l'expression de sa forme et plus particulièrement les conséquences pour les femmes. C'est en ce sens qu'elle est porteuse de valeurs phalliques.

Dans *Une vie nouvelle*, c'est bien à Charles Ratier, le personnage masculin — dont il fut noter qu'il est à un moment de sa vie le proxénète d'une prostituée — qu'elle s'identifie.

Elle aurait pu dire, elle aussi : « Charles Ratier, c'est moi. »

On peut ainsi comprendre les raisons pour lesquelles elle lutte à la fois pour le droit à l'avortement, mais qui expliquent aussi qu'elle conforte les thèses traditionnelles en matière de prostitution, et que son féminisme radical si exigeant par ailleurs, soit si peu critique à l'égard des violences sexuelles masculines contre les femmes. Tout au plus évoque-t-elle, dans le cadre de la société futuriste communiste qu'elle imagine dans son roman *Une vie nouvelle*, le souhait que cette société « n'exalte pas la sexualité masculine comme le fait la société présente avec sa littérature, son théâtre, sa musique, etc [75] ».

Cette femme dont toute la vie a été une lutte féministe, n'a que peu abordé le problème du nécessaire changement des hommes dans leurs relations aux femmes. Sa vision des hommes est peu sévère, relativement pauvre et en tout état de cause statique. Comme la vie de son père ?

De fait, elle récuse moins le pouvoir sexuel des hommes, qu'elle ne réagit sur le plan des conséquences inégales pour l'homme et pour la femme de la sexualité. Elle est beaucoup plus critique à l'égard du comportement des femmes qu'elle ne l'est à l'égard des hommes.

Ainsi, à propos d'une employée des postes violée lors d'une grève par l'un de ses collègues, Madeleine Pelletier refuse l'avortement que cette femme demande au médecin féministe, avec les arguments suivants : « Même si l'avortement était permis, j'aurais agi de même, car j'ai pensé qu'elle n'avait eu que ce qu'elle méritait. » Non seulement, cette femme « minaudait avec les hommes », mais en outre, elle affirmait, en dénigrant les féministes, que « la femme doit rester une femme [76] ».

Cette sévérité — qui peut rappeler aisément la méchanceté de sa mère — peut être difficilement considérée comme « une idée de la raison ». Le viol exercé par l'homme n'est même pas critiqué en tant qu'appropriation du corps de la femme, en tant que négation de sa personnalité. Pour une féministe si exigeante en matière d'affirmation de la défense de la liberté et de la dignité des femmes, il existe incontestablement ici un problème. On ne peut en effet s'empêcher de mettre en relation ses critiques violentes du décolleté des femmes comme expression du servage féminin et son silence sur ce viol et plus globalement sur les violences masculines — notamment sexuelles — sur les femmes.

De fait, on pourrait dire que Madeleine Pelletier lutte politiquement contre un système patriarcal qui exclut les femmes, tandis qu'elle lutte concrètement contre les femmes qui contribuent à le perpétuer.

Dans une lettre adressée à Arria Ly où cette dernière évoque la nécessité qu'il y ait « un certain nombre des femmes animées de cette haine du mâle », Madeleine Pelletier lui répond « qu'au fond, elle partage un peu son idée, car aisément on en ferait des soldats déterminées de la cause. » « Mais, ajoute-t-elle, il ne faut pas dire et surtout écrire tout ce qu'on pense si l'on veut faire œuvre de propagandiste. » Et elle poursuit, de manière plus intéressante, car moins tactique, son analyse : « Nous ne méprisons pas les hommes, nous ne les haïssons pas non plus, nous réclamons simplement nos droits. S'ils ne veulent pas nous les donner, nous devons protester par tous les moyens, au besoin faire le plus de mal possible à l'adversaire, mais uniquement parce que c'est l'adversaire, et non en vertu d'une haine de sexe. Je vous assure que je sais parfois être une adversaire terrible. Je n'ai pas la haine sexuelle de l'homme [77]. »

Cependant, sociologue avant la lettre des « rapports sociaux de sexe », elle constate l'évolution en cours vers plus d'égalité, qu'elle considère, sans doute justement, comme provoquée par l'effet conjugué des conséquences de la guerre de 1914 et de la psychanalyse. « Je crois que c'est le freudisme qui a donné aux femmes ces audaces » (chercher des amants). « Les femmes qui avant la guerre devaient ne pas éprouver de plaisir sexuel avouent maintenant désirer l'homme. Ce n'est pas très relevé, mais que voulez-vous l'homme est un animal. La chatte en rut crie son désir [78]. » Notons que, dans un raccourci saisissant, « l'homme » est ici employé dans son acceptation générique, si souvent combattue par les féministes. Le masculin s'appropriant le général, absorbe le féminin dès lors réduit à son acception sexuelle.

En cela, le féminisme de Madeleine Pelletier montre ici ses limites.

Son choix de la virginité est sans doute l'expression de son refus de « l'esclavage féminin qui faisait de la femme la chose de l'homme [79] », mais aussi de sa difficulté à se situer personnellement entre son combat féministe contre le pouvoir de « Masculina [80] », son identification aux hommes et son mépris des femmes. « N'oublions pas qu'à l'impérialisme masculin répond la servilité féminine. Les femmes sont dégoûtantes. Elles mêlent leurs sens à leur servilité et cela fait au social un complexe dégradant [81]. »


## Son analyse sur la prostitution [82]

Celle-ci frappe d'abord par la faiblesse des connaissances livresques sur lesquelles elle s'appuie. Ses références sont maigres, plus littéraires que sociologiques, ethnologiques ou historiques : Carco, Bruant, Isnard, médecin de St-Lazare. On peut s'étonner surtout de ne voir aucune allusion aux campagnes abolitionnistes du début du siècle impulsées par Joséphine Butler et auxquelles des féministes — bourgeoises certes — avaient participé.

Ses prises de position sont fondées sur trois principes qui l'ont guidée toute sa vie :

— La femme doit disposer librement de son corps.

— La femme a droit, au même titre que l'homme, au plaisir sexuel.

— La femme doit disposer d'une éducation et d'un métier qui, seuls, l'affranchiront de « la loi de l'homme » et la rendront égale à lui.

Elle a fait, comme bien d'autres, le lien entre la prostitution et la misère des femmes. En cela, elle rejoint les analyses des marxistes, de Jules Guesde notamment, des féministes et notamment de Nelly

Roussel, des moralistes comme Charles Benoist, Paul Leroy Beaulieu, Jules Simon, le Comte d'Haussonville.

Ne remettant pas en cause, comme bien d'autres aussi d'ailleurs, le principe de l'intangibilité du désir sexuel masculin, elle ne peut dès lors que légitimer la prostitution, considérée comme « utile », reprendre à son compte les stéréotypes selon lesquels la prostitution empêcherait les viols : « Si on supprimait la prostitution, il ne resterait que la ressource du viol. » Comme l'analyse Denise Pouillon Falco, « la théorie de mal nécessaire apparaît bien étrange chez cette progressiste. Faut-il « que quelques femmes évidemment parmi les plus démunies et les plus pauvres soient sacrifiées sur l'autel des besoins sexuels des hommes soit disant pour protéger la vertu des autres femmes [83] ? »

C'est donc moins des hommes — et là réside sans doute la principale faiblesse de son analyse féministe — que d'un changement de système politique qu'elle attend la disparition de la prostitution. C'est en cela qu'elle est socialiste : le progrès social et l'évolution des rapports entre hommes et femmes seront la conséquence d'un changement de régime. Aussi lucide et critique soit-elle sur la révolution soviétique, son espoir de liberté sexuelle réside bien là-bas.

On peut noter en effet que les hommes sont étrangement absents, rapidement évoqués, abstraitement dénoncés. Exploiteurs, ils sont, exploiteurs, ils le demeureront : « Les hommes sont partout les mêmes » écrit-elle [84]. Dans ce texte de 1908, elle les réifie, les enferme dans un statut qui empêche toute analyse des contradictions entre eux ( notamment entre les pères, les maris et les proxénètes et les clients) mais aussi dès lors d'une certaine manière les déresponsabilise dans leurs relations concrètes aux femmes et donc dans leur capacité de les changer (de se changer aussi...)

Le maquereau est simplement considéré comme « un amant qui veut vivre en parasite à leurs dépens », bien légère condamnation. Elle n'est pas loin dès lors de rendre les femmes responsables de la prostitution qu'elle explique alors plus par l'offre des femmes que par la demande des hommes.

De fait, elle est prise dans de difficiles contradictions :

— affirmer le droit d'une femme à disposer de son corps, considéré comme étant souvent le seul capital qu'elle possède, et le fait que la prostitution n'est qu'une mise supplémentaire en tutelle des femmes placées sous la coupe des maquereaux afin de se plier aux désirs des clients.

— constater que la prostitution peut s'avérer, pour certaines, un moyen d'indépendance financière — ou tout au moins de se procurer un revenu — et la réalité de cette autonomie, toute relative, mais en outre inscrite dans le cadre d'une mise en dépendance personnelle des prostituées vis-à-vis de tous les hommes.

Madeleine Pelletier se range résolument en faveur des premiers termes de l'alternative : elle considère ce statut d'indépendance financière possible des prostituées comme préférable à celui des femmes mariées, et ce avec d'autant plus d'aisance qu'elle considère que le statut matrimonial implique lui aussi une forme de prostitution. Dans son premier texte sur la prostitution, celui de 1908, elle écrivait : « c'est à tort qu'on stigmatise la prostitution ».

Sans aucune référence à la morale, si prégnante chez les abolitionnistes, elle procède à une analyse quasi matérialiste de la prostitution. Dans sa logique de défense de l'égalité des femmes, elle considère que « la femme du peuple ne jouissant pas de facultés intellectuelles assez élevées pour lui permettre quelque espoir... n'a d'autre manière de s'élever dans la société que de se faire la prostituée des hommes riches ». Elle estime que « la vie de la demi-mondaine (est) de beaucoup préférable à l'existence de souffre-douleur départie aux femmes d'ouvriers [85] ».

Certes, elle reconnaît que les risques que courent les prostituées notamment pour leur santé sont réels — mais qui à l'époque ne l'affirmait pas ? — et qu'il y a plus d'exclues que d'élues. Elle s'oppose par ailleurs fermement au système réglementariste, si injuste pour les femmes : « Les hommes pour se préserver des maladies vénériennes ont imaginé de traiter comme du bétail une catégorie de femmes [86]. » En cela, elle est féministe.

Mais comme elle ne remet pas en en cause la nécessité, pour les hommes, de la prostitution, son analyse, de type marxiste, sur la misère des prostituées issues des classes populaires est limitée aux seules femmes. Dans une analyse diachronique, assez méprisante, elle introduit au sein du système prostitutionnel, une logique de classe : elle estime que la prostitution est bonne pour les femmes des classes pauvres, inacceptables pour les femmes éclairées.

Cette analyse qui fait fi de la solidarité entre femmes que l'on aurait pu attendre d'une féministe peut s'expliquer par sa volonté de poser le féminisme comme une idée de la raison : « La conduite doit être en raison de la situation occupée... Une femme éclairée, une féministe surtout qui réclame pour la femme l'égalité sociale ne doit pas demander sa subsistance à son sexe, car, ce faisant, elle attire sur ses idées la dépréciation que la société attache à sa personne. La vie de demi-mondaine demande à la dignité des sacrifices qui sont incompatibles avec la place que doit prendre dans l'esprit public une femme qui se pose en réformatrice de la société [87]. »

Et n'est-ce pas au nom de ce même principe qu' « elle a pratiqué la virginité toute sa vie ? », car elle la considérait comme « une attitude de combat, la réponse de femmes supérieures à une société où leur sexe ne saurait aimer autrement qu'en esclavage [88] ? »

\*\*\*

Madeleine Pelletier a posé le difficile problème du processus de recomposition entre la raison et la sexualité au sein de sociétés — les nôtres — qui n'acceptent véritablement la liberté d'expression ni de l'une ni de l'autre.

Le choix douloureux de Madeleine Pelletier — dont il ne faut pas oublier qu'il fut une contrainte imposée à de très nombreuses femmes et que beaucoup d'entre elles ont intériorisée — nous permet de reposer la question de cette difficile recomposition. Car les femmes ont le plus souvent vécu cette réalité dans la contradiction, ce qui les a majoritairement empêchées de vivre leur sexualité dans le plaisir.

En tout état de cause, la vie de Madeleine Pelletier nous permet aussi de poser la question de l'assimilation entre désir sexuel et plaisir. Si elle refoula ses désirs, la conscience d'être exceptionnelle, ne fut-elle pas, pour elle, aussi, une forme de plaisir ?

Mais, ce plaisir peut-il « compenser » le plaisir sexuel ?

En tout état de cause, le silence sur la vie, l'œuvre, les initiatives politiques de Madeleine Pelletier s'explique sans doute par ses choix sexuels — ou plutôt par leur théorisation — mais aussi par le fait que, ne pouvant être récupérée par aucun courant de pensée, elle a été oubliée par tous. Et les problèmes qu'elle posait, notamment ceux liés aux pouvoirs sexuels inégaux entre hommes et femmes, par la même occasion.

# Madeleine Pelletier
## et l'éducation des filles

## Claude Zaidman

La réflexion féministe contemporaine en France s'est peu intéressée à l'éducation. On pourrait dire que le féminisme des années 70 est une révolte des filles, comme 68 était la révolte des fils, et que de ce fait, le problème de l'éducation a été traité comme dénonciation d'un vécu plus que comme théorisation d'une pratique. En d'autres termes c'est en tant que filles ayant subi une éducation perçue comme répressive et non en tant que (futures) mères, (futures) éducatrices que les femmes du mouvement s'intéressèrent à la genèse du féminin, suivant en cela S. de Beauvoir qui a tant influencé les femmes de cette génération. Centré sur une réappropriation du corps, le MLF, par rupture avec l'image imposée de la maternité comme destin, ne s'est guère passionné pour l'éducation des petites filles.

Un ouvrage va à la fois ouvrir et clore le débat, celui de E. G. Bellotti [1] qui aura une audience extraordinaire en France, puisqu'encore maintenant c'est bien souvent le seul ouvrage « féministe » connu d'un grand nombre d'étudiantes. L. Kandel [2] sera la seule à poser le problème de l'éducation sous l'angle non de la dénonciation sexiste, mais de la construction des rapports de genre, en s'interrogeant notamment sur les effets de la mixité. Elle ne sera guère suivie sur ce terrain, cette thématique n'étant reprise que dans des travaux récents [3].

C'est dans ce contexte que paraît en France en 1978 la réédition de *L'Education féministe des filles* [4]. Ce qui me frappe alors c'est l'insistance sur la nécessaire virilisation des filles, par le prénom, le vêtement, les jeux. Si l'audace de la pensée, 40 ans avant S. de Beauvoir, étonne, la référence au masculin comme seule norme choque d'autant plus qu'elle énonce en clair ce que Beauvoir puis E. G. Bellotti signifient plus indirectement. Ces trois auteurs ont en commun un travail de déconstruction de la production sociale du féminin : « On ne naît pas femme, on le devient [5] ». Chez Simone de Beauvoir, la description des différents stades de formation de la femme met en scène la violence qui est le fond de l'éducation des filles « pendant toute son enfance, la fillette a été brimée et mutilée...». On retrouve cette violence chez E. G. Bellotti qui caractérise comme répression la production de la fillette. On retrouve aussi la référence à l'homme comme sujet, comme seul individu capable d'autonomie, d'initiative. « Ce produit intermédiaire entre le mâle et le castrat qu'on qualifie de féminin » dit S. de Beauvoir avec mépris. En commun aussi l'accusation faite aux femmes, mères et éducatrices, d'être les vecteurs de la reproduction de l'oppression : « Une des malédictions qui pèse sur la femme — Michelet l'a justement signalée — c'est que, dans son enfance, elle est abandonnée aux mains des femmes. » Seules quelques rares féministes françaises dont G. Fraisse [6] ont critiqué E. G. Bellotti sur ces deux derniers points, la valorisation implicite du masculin comme référent universel et l'accusation portée contre les femmes comme vecteurs de la reproduction.

Ma deuxième lecture à l'occasion de ce colloque sera une révélation : par la mise en perspective avec d'autres textes de Madeleine Pelletier, je découvre tout d'un coup sa modernité. Loin d'être seulement (!) précurseur de la lutte contre le sexisme, elle invente la notion de sexe social (genre), analyse les rapports de sexe comme rapports sociaux dans leurs interrelations avec les rapports de classe, construit le système des acteurs en maniant de façon magistrale le rapport individu/société permettant de déplacer le problème de la notion de reproduction à celle de transmission. En un mot, elle donne à la réflexion sur l'éducation sa dimension proprement politique.

Cette lecture de certains textes de Madeleine Pelletier comme textes sociologiques, à travers toute une littérature ultérieure, pose le problème du sentiment de la modernité : s'agit-il d'une projection rétrospective, une illusion ? Je propose ici une lecture sélective qui met en lumière certains aspects de la pensée de Madeleine Pelletier : le parti pris est de mettre en évidence ce qui, dans sa démarche concernant l'éducation des filles, touche à des questions encore controversées. Prendre Madeleine Pelletier comme interlocutrice est peut-être trahir l'approche historique de sa pensée mais c'est rendre justice à la pertinence d'une pensée libre.

## LA CONSTRUCTION SOCIALE DU GENRE OU COMMENT SE REPRODUISENT LES RAPPORTS D'OPPRESSION

Dans un article, daté de 1905, *Les facteurs sociologiques de la psychologie féminine*, Madeleine Pelletier établit les bases d'une analyse sociologique de l'éducation différentielle des sexes, ses causes et ses effets[7]. Les concepts utilisés sont ceux de « sexe psychologique » et de rapports sociaux de sexe.

L'inégalité de traitement commence avant la naissance : « L'enfant qui est désiré c'est le garçon, et la naissance d'une fille est considérée sinon comme un malheur, du moins comme un contretemps ». L'explication fondamentale tient aux rapports sociaux entre les sexes et à la valeur respective de chacun : « L'homme existe pour lui-même, mais l'existence de la femme n'a de raison d'être qu'en vue de l'homme ».

« Dès que l'enfant est capable de comprendre, il reçoit de ses parents et du milieu social tout entier son sexe psychologique ». Il s'agit bien ici de distinguer entre sexe biologique et sexe social : ce sont les rapports sociaux entre les sexes, soit des rapports hiérarchiques (infériorité/supériorité), qui construisent le sexe psychologique, assurant ainsi la perpétuation de l'asservissement des femmes. Madeleine Pelletier développe alors les différentes modalités de production du sexe social selon les classes sociales et les milieux sociaux, différenciant la classe moyenne et la classe pauvre des classes cultivées, et dans celles-ci, la bourgeoisie catholique de la bourgeoisie protestante. En d'autres termes elle produit d'emblée une analyse qui articule rapports de sexe et rapports de classe.

L'analyse se déroule selon un schéma temporel montrant pour chaque étape de la vie et en fonction des milieux sociaux, les inculcations différenciées pour les filles et les garçons et leurs effets.

Enfin, l'auteur décrit les pratiques sociales d'éducation selon une double grille : les comportements, imposition matérielle, et les représentations, les discours, la violence symbolique, notamment aux travers des conversations familiales.

Chez les ouvriers et les paysans, la petite fille est la servante du petit garçon (imposition matérielle de la subordination). « La brutalité et l'orgueil mâles ainsi que la servilité féminine se donnent libre carrière » dans les discussions familiales (représentations). « Aussi, dès qu'il a six ou sept ans, le jeune garçon est-il déjà convaincu de la supériorité de son sexe. » Ainsi « à la sortie des écoles primaires, le plus grand bonheur des écoliers est d'injurier et de frapper les écolières de l'institution voisine : "sales quilles !" leur crient-ils, en faisant passer dans cette injure tout le mépris qu'ils ont de ce qui porte jupons ; et ils courent à elles les poings tendus. Les filles en général ne se défendent ni ne répliquent ; elles s'enfuient peureusement : ce sont déjà des femmes ».

Nous sommes bien dans une problématique de genre où les attitudes des filles et des garçons se construisent conjointement dans un rapport socialement transmis de domination.

Pour les classes cultivées où, dit-elle, l'inégalité sociale des sexes ne se manifeste pas sous des formes aussi brutales, c'est l'apprentissage de la différence qui prime : à travers le vêtement et les comportements encouragés, l'objectif éducatif est pour les filles la seule représentation qui la transforme en objet (en chose belle à voir) et pour les garçons, l'énergie et le ressort moral.

Ce modelage d'une différence hiérarchisée se poursuit au niveau des institutions d'enseignement. Là encore l'analyse sociologique porte sur le double niveau de l'imposition : au-delà des contenus tronqués, il faut surtout mettre en cause le mode de transmission : « Ce sur quoi les critiques des gens voulant l'égalisation intellectuelle des sexes doivent porter, c'est sur l'esprit de cet enseignement, esprit tout d'asservissement des mentalités féminines. » Ainsi plus que le choix des textes, ce sont les commentaires, qui sont les plus efficaces pour modeler l'esprit des filles.

Madeleine Pelletier s'intéresse ici principalement aux processus d'intériorisation de l'infériorité féminine. Certes ce sont les professeurs-femmes qui enseignent tant dans les lycées que dans l'enseignement supérieur des jeunes filles. Malheureusement, ce que transmettent ces femmes à leurs élèves, c'est que « la seule affaire pour une femme c'est d'être belle afin d'être un jour désirée ; que le seul rôle de la femme est d'être épouse et mère ». Et dit Madeleine Pelletier, l'élève complète la pensée de sa maîtresse : son rôle est d'être la femme de quelqu'un. L'enseignement enfin accordé aux femmes, leur est dispensé dans un esprit qui leur interdit d'en tirer profit pour elles-mêmes comme individu : soit il n'a pour fonction que d'augmenter leur valeur sur le marché matrimonial, soit il ne sert qu'à pallier leur échec sur ce même marché, devenant alors un pis-aller : « persuadées que la vie de la femme n'est pas ailleurs que dans le mariage, en ayant manqué le mariage elles pensent avoir manqué leur vie et elles deviennent les vieilles filles aux prétentions niaises, à l'esprit chagrin, et dont le caractère détestable trahit l'éternel malheur de leur existence ».

En conclusion « à travers la diversité des milieux sociaux, l'asservissement de la femme est partout uniforme. L'homme seul est une personnalité qui compte ; la femme n'est qu'une esclave, une servante à tout faire ; et formée dès l'enfance pour cet emploi, elle en a la mentalité. Inférieure en intelligence, elle ne l'est pas, les différents ordres d'étude dans lesquels elle a réussi le montrent ; mais ce qui lui manque c'est la dignité personnelle, le fait de sentir qu'on est quelqu'un et qu'on vaut quelque chose ». D'où un appel vibrant à secouer les chaînes pour sortir de l'aliénation : « femme déprend toi de l'idole homme. En elle, comme en la royauté et en la divinité, il n'y a que mensonge et illusion. Ta raison d'être, elle n'est en personne qu'en toi-même ».

## LES CONSEILS AUX MÈRES FÉMINISTES
## OU COMMENT SORTIR DE L'OPPRESSION ?

En 1914, Madeleine Pelletier publie une brochure intitulée *L'Education féministe des filles* [8]. Un des aspects les plus intéressants de ce texte me semble être l'optique militante dans laquelle se place l'auteur, son objectif politique.

Madeleine Pelletier part du point de vue des opprimés, mais sans complaisance. Tant qu'ils ne se révoltent pas, on pourrait dire que les opprimés méritent leur oppression. Mais on ne peut tenir rigueur aux individus de leur maintien dans l'oppression dans la mesure où il s'agit d'un phénomène social donc collectif. Aussi l'affranchissement sera œuvre collective. Certaines individualités d'élite peuvent s'émanciper et participer ainsi à l'évolution sociale qui aboutira à l'émancipation de l'ensemble des femmes, mais le processus est avant tout politique. Les transformations économiques seront sanctionnées par des législations. C'est finalement l'Etat qui, en accordant le droit de vote, construira les conditions d'émergence d'une élite féminine qui entraînera à son tour une transformation des mentalités.

La démarche de Madeleine Pelletier permet tout à fait d'analyser les transformations que nous avons connu dans la deuxième moitié du siècle, soit 50 ans plus tard. Elle permet de répondre par cette dialectique individu/société à des problèmes récurrents concernant l'oppression des femmes : le consentement à la domination, le rapport entre transformation des pratiques sociales, changements politiques et évolution des mentalités.

En ce qui concerne l'éducation, Madeleine Pelletier préconise donc l'action collective de préférence à l'action individuelle. Surtout elle place le politique avant l'utopie, collective ou individuelle. C'est la raison pour laquelle ce texte n'a pas pour ambition de produire directement des effets de transformation : sur le plan collectif, ce ne sont pas les changements dans les pratiques éducatives à l'échelon d'un groupe, d'une école qui sont porteurs. A la différence de certains éducateurs anarchistes ou socialistes de l'époque qui préconisent la création d'écoles pour faire avancer leurs propres idées pédagogiques, elle soutient la hiérarchie des urgences militantes : faire passer des législations permettant l'émancipation des femmes fera plus que la création d'une école féministe. En ce qui concerne la diffusion des idées, l'action politique est plus efficace que l'action pédagogique. Sur le plan individuel enfin, il est pratiquement impossible d'élever son enfant sur la base de principes en contradiction avec le milieu ambiant [9].

Alors pourquoi ce texte ? C'est un texte militant à proprement parler en ce qu'il s'adresse à des militantes, à des féministes. Il vise à aider les mères féministes à concevoir une éducation féministe ; au-delà, il s'adresse aux enseignantes pour les encourager à mettre en œuvre les idées féministes dans leur pratique pédagogique. Ayant dénoncé l'éducation pratiquée par les mères dans le cadre familial traditionnel, et les pratiques traditionnelles des enseignantes, c'est aux femmes en tant que mères et enseignantes qu'elle s'adresse : Madeleine Pelletier, militante féministe sait analyser le poids des pesanteurs sociologiques qui font obstacle au changement. Cette femme qui n'a pas choisi d'avoir l'expérience de la maternité s'adresse aux mères féministes avec beaucoup de compréhension pour parler d'un problème central, celui de la transmission : « souvent, féministes elles-mêmes, les mères ne savent pas donner à leurs filles une éducation féministe. L'idée de s'affranchir ne leur est venue que tardivement et tout en essayant de faire partager à leurs enfants les idées générales qu'elles ont sur l'émancipation de la femme, elles les élèvent comme elles ont été élevées elles-mêmes, c'est-à-dire selon la tradition. Puisse mon petit ouvrage leur permettre de mieux accorder leur pratique avec leurs principes ». D'où le souci du détail, de l'aspect pratique et cela en fonction des différents milieux sociaux concernés.

Partant de ces prémisses, Madeleine Pelletier produit un travail d'analyse des pratiques quotidiennes d'éducation sous l'angle de la différence des sexes, qui a donc pour fil directeur non la dénonciation mais la transformation. Comment rompre la chaîne des conditionnements qui reproduisent de générations en générations la différence hiérarchisée des sexes ?

## FÉMINISATION ET MASCULINISATION ?

Il faut situer ce texte dans le contexte des débats sur l'éducation de l'époque. D'abord la valorisation de la fonction sociale de mère, présente y compris dans certains aspects du mouvement féministe de l'époque, rejoint un nouveau souci pédagogique s'appuyant sur le développement d'une psychologie de l'enfant. On trouve donc une littérature importante de conseils aux mères, issues d'horizons différents.

A ceci s'ajoute le débat très vif sur l'éducation comparée des filles et des garçons. En effet du point de vue de l'éducation des filles, nous sommes dans une période transitoire : les lycées de jeunes filles, créés en 1881 ne dispensent pas un enseignement analogue à celui des lycées de garçons. Ce n'est qu'en 1924 qu'aura lieu l'assimilation des enseignements des lycées féminins et masculins avec toute son ambiguïté. Dans ces conditions, le problème de l'éducation des jeunes filles fait l'objet de débats et polémiques publiques.

Ainsi, par exemple, est publiée en 1909 dans la « Bibliothèque des parents et des maîtres », une série de conférences faites dans le cadre d'une association créée en 1887, L'Ecole des mères. L'une d'elle, celle de G. Compayré, s'intitule *Ce qui différencie l'éducation des filles de celle des garçons* [10]. Ce pédagogue essaie de définir une position progressiste mais défensive concernant l'éducation des filles. Tout en réaffirmant le droit des femmes à l'éducation, il justifie le maintien de la différence dans l'enseignement par le double jeu de la différence de psychologie entre les deux sexes et de la différence de rôle social. Ainsi, puisqu'il ne faut pas méconnaître « cette vérité certaine que l'égalité des deux sexes n'exclut pas leur différence (...) il est nécessaire, et il est possible de "féminiser" les études sans les efféminer, sans les affaiblir ». Il résume ainsi la réflexion de certains responsables de l'éducation des filles : la femme est l'égale de l'homme, mais elle ne lui est pas semblable en tout ; la règle fondamentale de l'éducation féminine doit être l'égalité dans la différence, ou la différence dans l'égalité. Il faut donc féminiser la pédagogie, mais également les programmes. Ici se développe le deuxième volet de l'argumentation. Les métiers se féminisent, et malgré « les périls et les difficultés de la concurrence du travail féminin avec le travail masculin », on ne peut s'opposer « à cette marche en avant ». Mais le danger serait de détourner les femmes de leur rôle familial : « la seule limitation qu'il convienne d'imposer à l'émancipation économique des femmes, aussi bien qu'à leur ardeur studieuse, c'est celle que commandent soit la fragilité relative de leurs sens physiques, soit leur devoir essentiel, celui d'avoir et d'élever des enfants ». Et citant un pédagogue américain qui lutte aux Etats-Unis contre la co-éducation, il nomme le danger suprême, le célibat, qui risque de compromettre l'avenir de la race.

Madeleine Pelletier se situe en rupture complète avec les termes de ce débat : elle va parler de la masculinisation des filles et non de la féminisation de l'éducation, et prôner le célibat comme « état supérieur [11] » par rapport au mariage : « les lois et les mœurs asservissent la femme et elle ne peut guère trouver un peu de liberté qu'en se privant d'amour ».

Contre ce qui paraît comme évidence aux éducateurs, elle pose d'emblée le principe de la construction sociale des psychologies différentes : « L'observation des petits enfants dans leurs jeux montre que, au début de la vie, la mentalité est la même dans l'un et l'autre sexe ; c'est la mère qui commence à créer le sexe psychologique, et le sexe psychologique féminin est inférieur ». On va donc éviter toutes les pratiques éducatives qui contribuent à construire la différence des sexes, cette construction de la différence se faisant dans l'inégalité, au détriment des femmes. Ce faisant Madeleine Pelletier déconstruit les comportements éducatifs au quotidien en mettant en évidence tout ce qui contribue à cette construction sociale du genre.

Madeleine Pelletier va alors prôner dans tous les domaines étudiés la virilisation des filles. D'abord, le vêtement. On sait que Madeleine Pelletier en bonne observatrice du social accorde une grande importance au vêtement comme vecteur de la distinction [12] : la mère féministe devra tâcher d'habiller sa petite fille en garçon. Elle devrait également couper les cheveux de sa fille. Deux raisons sont invoquées. D'abord, l'aisance, la facilitation des mouvements, il s'agit donc de l'exercice corporel et du refus de l'imposition physique des normes de comportements liées à un appauvrissement de l'univers féminin par rapport à celui des hommes. L'autre est le refus de la coquetterie. Il s'agit là du versant idéologique car, « Ce n'est pas la coquetterie en elle-même qui est dangereuse ; c'est le sentiment que la petite fille y acquiert de sa féminité. » Or la féminité est le vécu du sexe psychologique des femmes, donc le vecteur de la reproduction sociale de l'infériorité des femmes.

Nous touchons là un point fondamental de la pensée de Madeleine Pelletier. Sa volonté de virilisation des femmes ne s'appuie pas sur une théorisation de l'androgynie ou sur une volonté d'uniformisation selon un universel humain au masculin. Elle s'appuie à proprement parler sur une analyse sociologique des pratiques sociales des femmes et des hommes, analyse qui prend comme axe les rapports de domination entre les sexes. Ainsi dans un autre texte *Les femmes et le féminisme* [13], elle écrit : « ce que nous voulons supprimer ce n'est pas le sexe féminin, mais la servitude féminine, servitude que perpétuent la coquetterie, la retenue, la pudeur exagérée, les mièvreries de l'esprit et du langage : toutes choses qui ne sont en aucune façon des caractères sexuels secondaires, mais simplement les résultats de l'état de dépendance physique et morale dans laquelle les femmes sont tenues ».

Cette masculinisation n'est donc pas un but en soi mais un moyen de lutte : « Lorsque l'égalité des sexes sera devenue un fait accompli dans les lois et dans les mœurs, plus ne sera besoin de masculiner ainsi les noms des petites filles ; mais dans l'état présent des choses on ne saurait trop accentuer la virilisation ; le milieu se chargera bien et beaucoup plus qu'il ne sera nécessaire de défaire ce qu'on aura fait dans ce sens. »

Le milieu se manifeste au travers des relations sociales entre les sexes. On sait par ses autres écrits utopiques sur l'éducation [14] que Madeleine Pelletier accorde beaucoup d'importance au groupe des pairs comme agent de socialisation. Elle défend ici une position paradoxale : elle prône pour la petite fille l'isolement par rapport aux enfants du même sexe, car par elles, dit-elle, réapparaîtrait l'influence de la société. Mais on pourra permettre la fréquentation des petits garçons qui sera facilitée si la petite fille a un frère. En effet c'est dans les rapports qui s'instaurent au quotidien entre filles et garçons qu'on voit le mieux fonctionner la subordination. Au fond ce sont dans les situations de mixité que se révèlent le mieux les effets de la hiérarchie sociale entre les sexes et que l'on voit cette hiérarchie se renforcer. Il s'agit donc de situations privilégiées à la fois pour la connaissance et pour l'action. Ainsi Madeleine Pelletier recommande d'observer les jeux d'enfants : « on remarquera, dit-elle, que, en maintes occasions, les garçons, même ses frères, humilieront la petite fille en lui redisant les propos ramassés partout sur l'infériorité du sexe féminin ». La mère devra donc observer et, dans certains cas, intervenir (contre les propos), dans d'autres, éviter d'intervenir car l'objectif premier est non de défendre mais d'apprendre à se défendre. Il faut lutter contre la morale de la passivité. La mère dira à sa fille quelles réponses il faut faire, « et si, pour venger avec son honneur propre l'honneur du sexe, l'enfant administre quelques taloches aux antiféministes en herbe, loin de la blâmer, elle la félicitera ».

## ÉDUCATION ET REFUS DE LA FAMILLE

Madeleine Pelletier aborde le problème de la construction sociale du genre sous deux angles : celui de la dénonciation de l'inégalité de traitement des filles et des garçons, celui de conseils aux mères féministes. Mais ces réflexions prennent place dans un ensemble plus large de critique de la famille : l'assignation au mariage, voilà l'obstacle à la liberté des femmes comme individus. On peut analyser ce refus en regard de son propre développement personnel, de son histoire de vie : le dégoût pour les fonctions naturelles des femmes qui l'amènerait également à refuser les relations sexuelles dans leur ensemble, et en corollaire, le choix du célibat associé à une forté sublimation intellectuelle. Mais on doit aussi le lire comme un précurseur d'une approche sociologique du genre. Rappelons qu'à la même époque, Durkheim, tout en reconnaissant l'antagonisme fondamental entre les sexes dans le cadre de l'institution matrimoniale, lutte contre le droit au divorce par consentement pour renforcer les liens conjugaux[15].

Pour Madeleine Pelletier au contraire, sortir de la « lutte des sexes », c'est abolir le mariage qui consacre la dépendance des femmes. Dans cette perspective il faut armer les filles pour « la lutte pour la vie ». Les femmes doivent donc disposer de trois types d'armes pour défendre leur autonomie et leur liberté : leur force de caractère, une formation intellectuelle qui doit permettre l'autonomie, une éducation sexuelle qui informera leurs choix de vie.

L'essentiel de « la formation du caractère » consiste à renforcer l'esprit d'indépendance de la petite fille : « Il faut dresser sa fille de telle sorte qu'elle puisse au besoin, plus tard, se passer de l'affection des autres. La sexualité même, mise à part, le besoin d'être aimées fait supporter aux femmes les pires humiliations. » La mère doit donc s'abstenir de trop cajoler sa fille, elle doit l'inciter à des habitudes d'énergie, retenir ses larmes, supporter la douleur physique, enfin développer des activités sportives. « Ici, comme pour le caractère, il ne faut pas craindre de trop viriliser ; le milieu devant se charger de féminiser, et beaucoup plus qu'il ne faudrait. »

Le point fondamental, c'est la lutte contre la peur pour développer le courage : « de cette arme, nul n'en a plus besoin que les femmes. L'éducation courante cependant, loin de le susciter en elles, le combat comme ne convenant pas à la grâce du sexe. Le résultat naturellement, c'est que la femme, incapable de se défendre elle-même, cherche un défenseur et souvent elle ne trouve qu'un exploiteur ». Il faut donc éviter de couver la petite fille et stimuler son initiative. Finalement contre l'apprentissage de la modestie, vertu traditionnelle recommandée aux jeunes filles, Madeleine Pelletier recommande que l'on apprenne à l'enfant à s'apprécier et à se faire apprécier à sa valeur.

Education intellectuelle et éducation sexuelle sont les deux instruments qui vont permettre à la jeune fille de vivre dans l'indépendance, voire la liberté : « la grande préoccupation de toujours a été d'enfermer la femme. Les barbares l'enfermaient matériellement entre des murs ; les modernes l'enferment dans tout un système d'entraves légales et traditionnelles et, pour qu'elle n'ait pas la tentation de s'évader on s'applique dès le jeune âge à enfermer son esprit. »

L'enjeu est avant tout la possibilité de gagner sa vie (toute jeune fille riche ou pauvre doit avoir une carrière) et en particulier pour la mère pauvre, « la grande affaire » sera de mettre sa fille en état de gagner sa vie par elle-même, sans le secours d'un homme.

Le problème de l'instruction est le révélateur du lien entre travail et statut matrimonial. Pour les femmes le droit à l'éducation signifie la possibilité de choisir librement leur vie matrimoniale et avant tout le droit au célibat.

« Donner, advienne que pourra, le plus possible de culture intellectuelle, telle doit être l'idée directrice de la féministe et de tout le monde en général, car cela s'applique aux garçons comme aux filles. » Madeleine Pelletier s'élève ici contre la pensée dominante de l'époque qui reste celle d'une limitation de l'instruction des enfants en fonction de leur destination sociale en termes de classe sociale comme de classe de sexe [16]. Elle milite pour empêcher toute limitation au libre développement des individus. Or l'éducation est le moyen par excellence de la promotion féminine. La liberté passe par l'ambition. Le travail des femmes leur permet un célibat décent. C'est un progrès. Mais si elles continuent à ne considérer les études, la vie sociale, que comme un pis-aller faute d'une vie conjugale, elles devront se contenter des travaux subalternes que leur abandonneront les hommes et mener une « existence éternellement médiocre et grise ». Et Madeleine Pelletier campe des portraits de ces femmes enfermées dans des vies étroites, ces vies auxquelles elle a, elle, échappé, en poursuivant ses études et refusant le mariage.

« Humbles fonctionnaires, courbées bien bas devant leurs chefs, courbées même devant leurs égaux de l'autre sexe, grands électeurs du député de la circonscription, elles vont trotte-menu se verrouiller la journée terminée dans leur modeste logement. Là, à la lueur d'une lampe économiquement baissée, elles cuisinent quelques sous de légumes, ravaudent leurs hardes ou lisent quelque feuilleton. A leur porte, peut sonner qui voudra : elles ne bougent pas. La nuit est venue songez donc, ouvrir sa porte serait de la plus grande imprudence ; avec les crimes qui se commettent ! Beaucoup se marient, mais comme l'homme fait prime sur le marché matrimonial leurs époux sont presque toujours inférieurs à elles. Alors le logement s'agrandit un peu et on monte la mèche de la lampe ; la porte n'est plus verrouillée, sans hésitation elle s'ouvre et la fonctionnaire correcte de la journée apparaît en tablier bleu, humble ménagère du maître de céans, un ouvrier grossier, parfois brutal, qui l'accable de maternités successives [17]. »

L'éducation sexuelle enfin, prépare les jeunes filles à leur vie future en leur donnant tous les éléments de connaissance pour pouvoir choisir leur mode de vie en toute connaissance de cause. L'originalité de Madeleine Pelletier en la matière est encore une fois son orientation sociale. Il ne s'agit en effet pas seulement de parler de l'aspect physiologique, voire médical, des relations sexuelles et de la procréation, mais surtout d'insister sur le point de vue social. Et Madeleine Pelletier de proposer pour la jeune fille tout un programme d'observation sociologique des rapports de sexe : « On conduira la jeune fille à la porte des grands magasins à l'heure de la sortie des employées ; on lui montrera l'amant jeune ou vieux attendant sa maîtresse. Des promenades fréquentes dans les quartiers pauvres de Paris permettront de la faire assister à des disputes entre mari et femme, des promenades nocturnes lui donneront un aperçu de la basse prostitution, on ira notamment assister devant les commissariats à la montée des prostituées dans le "panier à salade". Pour voir la haute galanterie, on assistera aux courses. »

Ainsi préparée : « A vingt ans, la jeune fille a toute sa raison, on lui laissera donc sa liberté entière à ses risques et périls. » Ici le texte de Madeleine Pelletier tourne court, pourrait-on dire. Après avoir vanté les avantages du célibat, elle reste perplexe face à une jeune fille qui resterait sourde à cette invitation : « Mais la jeune fille peut vouloir mettre la sexualité dans son existence, quel conseil alors lui donner ? » Le style même de la question marque l'embarras devant le cas d'un tel échec d'une éducation féministe. C'est ici que l'on voit les limites de la pensée de Madeleine Pelletier.

Cette idée de « lutte pour la vie » doit être resituée dans le contexte de l'époque et représente une forme de darwinisme social. Mais au centre de la pensée de Madeleine Pelletier on trouve l'idée de la nécessaire solitude des femmes. Le féminisme de Madeleine Pelletier est un féminisme de la promotion féminine. Et cette promotion passe par une rupture avec ce que l'on pourrait appeler les avantages secondaires de la servitude : « la condition de la femme peut être définie : une servitude tempérée par l'union sexuelle », « ce qui rend difficile l'affranchissement féminin est que l'esclavage de la femme est spécial : c'est un esclavage sexuel [18] ». Le message essentiel est donc de permettre aux jeunes filles de pouvoir se passer des hommes. Mais ce faisant Madeleine Pelletier met en scène une double violence. D'abord celle de l'éducation par la mère qui vise à dresser la jeune fille et on retrouve alors l'inversion des termes du débat sur l'éducation : contre le dressage masqué des filles à la féminité, dressage qui reproduit les conditions de l'oppression des femmes,

Madeleine Pelletier propose un dressage défensif pour donner aux femmes les moyens d'échapper à l'oppression. Mais derrière cette violence éducative se dévoile une autre forme de violence faite à l'enfant : isoler affectivement la jeune fille, l'amener à rompre tout attachement. Il s'agit bien d'une guerre où le prix de la liberté serait une forme de mutilation affective et psychique. Le prix à payer de l'autonomie est ici clairement énoncé. On peut peut-être se demander si, ce faisant, Madeleine Pelletier n'a pas averti des générations de femmes intellectuelles de ce qui les attendait de fait, en dépit de leurs choix conscients et de leurs désirs profonds.

La réflexion sur l'éducation est au cœur même de toute réflexion sur la reproduction des rapports sociaux. En ce qui concerne les rapports hommes/femmes, un des problèmes cruciaux est celui de la construction sociale des comportements, attitudes, manières de faire et de penser au féminin et au masculin dans une société donnée. Au-delà, il s'agit des modes d'imposition et d'intériorisation de la différence des sexes, de la position sociale dominée des femmes.

Madeleine Pelletier parle en militante féministe, en termes de conseils et non de dénonciation. Derrière la critique, est présente en permanence une exhortation des femmes à lutter contre la dévalorisation du sexe féminin. En d'autres termes elle appelle à une prise de conscience de genre des femmes en les appelant par exemple à défendre « l'honneur » du sexe. Dénonciation de la dévalorisation des femmes à travers la féminité comme expression de la position sociale et psychologique inférieure des femmes dans notre société, mais exhortation à une émancipation, une promotion individuelle et collective des femmes au prix toutefois de la solitude affective et sexuelle.

Madeleine Pelletier est allée jusqu'au bout politiquement de ses idées sur l'éducation en proposant aux féministes radicales une réflexion pour une action militante en matière d'éducation. Et sur ce point elle n'a guère été suivie. Mais au travers de cette réflexion sur l'éducation, Madeleine Pelletier se révèle comme précurseur d'une sociologie du genre encore à construire, manifestant ainsi l'apport méconnu de la réflexion féministe aux sciences sociales.

# Madeleine Pelletier :
## une approche psychanalytique

### Léonor Penalva

Parler de la structure psychique de Madeleine Pelletier, lever à peine le voile qui nous conduit à son inconscient, peut apparaître comme une entreprise nécrophage pour ceux qui s'intéressent à l'inconscient. Pourtant, comment analyser le fait psychologique — et la psychologie de Madeleine Pelletier a fait couler, déjà, beaucoup d'encre — sans traiter du fantasme, voie royale vers l'inconscient, sans prendre en considération la préhistoire du sujet, facteur déterminant de la structure psychique ?

Prenons le peu d'éléments dont nous disposons. Ils sont peu nombreux, mais tellement signifiants.

Madeleine Pelletier apparaît profondément marquée par la non-élaboration symbolique du fantasme inconscient, transporté par sa lignée parentale.

Madeleine Pelletier débute son autobiographie manuscrite par cette phrase : « Je puis dire que j'ai toujours été féministe, du moins depuis que j'ai l'âge de comprendre. »

Elle remarque également, à propos de l'héroïne de son roman autobiographique, *La Femme Vierge*, cette réflexion : « Elle est venue trop tôt dans un monde trop jeune. »

Alors, on peut s'interroger sur son insistance, sur ce « trop tôt ». Qu'est-ce qui fut donc « trop tôt » compris ? Pourquoi cette précocité dans la compréhension de l'inéluctable ? On lit, dans les écrits de Madeleine Pelletier, la non-possibilité d'élaborer narcissiquement des éléments fondamentaux de sa vie. Ce sans-issue induit par la phrase proférée par sa mère lors de l'apparition de ses premières règles : « c'est comme cela, laisse-moi tranquille ! »

Madeleine Pelletier écrit plus tard : « Je n'avais jamais eu d'amour pour ma mère, mais je sentais pour elle un certain respect. Je le perdis à l'instant en me la représentant... comme moi, et j'en eus un dégoût qui me resta trop longtemps. »

A travers ces exemples, on peut saisir l'approche fantasmatique des parents de Madeleine Pelletier, concernant leurs origines et leurs difficultés à élaborer celles-ci.

La férocité maternelle à l'égard des femmes, de leur ventre, de leurs règles, ne peut que briser à jamais Madeleine Pelletier dans son élaboration précoce d'identité. A la fois personnelle, et à travers la généalogie parentale.

Ce refus de conceptualisation de la part de la mère, le refus de la création d'un espace interne pour Madeleine Pelletier au sein duquel elle pourrait élaborer sa position psychique dans la famille et de sa position singulière d'Anne Madeleine n'évoquent que le déni de la sexualité parentale ayant donné lieu à sa naissance.

Le fantasme familial de « marque au fer rouge » de sa mère, enfant illégitime, issue d'une union « mystérieuse », ne permet pas à la mère de symboliser dans un travail de deuil ses propres origines.

Cette lointaine vengeance posée sur son enfant fille, cette souillure transmise par la « marque au fer rouge » nous transportent à nouveau vers le généalogique, vers cet inaccessible qui revient pour régler ses comptes, celui qui reste inavouable et non-symbolisé.

Anne Passavy, la mère de Madeleine Pelletier, fut animée tout au long de sa vie, par une extrême rigidité religieuse, par une extrême férocité des rapports à elle-même et aux autres, notamment à ses enfants.

Le père, moins présent dans les écrits de Madeleine Pelletier, reste dans l'ombre, dans l'arrière-boutique, dans une place ambivalente, à la fois de bienveillance et d'initiation aux choses sexuelles. De son histoire, on connait peu.

La vie politique, professionnelle et personnelle de Madeleine Pelletier se constituera au travers d'une grande rigueur de militante, et d'une énorme cohérence avec soi-même. Cette cohérence, elle la gagne au prix de la mise à l'écart de sa propre vie pulsionnelle et sexuelle : la virginité, le célibat, la solitude et sa fermeture à l'égard de sa vie psychique et de son inconscient. Elle se met alors à tout rationaliser, à tout régir par la tête.

Et elle y parvient. Elle réussit à constituer son personnage, fort, cohérent avec ses idées, avec ses options militantes, cohérent avec son féminisme.

Mais à quel prix ?

Chez ces sujets qui n'ont pas à supporter le poids d'une structure névrotique tel que Freud l'entend, on voit se dessiner une faille narcissique portée par l'enfance et transmise par la lignée parentale.

Ainsi, pour y survivre, la mise en place d'une ligne de conduite suffisamment ferme est nécessaire pour soutenir le réel et la personnalité.

Le risque de mort, du mortifère, transmis par ses origines est toujours présent. Ses frères et sœurs sont morts. Pourquoi cette enfant ne serait-elle pas, elle aussi, morte de cette hérédité psychique ?

Madeleine Pelletier a donc vécu dans une cohérence totale, cohérence sociale, politique, et privée. Privée d'amies, d'amour, de sexualité, seule manière de garder sa structure personnelle intacte.

Mais en filigrane, on voit apparaître cette grande volonté de s'occuper non seulement du droit de vote, mais aussi du ventre des femmes, de leur sexe, de leurs règles, stoppées par une grossesse.

Point où elle laisse entrevoir à nouveau quelque chose de l'ordre de l'inconscient, « malgré elle », qui révèle un désir d'affranchissement du moi, dépassant les digues conscientes qu'elle a construites.

Cette mort à donner symboliquement — l'avortement — est, entre autres, le retour des réminiscences maternelles, à l'égard de ses propres origines. Ses « visiteurs du Moi », intrus de l'inconscient familial, sont entrés dans le champ de son combat.

Dans une lettre à Arria Ly, Madeleine Pelletier écrit : « le féminisme ne doit pas être un sentiment, mais une idée de la raison ». Elle déclare, dans son autobiographie manuscrite : « Je reste féministe, je le resterai jusqu'à ma mort, bien que je n'aime pas les femmes telles qu'elles sont pas plus que je n'aime le peuple tel qu'il est. »

Ne peut-on analyser la défense du droit à l'avortement et la pratique risquée, illégale, d'avortements, certes, comme un acte cohérent rationnellement, mais aussi comme un champ permettant l'émergence de son inconscient ? L'affect qu'elle s'efforce d'ignorer dépasse la Raison, et l'amène au sang, au ventre des femmes et à la naissance. Singulièrement, l'avortement qui provoque son inculpation, est celui d'une fille-mère, comme sa grand-mère maternelle.

On voit là la puissance et le caractère indestructible des contenus inconscients, un « retour du refoulé » de l'imaginaire parental.

Singulièrement, en cette année 1939, Madeleine Pelletier ferme une vaste boucle de son histoire, remémorant les seuls événements profondément marquants de son enfance et qui concernent la « problématique des origines ».

Madeleine Pelletier, dont la mère, nous l'avons vu, avait souffert de sa condition de fille illégitime, ne fait jamais état, dans ses écrits, d'un quelconque « roman familial » autour de la figure mystérieuse de son grand-père maternel. On a supposé que le royalisme acharné de sa mère pourrait être en relation avec le désir de nommer son père inconnu comme appartenant à la noblesse.

Madeleine Pelletier survit à la terrifiante vague de mort qui s'abat sur sa famille : six frères et sœurs sont morts, elle et un frère survivent.

On peut alors penser sa vie pulsionnelle comme trop occupée par cette survie, par cette lutte contre la destruction et l'anéantissement. Dans ce cas, Madeleine Pelletier ne peut pas défendre le prénom d'Anne, issu de sa mère, son matronyme : elle rejettera d'ailleurs le prénom de sa mère, pour choisir celui de Madeleine, parce que dominée par cette peur inconsciente du matriarcat maternel consacré à la Sainte Vierge, par cette peur d'un pouvoir maternel destructeur.

1939 : un tribunal la condamne en son absence, une expertise psychiatrique la conduit à un internement dans un asile d'aliénés : Madeleine Pelletier est prise au piège de ces institutions chargées de la répression et de l'exclusion. Brisée en peu de temps par une dégradation physique importante, par une prétendue démence précoce, Madeleine Pelletier est certainement là où, psychiquement, elle ne pourra plus se ressourcer, là où l'image narcissique est profondément abîmée. Une sombre décompensation mélancolique l'envahit.

# Madeleine Pelletier, fut-elle socialiste ?

## Charles Sowerwine

Il y a vingt et un ans que j'ai fait la connaissance de Madeleine Pelletier. C'était dans le cadre de ma thèse de doctorat sur *Les femmes et le socialisme*, soutenue en 1973 et publiée en France en 1978[1]. Si je me permets cette réflexion personnelle, c'est parce que j'ai abordé ma première rencontre avec Madeleine Pelletier dans le contexte d'un travail sur les femmes et le socialisme. Les travaux récents sur Madeleine Pelletier[2] et ma collaboration actuelle avec Claude Maignien sur une biographie de Madeleine Pelletier[3] m'ont amené à poser la question, « Madeleine Pelletier fut-elle socialiste ? ». Car ces travaux récents concluent qu'elle était féministe plutôt que socialiste, qu'elle faisait de l'entrisme au parti socialiste et y agissait en opportuniste. Ai-je eu tort de la considérer comme socialiste ? Fut-elle socialiste ? Socialiste et féministe ? Ou féministe avant tout ?

Je vous invite à une réflexion sur ce problème en dévoilant d'avance mon hypothèse. Jacques Julliard, parlant des syndicalistes qui renseignaient la police, suggère qu'il s'agit non pas d'une trahison mais d'une double loyauté. Madeleine Pelletier avait deux loyautés, le féminisme et le socialisme. Elle avait des doutes quant au socialisme, mais elle y est restée engagée toute sa vie. Elle militait dans la S.F.I.O., croyant dans la « justice sociale ». Et si elle s'est trouvée découragée après cinq ans au premier plan du parti, c'est plus à cause du réformisme et de la banqueroute de la fraction hervéiste qu'à cause de l'hostilité aux femmes et au féminisme.

Je rejette donc l'hypothèse d'un socialisme opportuniste. Madeleine Pelletier était féministe et socialiste. Cela ne veut pas dire qu'elle réussit à intégrer ces deux luttes. Dans *Les femmes et le socialisme*, j'ai conclu qu'elle ne réussit ni à créer un espace féminin dans le parti ni à amener le parti à lutter sérieusement pour le suffrage des femmes. Claudine Mitchell suggère qu'en regardant ainsi sa carrière, on « obscurcit le fait que Madeleine Pelletier lutta contre l'opposition socialisme/féminisme en tant que manifestation de l'oppression sexuelle [4] ». Il est vrai que la carrière politique de Madeleine Pelletier, de par sa diversité même, traduit une lutte contre les limitations imposées par la structure politique binaire classe/sexe, socialisme/féminisme. Mais il est également vrai que la carrière de Madeleine Pelletier dans le parti s'inscrit obligatoirement dans les structures du parti.

Elle-même distinguait consciemment l'action féministe de l'action socialiste dans un article important publié en 1908 qui reflète l'expérience de ses deux premières années dans le parti [5]. Son argument : « Pour arriver à conquérir le droit de vote, les femmes ont deux voies dans lesquelles elles doivent simultanément s'engager. Il leur faut : 1° Créer de vastes organisations féministes ; 2° Pénétrer les partis politiques existants. » C'est sur cette citation qu'on s'appuie pour affirmer l'hypothèse opportuniste et il est vrai que Madeleine Pelletier insiste que la militante féministe doit rester féministe avant tout. Mais elle conclut qu'il faut inscrire l'action politique dans la ligne du parti dont on est membre : « Quand au féminisme on en parlera peu ; et surtout on n'en parlera hors de propos. Que l'on s'attache avant tout à être un bon militant [sic], un membre dont l'opinion compte [6]. » Est-ce ce qu'elle fait dans le parti socialiste ? Peut-être au début.

## DÉBUTS DANS LE PARTI SOCIALISTE

Madeleine Pelletier débute dans le parti socialiste en même temps qu'elle commence son activité militante comme Secrétaire de *La Solidarité des femmes*, au printemps 1906. Alors qu'il a fallu que Caroline Kauffmann vienne la solliciter, en lui demandant de prendre sa succession en tant que Secrétaire de *La Solidarité*, c'est Madeleine Pelletier elle-même qui prend l'initiative d'entrer au parti socialiste.

Elle y entre après deux années tumultueuses dans la Franc-Maçonnerie mixte et l'on peut dire que le parti comble le vide laissé par son échec chez les Francs-Maçons.

Madeleine Pelletier est parmi les intellectuels qui se tournent alors vers le Parti socialiste. Elle rappelle dans ses *Mémoires*, écrites en 1922 : « Suis-je socialiste, je n'y ai pas encore bien réfléchi (...) Ce que je suis, c'est que je suis pour la justice sociale et je pencherais plutôt pour la doctrine de Robespierre, un radicalisme poussé jusqu'aux limites, suppression de l'héritage, instruction gratuite à tous les degrés, large assistance aux enfants, vieillards et malades ; plus de distinction de classes, plus d'adoration de l'argent. L'intelligence et le travail seuls moyens de parvenir.

Mais le parti radical a depuis longtemps oublié le programme de Robespierre et d'ailleurs (...) il n'admet pas les femmes [7]. »

Comme avec les Franc-Maçons, Madeleine Pelletier veut d'abord ouvrir le mouvement aux femmes et utiliser le Parti socialiste pour la lutte en faveur du suffrage des femmes, ce qu'elle fait pendant la première période de son militantisme, comme membre de la tendance guesdiste en 1906 et 1907. Mais quand elle découvre que les socialistes n'agiront pas pour la cause féministe, Madeleine Pelletier ne quitte pas le parti. Au contraire, une période de militantisme socialiste plus intense s'ensuit, comme membre de la tendance hervéiste de 1907 à 1910, et là elle laisse son féminisme à l'extérieur du parti. La source profonde de son action socialiste se trouve dans les valeurs auxquelles elle reste fidèle — la justice sociale et une société rationnelle — et dans son besoin d'une scène sur laquelle agir [8]. « Je suis entrée au parti socialiste », écrit-elle dans ses *Mémoires* : « Louise Michel avait raison [:] le féminisme est trop petit et puis cette atmosphère de ragots me dégoûte [9]. »

Madeleine Pelletier entre à la 14e section du parti dans la première moitié de 1906. Les guesdistes lui « semblent plus véritablement socialistes ; les jaurèssistes ne sont guère que des républicains avancés. Et si je n'admets pas tout dans le marxisme, j'ai compris la nécessité de la socialisation des moyens de production pour abolir les classes [10] ». Ainsi explique-t-elle son choix pour la fraction guesdiste, « la fraction que l'on s'entendait d'ordinaire à considérer comme la plus révolutionnaire ». Il est vrai que son ami guesdiste « K » lui promet de l'aide pour préparer un projet de résolution sur « le vote des femmes » pour le prochain congrès national et qu'elle en est « ravie », mais son projet socialiste ne dépend pas de son projet féministe [11].

Effectivement, bien qu'elle vienne d'adhérer au parti, les guesdistes donnent à la jeune femme un mandat au congrès national de 1906, qui se tient à Limoges du 1er au 4 novembre 1906. Elle y présente une résolution en faveur du vote des femmes avec leur soutien[12]. Dans un discours fougueux au congrès, elle s'attaque aux arguments utilisés contre le suffrage des femmes. Les femmes voteraient-elles selon les consignes des prêtres ? Au contraire, une fois qu'elles participeront à la vie politique, elles suivront leurs intérêts économiques[13]. L'argument est certes taillé pour l'occasion, mais il s'insère bien dans la pensée générale de Madeleine Pelletier, qui insiste sur la formation sociale de ce qu'elle appelle « le sexe psychologique ». Les femmes, dit-elle dans *La Femme en lutte pour ses droits*, publié en 1908, doivent « absolument se viriliser le caractère[14] ». Pour cela, Madeleine Pelletier préconise de nombreuses réformes, dont le service militaire, mais surtout les droits politiques : « Inférioriséе[,] la femme se croit inférieure et l'est de ce fait-même ; élevée à la condition de citoyenne, sa dignité personnelle y gagnera d'autant[15]. » Cette idée de dépasser les limites imposées aux femmes correspond à son propre acheminement jusqu'à devenir médecin et anthropologue[16].

Madeleine Pelletier craint à juste titre que la résolution du congrès ne reste lettre morte. Le 21 décembre 1906, sept semaines après le congrès, elle amène une déposition de 70 femmes de la *Solidarité* à la Chambre. Elles sont reçues à la réunion hebdomadaire du groupe socialiste au parlement et Jaurès « assure la délégation que le nécessaire sera fait dans un avenir très rapproché ». Madeleine Pelletier, dans *L'Humanité* du 22, conclut : « le féminisme n'est plus isolé ; il a un appui dans le parti socialiste[17] ».

Mais trois mois plus tard, Madeleine Pelletier découvre que personne n'a été nommé à la sous-commission qui doit rédiger le projet. Sans doute à sa demande, le guesdiste Gustave Delory soulève de nouveau la question à une réunion en mars 1907, qui nomme enfin les membres de la sous-commission[18]. Mais en juillet 1907 la sous-commission ne s'est pas encore réunie et le parti n'a toujours pas rédigé un projet de loi pour le suffrage des femmes[19]. C'est justement à ce moment, pendant l'été 1907, que Madeleine Pelletier révise le fond de sa pensée politique et se dévoue au socialisme « insurrectionnel ».

## LE GRAND TOURNANT DE 1907

Il faut insister sur le grand tournant de 1907 dans la pensée politique de Madeleine Pelletier. D'un côté elle amorce des contacts avec le mouvement suffragiste anglais et de l'autre elle quitte les guesdistes, qui se révèlent trop réformistes, pour se joindre à la tendance « insurrectionnelle » de Gustave Hervé, malgré l'hostilité de ce dernier au féminisme.

Madeleine Pelletier prend contact avec l'organisation militante des suffragettes anglaises, le célèbre *Women's Social and Political Union* (W.S.P.U.) de Mrs Pankhurst. Une délégation du W.S.P.U. vient à Paris en juin 1907. La délégation se joint à Madeleine Pelletier et quelques 35 membres de la *Solidarité* pour une manifestation. Elles vont au ministère de l'Intérieur, mais n'y sont pas reçues. Elles se présentent alors à la Chambre des Députés, où Jaurès leur accorde une audience, et ensuite aux bureaux de *L'Humanité*, qui leur consacre une photographie et un reportage important dans le numéro du 18 juin 1907. Jaurès promet (selon le mouchard — il y en avait partout !) d'intervenir auprès du Premier Ministre afin qu'il leur accorde une audience, mais s'il le fait, son intervention n'est pas suivie d'effet. Mais on voit que c'est Jaurès et les guesdistes qui aident Madeleine Pelletier à faire du féminisme dans le parti [20].

Au congrès national de 1907, qui se tient à Nancy en août, Madeleine Pelletier présente le texte en faveur du suffrage des femmes voté l'année précédente et le congrès l'adopte encore une fois, toujours avec l'appui des guesdistes, bien qu'elle vienne de rompre avec eux [21]. Trois jours plus tard, Madeleine Pelletier assiste à la première Conférence internationale des femmes socialistes, tenue à Stuttgart du 17 au 18 août 1907. Tandis que les autres Françaises se représentent comme déléguées du parti, Madeleine Pelletier s'inscrit comme déléguée d'une « Société des femmes » (il ne peut s'agir que de *La Solidarité* [22]). Madeleine Pelletier affirme donc son féminisme en se présentant à ces femmes socialistes comme féministe [23].

En effet, Madeleine Pelletier maintient, non sans mal, son point de vue féministe à la conférence. Les Allemandes et les Autrichiennes, qui dominent la Conférence, insistent sur le fait que les femmes socialistes doivent se distinguer, voire lutter contre les féministes, ces dernières étant des bourgeoises. A Stuttgart, les femmes socialistes allemandes, Madeleine Pelletier écrit par la suite, « ont rejeté ce qu'elles appellent le féminisme bourgeois avec une ostentation qui manque vraiment de dignité [24] ». La conférence finit par accepter l'importance du suffrage des femmes tout en inscrivant la lutte pour l'obtenir à l'intérieur du parti : « les partis socialistes de tous les pays ont le devoir de lutter énergiquement pour l'introduction du suffrage universel des femmes », mais « les femmes socialistes ne doivent pas s'allier aux féministes de la bourgeoisie [25] ».

Du fait de cette résolution, le suffrage féminin est inscrit à l'ordre du jour du congrès socialiste international de Stuttgart, qui suit la conférence. Victor Adler, le chef de file des socialistes autrichiens, soumet un amendement qui en affaiblirait la portée. Madeleine Pelletier réplique avec une force telle qu'Adler retire sa proposition. Le congrès vote donc la résolution à l'unanimité moins une [26].

L'opposition de V. Adler, les craintes des femmes socialistes devant le féminisme bourgeois, et surtout la série de résolutions votées sans enthousiasme et jamais suivies d'action, tout persuade Madeleine Pelletier qu'on ne peut faire du féminisme efficace à l'intérieur du Parti socialiste. On peut faire voter des résolutions en faveur du suffrage des femmes, et encore cela ne va pas de soi, mais on ne peut guère agir. Elle a été jusqu'aux limites du féminisme dans le parti. Il ne restait plus rien à y faire.

Mais pourquoi quitter les guesdistes ? Ce sont tout de même eux qui l'aident le plus pour faire du féminisme. Mieux, elle est devenue l'experte attitrée des questions féminines chez les guesdistes. N'a-t-elle pas craint d'être enfermée dans ce rôle alors qu'elle rêve d'agir sur toute la question sociale ? Il est certain, en tout cas, qu'elle manque de sympathie envers les espaces féminins.

Ainsi s'explique le fait que Madeleine Pelletier ne poursuit pas la résolution de Stuttgart préconisant la création dans chaque pays de groupes de femmes socialistes pour créer un groupement féminin dans la S.F.I.O. [27]. Dans *Le Socialiste* du 4 octobre 1908, elle écrit, certes, un article analysant la nécessité psychologique de « sections féminines », mais elle ne prend aucune action pour instituer de tels groupements [28]. Lors de la formation du *Groupe des femmes socialistes*, pendant l'hiver 1912-1913, Madeleine Pelletier se tient à l'écart. C'est du fait de son absence que Louise Saumoneau réussit à éliminer toute prétention féministe du Groupe [29]. Madeleine Pelletier perd ainsi la possibilité d'utiliser une base féminine dans le parti, comme Clara Zetkin l'avait fait.

L'intérêt de Madeleine Pelletier pour le Parti socialiste réside autant dans son désir d'agir sur la scène masculine qu'en sa croyance tout aussi profonde dans la cause de la justice sociale. Le Parti socialiste est la scène où elle peut apaiser sa soif d'action « plus large, plus intéressante ». Elle se consacre d'une part à la Solidarité, qui ne fait peu ou pas de socialisme, et d'autre part à la fraction « insurrectionnelle », qui fait de l'antiféminisme.

## SOCIALISME INTÉGRAL : MADELEINE PELLETIER À LA TÊTE DES HERVÉISTES, 1907-1910

En juillet 1907, Madeleine Pelletier avait quitté les guesdistes pour la fraction « insurrectionnelle » de Gustave Hervé, malgré l'aide donnée par les guesdistes à ses résolutions sur le suffrage des femmes et malgré l'antiféminisme des hervéistes. « Je trouve les autres fractions, trop modérées, trop électorales [30] [sic]. » Au congrès de la Fédération de la Seine en juillet 1907, les guesdistes essayent encore une fois de faire passer une résolution asservissant les syndicats au parti [31]. C'est cette proposition et non pas le manque d'enthousiasme pour le suffrage des femmes qui amène sa rupture avec les guesdistes. Elle annonce son changement de camp dans un article dans *La Guerre sociale*, le journal d'Hervé : la fraction guesdiste « a regardé à sa gauche ; sous la forme atténuée de la CGT, elle y a reconnu l'anarchie et son effroi a été tel qu'elle court encore et jusqu'à l'extrême droite [32] ».

Au congrès national de Nancy, alors qu'elle compte sur les guesdistes pour faire voter sa résolution sur le suffrage des femmes, Madeleine Pelletier attaque violemment la motion guesdiste sur l'antimilitarisme. On ne peut, prétendent les guesdistes, espérer empêcher la guerre tant que dure le capitalisme. Madeleine Pelletier réplique dans un discours passionné qu'on ramenait ainsi la lutte à la simple adhésion au parti : « pas d'agitation, pas de manifestation » ; les ouvriers n'avaient qu'à « satisfaire leurs sentiments révolutionnaires en prenant une carte au Parti [33] ».

Madeleine Pelletier devient bientôt le chef hervéiste le plus important après G. Hervé lui-même. Ses articles dans *La Guerre sociale* définissent la position politique des hervéistes. Le féminisme n'y figure pas. C'est l'action directe qui la préoccupe. « "Vous voulez donc la guerre civile ?" me fut-il dit une fois avec toutes les marques de la terreur et de l'indignation dans une section de Paris. "— Tiens, mais vous ne la voulez donc pas ? Moi, je croyais qu'on n'entrait ici que pour cela [34]." »

L'hervéisme de Madeleine Pelletier est tout à fait conséquent et se suffit à lui-même. Le féminisme n'a rien à voir avec lui. Madeleine Pelletier sait bien que la tendance est hostile au féminisme. Au début de 1907, *La Guerre sociale* avait fait paraître deux articles violemment hostiles au féminisme, ce qui ne l'empêche pas de se donner corps et âme à cette tendance quelques mois plus tard [35].

A part quelques allusions indirectes, Madeleine Pelletier ne parle du féminisme que deux fois dans les quelques vingt articles qu'elle écrit dans *La Guerre sociale* et chaque fois c'est pour répondre à des attaques contre les suffragettes anglaises. En juin 1908, Madeleine Pelletier participe à la manifestation monstre des suffragistes anglaises à Londres. Environ 500 000 femmes en sept cortèges convergent sur Hyde Park avec une discipline remarquable. Madeleine Pelletier en est « émerveillée [36] ». Mais de retour, elle découvre une violente attaque contre les suffragistes et leur manifestation sur la première page de *La Guerre sociale* ! La semaine suivante, la protestation de Madeleine Pelletier et la réponse de G. Hervé sont imprimées en regard. G.Hervé défend le droit d'un collaborateur du journal à s'opposer au féminisme et ajoute que, pour sa part, il estime qu'il n'y a pas de raison de refuser les droits politiques aux femmes si elles les souhaitent : quelques-uns d'entre nous « suivent votre campagne, même [!] votre campagne des droits politiques des femmes, sinon avec enthousiasme, du moins avec sympathie [37] ». Un an plus tard, Madeleine Pelletier défend encore les Anglaises, qui agissent, dit-elle, à juste titre, plus en révolutionnaires que ses camarades masculins [38].

Un autre incident du même genre suit bientôt. En octobre 1908, Madeleine Pelletier publie dans *La Suffragiste* un article dans lequel elle prône le service militaire pour les femmes. Pour elle, c'est une question d'égalité : les hommes font le service militaire, les femmes pas ; tant qu'il y aura cette différence, on pourra considérer que les femmes « ne comptent pas dans la société ». Mais pour G. Hervé, c'est trahir les idées antimilitaristes qui sont au cœur de son désaccord avec les réformistes. Quand Madeleine Pelletier lui rend visite à la prison de la Santé, il lui reproche cet article : « Comment moi, rédacteur de la *Guerre Sociale* et antimilitariste [sic] ai-je pu demander que les femmes soient admises à faire leur service militaire ? » Finalement, la discussion tourne mal (ou mâle, oserait-on dire ?). G. Hervé, en colère, a recours à la différence de sexe : « Si les femmes sont à la caserne [,] dit-il, les hommes feront la soupe et les gosses. » G. Hervé « m'a déjà entreprise à propos de mes cheveux courts et de mes costumes tailleurs », ajoute-t-elle [39].

Malgré cette hostilité explicite au féminisme des hervéistes, Madeleine Pelletier continue ses articles et ses luttes en faveur de la tendance comme si de rien n'était. C'est elle qui groupe la fraction insurrectionnelle dans la Fédération de la Seine en 1909. En février, elle organise la tendance. En mars, elle fait adopter au congrès de la Fédération de la Seine la résolution hervéiste préconisant le maintien du candidat S.F.I.O. au second tour des élections même au prix d'une division des voix républicaines et, partant, de la victoire d'un réactionnaire [40].

Madeleine Pelletier défend cette résolution au congrès national de Saint-Etienne en avril 1909. Elle tient tête à Jaurès et à Vaillant. Elle ne peut faire accepter la résolution hervéiste — personne n'aurait pu le faire — mais elle réussit à prendre place parmi les militants de premier rang et se trouve désignée comme le député d'Hervé à la Commission Administrative Permanente (C.A.P.) du Parti [41].

A l'automne de 1909, G.Hervé est arrêté. En prison, il ne peut assister aux réunions de la C.A.P., ce qui entraîne l'accession de Madeleine Pelletier à son siège [42]. La C.A.P. est le vrai centre du pouvoir dans le parti. Membre de la C.A.P. et chef de la minorité de la Fédération de la Seine, Madeleine Pelletier est désormais en position d'exercer une action efficace pour les droits des femmes.

Il aurait été possible d'utiliser la C.A.P. pour le féminisme. A deux reprises, la question du suffrage des femmes est soulevée à la Chambre. Le 30 octobre 1909, Sembat intervient pour demander d'urgence le dépôt d'un projet de loi pour le suffrage féminin [43]. Et le 13 juin 1910, le groupe socialiste de la Chambre présente une résolution indiquant le suffrage féminin comme une réforme à accomplir d'urgence [44]. Ces deux interventions n'étaient que paroles en l'air, car les socialistes n'avaient toujours pas écrit le texte promis, mais elles auraient pu fournir l'occasion d'en parler à la C.A.P.

Or, Madeleine Pelletier ne soulève aucune de ces questions à la C.A.P. Elle utilise sa position non pas pour le féminisme mais contre le réformisme. Pendant toute son année dans la C.A.P., elle ne parle pas une seule fois de questions féministes, encore moins de groupements féminins [45].

Sur le plan politique, Madeleine Pelletier accepte maintenant que son action féministe ait lieu dans son propre cadre. Dans le parti, elle agit en tant que révolutionnaire, comme elle se présente d'ailleurs dans ses articles pour *La Guerre sociale*. Son échange avec G.Hervé à propos du suffrage des femmes lui avait appris, si elle avait besoin de l'apprendre, que d'agir en féministe affaiblissait sa position de révolutionnaire et elle était profondément engagée comme socialiste révolutionnaire.

Sur le plan personnel, la C.A.P. lui fournissait une scène pour l'action politique : « J'ai pu réaliser un vieux rêve, je m'habille en homme et je vais ainsi vêtue à la C.A.P. dont je suis membre », raconte-t-elle. La réaction à ce geste ne l'aurait pas encouragée à poursuivre la voie féministe à la C.A.P. [46]. La C.A.P. lui tenait trop à cœur comme scène d'action politique pour engager une lutte féministe qui ne pourrait que renforcer l'hostilité masculine et risquer de la parquer dans des rôles féminins : « je suis taillée pour la lutte politique ; on me la refuse parce que femme », écrit-elle par la suite [47].

## CRISE DANS LE SOCIALISME, 1910-1912

Madeleine Pelletier quitte sa tendance et réduit son engagement dans le parti, mais ce sera pour des raisons socialistes et non pas féministes. D'ailleurs, on observe un découragement personnel dans son action féministe, voire dans son moral en général. Au congrès national de Nîmes, en février 1910, Madeleine Pelletier est réélue membre de la C.A.P. à plein titre [48]. Mais ce triomphe est gâché par la dissension à l'intérieur de la fraction. A la réunion des hervéistes avant le congrès, on l'accuse d'erreurs. Selon la police : « Madeleine Pelletier oppose le plus formel démenti à ces affirmations et tout en traitant Graziani de menteur, [elle] se précipite sur lui pour le gifler. Un corps à corps s'engage, au cours duquel Graziani reçoit quelques égratignures. Hervé intervient alors et déclare que lui et l'assemblée ne sauraient excuser l'acte de violence commis par Madeleine Pelletier [49] ».

Madeleine Pelletier était sans doute trop en colère pour savourer l'ironie délicieuse d'entendre le chef « insurrectionnel », partisan du terrorisme, lui faire une leçon de politesse ! Mais la rupture entre Madeleine Pelletier et G. Hervé est désormais inévitable. Elle se rend compte qu'il n'est que « jaurèssien ». Ses paroles révolutionnaires sont creuses. En juin 1910, elle le dénonce comme un faux révolutionnaire, quitte sa tendance, et affirme son intention de retourner chez les guesdistes, car eux seuls comprennent la nécessité d'une révolution. Mais, comme on pouvait s'y attendre, les guesdistes n'accueillent pas cette brebis égarée et ne lui ouvrent pas les colonnes de leur journal [50].

Ayant rompu avec les deux principales factions de gauche, Madeleine Pelletier perd son assise dans le parti. En avril 1911, elle assiste au congrès national de Saint-Quentin. Mais évidemment ni les hervéistes ni les guesdistes ne vont la présenter à la C.A.P. Elle perd donc son siège. Rappelant cette période par la suite, elle parle non pas de l'antiféminisme mais de son échec sur le plan socialiste : « on me tient à l'écart, Hervé s'est rétracté, sa tendance "insurrectionnelle" n'existe plus, je perds ma place à la C.A.P., je ne suis plus déléguée aux congrès et ma section (...) me déteste [51]. »

Madeleine Pelletier était-elle donc socialiste ? Repensant la question vingt ans après, je reste convaincu qu'après 1907 elle place son action socialiste dans le cadre du parti, mettant le féminisme en sourdine. Son action dans le parti jusqu'en juillet 1907 est certes un effort de synthèse, sinon une lutte « contre l'opposition socialisme/féminisme en tant que manifestation de l'oppression sexuelle », comme le soutient Mitchell. Mais par la suite elle s'engage dans la tendance qui lui convient en tant que socialiste, celle de G. Hervé, alors qu'elle sait pertinemment que c'est la tendance la moins favorable au féminisme : « Si je suis socialiste », écrit-elle en 1912, bien qu'elle soit alors profondément déçue par le socialisme, « c'est parce que j'aime passionnément la justice [52] ». Elle est donc « profondément socialiste » et le restera toute sa vie, militante dans des partis d'extrême gauche jusqu'à sa mort [53].

1 - Madeleine Pelletier, vers 1920,
   Bibliothèque Marguerite Durand (BMD)

# L'expérience communiste
## ou la foi en l'avenir radieux
## (1920-1926)


## Claude Maignien


A l'instar de tant d'autres révolutionnaires, Madeleine Pelletier sort du premier conflit mondial en état de choc et de dépression. Vécue comme la fin de l'optimisme révolutionnaire, cette guerre a mis en évidence l'échec du socialisme international, les limites du pacifisme et la fragilité du féminisme. Si elle entretenait des rapports conflictuels avec le Parti Socialiste, mettant en doute ses capacités à intégrer le féminisme, elle était loin d'imaginer qu'il pourrait voter à l'unanimité les crédits de guerre, confier au gouvernement les pleins pouvoirs et se rallier à l'Union sacrée. Révoltée elle écrit : « Tout le Parti collabore, l'Union Sacrée a été votée d'enthousiasme, et les plus farouches adversaires de la participation ministérielle sont ministres [1] ». Ne pardonnant pas aux socialistes l'effrondement du grand rêve de « grève générale » contre la guerre dont le principe avait pourtant était voté en juillet 1914, elle prend des distances avec le Parti.

Pour le féminisme aussi, la guerre a été une terrible épreuve. La plupart des groupes se sont dissous ; certains se sont transformés en « ouvroirs » et tricotent pour les tranchées. Madeleine Pelletier qui méprise charité et bienfaisance, image même de l'oppression féminine, se fâche avec sa vieille amie Caroline Kauffmann qui vient de fonder L'Ouvroir des féministes républicaines. De plus les revendications provocatrices ont fait place à un verbiage nationaliste qui l'exaspère. Elle craint le recul, voire l'anéantissement du féminisme « bien entendu, si après la guerre le mouvement féministe reprenait, je m'y mêlerais, mais je le répète, je n'y crois pas ».

Sans prendre de grandes responsabilités comme Louise Saumoneau, incarcérée pour ses activités pacifistes ou comme Hélène Brion qui passe en conseil de guerre pour défaitisme, Madeleine Pelletier assiste à des débats et des meetings pacifistes. Que peut faire contre cette barbarie celle qui se sent « toute seule », qui « n'est rien et ne peut rien. Tout ce à quoi elle réussirait serait de se faire mettre en prison ; elle n'y tient pas et cela n'aurait aucune utilité [2] ». Ne pouvant s'enrôler dans la Croix Rouge, elle passe une licence de science à la Sorbonne en physique-chimie. Mais en 1917, au cœur des souffrances et des destructions, des mutineries au front et des grèves à l'arrière, la guerre enfante d'un monde nouveau, porteur d'espérance, la révolution des soviets.

Madeleine Pelletier adhère avec ferveur à la cause bolchevique. Fantasmée par la gauche depuis plus d'un siècle, l'idée d'une nouvelle grande révolution est dans tous les esprits. Et celle qui, contre toute attente, surgit en Russie fait naître un espoir infini. Dès lors, elle s'engage avec autant d'énergie que d'enthousiasme, lisant « tout ce qui est traduit » de Lénine, Trotsky, ou Alexandra Kollontaï. Elle fait reparaître en décembre 1919, janvier 1920, un numéro de son journal *La Suffragiste* qu'elle utilise comme outil de propagande. Comment en effet ne pas être révolté contre la bourgeoisie qui, par l'affiche de « l'homme au couteau entre les dents », a fait gagner les élections au Bloc National ? La grande presse entretient l'effroi et la répulsion de l'homme de la rue en décrivant la Russie, rouge du sang d'innocents exterminés par millions.

En compagnie d'autres féministes, elle fait partie dès 1920 du petit groupe qui se structure autour de *La Voix des Femmes*, hebdomadaire féministe, pacifiste, socialiste, internationaliste. La revue organise des conférences où l'oratrice Pelletier prend la défense de la Russie nouvelle. Elle y devient rédactrice et chaque semaine explique la révolution, ses différentes phases et les ouvrages théoriques de ses dirigeants.

Dès la scission du Congrès de Tours, Madeleine Pelletier adhère à la « Section française de l'Internationale Communiste » (S.F.I.C) : « lorsque Le Parti Socialiste a adhéré à Moscou, j'y ai repris de l'activité ».

Mais son ralliement ne se fait pas sans mal : elle retrouve à la direction du nouveau Parti les socialistes qui lui avaient fait quitter la S.F.I.O. et qu'elle considère comme ses ennemis. Ne connaît-elle pas leurs préventions anti-féministes ?

Et puis la rédaction de *la Voix des Femmes* est déchirée par le vieux conflit : féminisme ou socialisme. Pour Madeleine Pelletier, Nelly Roussel et quelques autres il n'est pas question de faire aveuglément confiance au Parti sur l'émancipation des femmes. Echaudées par la Conférence de Stuttgart et les pratiques de la S.F.I.O., elles refusent d'être sommées de choisir entre le féminisme dit bourgeois et le communisme qui bénéficie d'un doute favorable pour avoir mis l'égalité des sexes à son programme. D'autres comme Louise Bodin ou Lucie Colliard défendent la primauté absolue du socialisme. Et c'est cette dernière qui est mandatée par la direction du Parti pour assister à la Conférence des Femmes Communistes de la Troisième Internationale qui s'ouvre à Moscou le 11 juin 1921. Madeleine Pelletier, « pressentie » par la majorité de la rédaction du journal se sent évincée. Elle est furieuse !

Et puis elle désire voir « depuis longtemps (...) l'expérience socia-liste qui se fait en Russie (...). Ayant milité toute [ma] vie pour la révolution sociale, il me tardait de voir ne fût-ce que le commence-ment de sa réalisation [3]. » Avant son voyage elle envisage même de s'installer dans « l'Etat béni du communisme ». Surtout elle veut se rendre compte par elle-même de la situation faite aux femmes par les bolcheviques. Est-il vrai comme l'écrit Alexandra Kollontaï dans sa brochure *La Famille et l'Etat Communiste*, publiée en 1920, que l'on va à l'amour libre avec désagrégation de la famille et avortement autorisé ? Hélène Brion qui a passé l'hiver 1920-21 à Moscou est enthousiaste : « Là-bas, notre cause a vaincu » affirme-t-elle dans sa revue *La Lutte féministe pour le communisme*.

Mais entre Madeleine Pelletier et la direction du Parti, le désaccord s'accentue. Elle rechigne à quémander une recommandation offi-cielle à ses anciens ennemis qui lui demandent de faire preuve auparavant de son sens de la discipline et de la solidité de ses convictions. Elle ne réussit pas non plus à obtenir un passeport ou un sauf-conduit pour les régions occupées. Ne pensant pas que pour aller en Russie il lui faille la permission de qui que ce soit, elle se lance doublement clandestine dans un voyage réellement aventureux. Certes, elle n'est pas la seule à se rendre à Moscou mais elle détient sûrement le record du temps le plus long pour y arriver. Partie débordante d'enthousiasme à la fin du mois de juillet 1921, elle entreprend un périple de six semaines.

*La Voix des Femmes* poursuit la publication de ses articles comme si de rien n'était car Madeleine Pelletier est devenue clandestine. Prête à tous les sacrifices pour se fondre dans la foule et dans l'espoir de passer inaperçue, elle se déguise en femme, s'engonce dans un tailleur strict mais féminin, porte des bas qu'elle déchire très vite et s'affuble d'un faux chignon sur ses cheveux courts.

Son voyage va être terrible !

Et l'expédition qui a démarré dans l'excitation et la jubilation naïve de la conspiration s'achève dans la dépression. C'est une femme rançonnée par des guides malhonnêtes, volée, ayant perdu presque tous ses bagages, épuisée par la faim et le manque de sommeil, humiliée dans ses convictions politiques, qui touche à son but après avoir traversé l'Alsace, la Suisse, l'Allemagne, la Russie orientale et les Etats Baltes. Elle n'est pas loin de penser qu'il faut « être fou pour défendre les bolcheviques, plus fou encore pour aller à Moscou [4] ». Madeleine Pelletier fait partie de ceux-ci à une époque où les Français haïssent la Russie rouge. Les bolcheviks sont des traîtres à Brest-Litovsk ; ils sont malhonnêtes en refusant de reconnaître les emprunts tsaristes. Les hommes politiques et la presse attribuent des millions de morts aux révolutionnaires. Le fameux Bloc National a gagné les élections de 1919 en terrorisant la population avec l'affiche de l'homme au couteau entre les dents. La France est officiellement l'ennemie de la jeune révolution : elle équipe et reconnaît les blancs, fusille les rouges à Odessa et organise un cordon sanitaire composé de nations hostiles pour étouffer le bolchevisme. On imagine le sentiment d'irréalité qui saisit Madeleine Pelletier au cours de son périple et à quel point certaines situations peuvent lui paraître absurdes. Son témoignage est bien sûr celui d'une révolutionnaire et d'une féministe. Mais c'est aussi le réquisitoire d'une doctoresse confrontée au manque d'hygiène, à la famine, à la misère de la population. La description parfois apocalyptique des Etats Baltes et de la Russie nous touche mais ce qui rend le récit émouvant, c'est l'image que Madeleine Pelletier nous donne à voir d'elle, celle d'une révolutionnaire "théorique" déchirée entre ce qu'elle devrait penser et ce qu'elle ressent. On voit vivre une femme qui souffre de la saleté, de la faim et du froid. Elle avoue son peu de goût pour la clandestinité et sa peur de la mort. Elle nous apparaît très différente de la théoricienne qui use parfois de la « langue de bois » dans ses écrits militants, celle qui émerge de *Voyage aventureux*. Elle se montre passionnée, pleine d'humour, piquant des colères, osant écrire qu'elle s'ennuie, voire qu'elle déprime. L'individualiste renâcle et le désir de rentrer chez elle vivre sa vie de « demi-bourgeoise » devient lancinant au fur et à mesure du texte. Propagandiste zélée mais lucide, Madeleine Pelletier critique la terreur, la bureaucratie, le mysticisme et le fatalisme de la population ainsi que le peu de place accordée aux femmes dans le pays des soviets. Car, c'est animée d'une quête bien précise, qu'elle pressent utopique, qu'elle part observer la jeune révolution. La question obsédante qu'elle pose dans ce récit est : les femmes ont-elles obtenu toutes les émancipations ou le décalage est-il irréductible entre féminisme et socialisme ?

Celle qui comptait « entonner l'Internationale en pénétrant sur le "territoire béni du communisme" » est trop épuisée pour le faire.

Installée à l'hôtel Lux elle est entourée de révolutionnaires du monde entier : « il y a là des gens de toutes les nations du monde (...) et tout l'Orient venu là à la lumière et à la liberté. » L'ancien hôtel chic est orné d'une grande pancarte posée à l'entrée sur les colonnes de marbre, sur laquelle on peut lire : « l'armée rouge est la sauvegarde du communisme ». La chambre est modeste, non chauffée et des rats s'y promènent. Le menu est frugal et aux ouvriers de Moscou qui accusent les habitants du Lux de s'empiffrer aux dépens de la République des soviets, Madeleine Pelletier réplique avec humour : « Si j'étais le Gouvernement (...) je les inviterais à tour de rôle ; ils mangeraient et n'auraient plus de prévention. »

Elle visite Moscou à pied et nous fait part de ses chocs successifs. La révolution a laissé des traces : maisons rasées, murs noircis ou criblés de balles, immenses tas de pierres sous lesquels des cadavres seraient restés. Elle rencontre des convois de prisonniers « conduits à la manière primitive entre des soldats baïonnette au canon » et demande dans un russe approximatif : de quoi sont coupables ces gens ? Contre-révolutionnaires. Dans les quartiers qui présentent « l'aspect de la désolation la plus lamentable », elle remarque des gens vêtus de guenilles et chaussés de chiffons retenus par des ficelles ; des femmes portent des robes en toile de sac. La population a l'air d'être affamée et traîne de lourds pains noirs mais dans des boutiques elle peut voir des légumes, des poissons et des vins fins et se pose la question : à qui sont-ils destinés ?

La situation est en effet terrible : le mois de juillet 1921 marque le début de la grande famine dans les pays de la Volga. Après plus de six ans de guerre, le pays est ruiné, la population vit dans la misère, des rébellions et résistances se font jour. L'industrie est ruinée, l'effondrement des finances se voit dans la pratique du troc et du marché noir. Madeleine Pelletier va échanger tout ce qu'elle peut pour pouvoir acheter de la nourriture. Avec la misère et le manque d'hygiène, le typhus s'empare de la population. Elle qui croyait atteindre « la terre promise » se retrouve en situation de communisme de guerre : presque pas d'utilisation de l'argent, usage de bons et du troc, devoir de participer aux « samedis communistes ». Elle dénonce, véhémente, la bourgeoisie mondiale qui, par des guerres et le blocus, étrangle la Russie.

Pour cette athée militante, l'un des premiers chocs, c'est la superstition des foules. On vient de partout dans les chapelles embrasser les glaces des icônes recouvertes d'une épaisse couche de crasse. Là, où les soviets ont inscrit « la révolution est l'opium du peuple », les moujiks croient que Opium est un saint nouveau. Le peuple russe lui paraît être d'une incommensurable ignorance, une « masse amorphe » qui subit les bolcheviques comme il a subi le tsarisme et qui doit être décrassé. On peut voir là une des phobies de Madeleine Pelletier qui hait le prolétariat, population misérable, déguenillée, triviale et résignée.

Madeleine Pelletier en individualiste « libertaire » est durablement marquée par la bureaucratie qui a envahi tous les rouages de la société. Bien sûr Lénine dénonce la bureaucratie et être traité de bureaucrate équivaut à une injure mais hélas reconnaît Madeleine Pelletier, ils envahissent tous les rouages de la société et « me feraient prendre le communisme en horreur. »

Venue « prendre des leçons de révolution », elle donne une interprétation jacobine d'Octobre, qui continuerait la grande révolution française. Elle multiplie les analogies : comité de salut public et dictature du prolétariat, Armée de l'an II et Armée rouge, référence au bonapartisme, Lénine nouveau Robespierre et Trotsky nouveau Saint-Just. Mais ce qui la touche le plus profondément est le régime de la Terreur avec son cortège de surveillance policière, de soupçons et d'insécurité des personnes. « Les jugements sont hâtifs et sans recours même si on n'exécute pas sur la Place Rouge comme notre révolution exécutait sur la place de la Concorde ».

Elle sait que des anarchistes sont fusillés et s'inquiète ; n'a-t-elle pas écrit dans *Le Libertaire* et d'autres journaux anarchistes « ce serait bête tout de même de venir mourir ici du fait d'un régime qu'on s'est évertué à défendre » ?

Au pays des soviets, elle s'intéresse principalement à la condition des femmes. Elle constate qu'à première vue les mœurs ont évolué : les femmes ont une allure plus libre qu'en France, beaucoup ont des cheveux courts et tiennent peu compte de la toilette. L'apparence physique est déterminante pour Madeleine Pelletier : la femme qui s'habille pour plaire est une poupée ; une féministe doit s'émanciper de cet esclavage.

Elle reconnaît de même que les lois qui sanctionnent l'inégalité des sexes sont abolies. L'égalité est complète dans les statuts : les femmes peuvent accéder à tout en théorie. Sur le mariage, le code marque un très grand progrès en comparaison des lois des occidentaux : aucune formalité compliquée.

Mais « dans la pratique, cependant, la Russie bolchevique n'a pas complètement rejeté le vieux préjugé du sexe. » Les femmes participent peu à la vie politique et, souligne-t-elle, leur présence est saluée avec emphase dans le discours d'ouverture. Seul le nom d'Alexandra Kollontaï est fréquemment cité. Elles occupent très rarement des postes de responsabilité ou de direction politique.

Et puis, si la création d'organisations féminines spécifiques répond à une nécessité, elle a pour effet d'isoler les femmes, de les mettre à part de la politique de contrôle et de décision. Elles sont cantonnées dans des problèmes de crèches, d'asiles d'enfants et de vieillards. Du coup les réunions féminines perdent en intérêt et ressemblent aux œuvres de bienfaisance.

Selon Lénine, l'Etat socialiste devra abolir tout d'abord les lois qui sanctionnent l'inégalité. Mais les lois seules ne suffisent pas. Il faudra aussi abolir la petite économie domestique par la création d'équipements sociaux : réfectoires, crèches, jardins d'enfants. Selon lui, les femmes doivent passer « de la maternité individuelle à la maternité sociale. »

Pourtant le rôle des femmes dans ce changement est ambigu : leur libération dépend de décisions prises d'en haut. Cette analyse laisse de côté l'oppression particulière des femmes, à savoir le phallocratisme.

Les révolutionnaires européens venus voir « sur place » la révolution et qui logent à l'hôtel Lux, doivent de temps à autres participer à un samedi communiste. Quand on demande à Madeleine Pelletier, en sa qualité de citoyenne, de se joindre aux femmes qui restent dans l'établissement pour faire des travaux de couture, elle proteste qu'elle n'est pas venue à Moscou pour travailler dans un ouvroir et que la couture est « le symbole de l'esclavage féminin ». Elle part avec les hommes poser des rails de chemin de fer.

On lui fait aussi des reproches sur sa tenue vestimentaire : « la femme ne doit pas ressembler à l'homme, elle a une mission de charme etc... Je suis atterrée, faut-il avoir fait 3000 kilomètres pour retrouver les clichés des esprits rétrogrades de Paris ». Elle conclut alors qu'il « reste beaucoup à faire pour que soit réalisé en Russie le féminisme intégral ! »

Profondément modifiée par l'épreuve du voyage, Madeleine Pelletier est déçue. Certes, malgré le chaos et les injustices constatées, la Russie conserve sa force d'attraction. Si son enthousiasme révolutionnaire a fléchi il lui reste le devoir de soutenir la première expérience socialiste. Mais elle n'est plus prête à la fidélité sans conditions envers la discipline communiste.

De la date de son retour jusqu'au milieu de l'année 1926 on repère une longue suite de désaccords qui vont s'aggravant.

En 1922, elle refuse d'adhérer à la section féminine du Parti. Si elle est d'accord pour que soit constitué un « groupe à part » pour les ouvrières et les paysannes, elle réclame pour les intellectuelles le droit d'entrer aux mêmes conditions que les hommes dans le Parti proprement dit.

La même année, le IV^ème Congrès de l'I.C. impose aux militants l'interdiction d'appartenir à la *Ligue des Droits de L'homme* et à la *Franc-maçonnerie*, mais Madeleine Pelletier refuse de rompre avec cette dernière et la défendra même publiquement au *Club du Faubourg*.

Dès 1923, s'opposant à l'interdiction qui est faite d'écrire dans d'autres journaux que ceux du Parti, elle publie des articles dans la presse anarchiste dont *le Semeur de Normandie, Les Vagabonds, Lueurs, l'Insurgé* dans lesquels elle va jusqu'à critiquer les dirigeants soviétiques et la situation en U.R.S.S.

Et puis, elle participe très régulièrement aux séances du *Club du Faubourg*. Fondé par Léopold Szeszler, dit Léo Poldès, exclu du Parti Communiste, ce club organise dès 1919 des banquets républicains et des débats totalement libres sur toutes les questions d'actualité. Tous les groupes politiques sont conviés à s'exprimer sur les sujets des plus variés. Mais le Parti interdit à ses militants d'y participer et Madeleine Pelletier, qui désobéit, se voit infliger « une demande de contrôle ». Elle résiste cependant et se voit même chargée par le *Club* des problèmes suivants : féminisme, médecine, éducation sexuelle et travail. Si dans ses conférences elle défend généralement la Russie des Soviets elle expose aussi au grand jour des problèmes internes au parti, comme les exclusions.

A toutes ces dissensions s'ajoute un réel conflit avec Suzanne Girault, « le cosaque femelle » qui dirige le parti d'une main de fer à partir de 1924 avec Marcel Treint et en accélère la bolchevisation. Les cellules d'entreprises sont numérotées, les sections deviennent des rayons et le comité directeur, comité central. Madeleine Pelletier accuse ce nouveau parti de « manquer d'âme », elle dénonce la tendance au centralisme militaire et critique la mise en place d'un appareil d'encadrement composé de fonctionnaires ou de révolutionnaires professionnels.

Elle a alors cinquante-deux ans et comme de nombreux militants de sa génération elle n'arrive plus à se faire à une discipline qui empêche toute critique et a éliminé le droit de tendance.

Au milieu de l'année 1926, elle quitte le parti écrivant à Arria Ly : « on ne m'a pas exclue, mais on m'a tellement embêtée que je suis partie. On me tenait à l'écart, ne me faisant pas parler, mettant mes articles au panier (...). En outre on voulait m'empêcher de parler au *Faubourg* et d'écrire dans les petits journaux qui accueillent mes articles ».

Madeleine Pelletier théorise sa rupture dans sa brochure *Capitalisme et Communisme* datée de la même année, très critique à l'égard de la Révolution bolchevique. Mais elle reste révolutionnaire, n'abandonnant rien de ses idéaux et ne semblant pas vivre sa rupture dans le désespoir.

# L'utopie des années trente
## *Une vie nouvelle*, un roman de Madeleine Pelletier

### Claudie Lesselier

Madeleine Pelletier publie le roman *Une vie nouvelle* durant l'année 1933, à une étape de sa vie où elle cherche à faire le bilan et la synthèse de ses idées et de son expérience [1]. Le récit se situe en France dans un régime communiste, durant une période de temps qui va de dix à quarante ans après la révolution et il est centré sur le personnage de Charles Ratier, un ouvrier qui reprend des études de médecine et réalise d'extraordinaires découvertes en biologie. Le récit inclut un retour en arrière qui raconte la vie de Charles dans l'ancienne société et la crise révolutionnaire qui a permis l'établissement du régime communiste. Il permet à l'auteure de décrire les transformations de la vie quotidienne, de la sexualité et de la sociabilité, des rapports hommes-femmes, la nouvelle organisation de l'éducation, les progrès scientifiques et techniques et la disparition de la religion.

Une première lecture possible de ce texte consiste à remarquer l'éclairage que ce livre apporte sur l'auteure elle-même et comment elle y exprime sous la forme assez transparente de la fiction des idées et des préoccupations personnelles, professionnelles et politiques qui lui tiennent à cœur [2].

Il est ensuite possible de lire ce livre en rapport avec les théories et les expériences des mouvements ou des milieux au croisement desquels elle s'est engagée : féministes, socialistes, bolchevistes, néo-malthusiens, libertaires... Sa démarche utopiste, au sens d'entreprise de décrire une société meilleure, réalisable dans l'avenir, s'inscrit dans plusieurs traditions, de la science-fiction technologique à la littérature utopique, et plus généralement dans l'espérance progressiste et révolutionnaire du XIXᵉ et du début du XXᵉ siècle. Madeleine Pelletier se réfère explicitement à cet héritage en parlant de son livre, dans une lettre à Arria Ly (3 janvier 1933), comme d'« une sorte de voyage en Icarie » décrivant « une société communiste » telle qu'elle se la représente.

Mais au début des années trente, après la révolution russe, et l'instauration de divers régimes autoritaires, les termes d'une réflexion sur la société future ne sont-ils pas profondément transformés, comme en témoigne l'essor du genre littéraire de la contre-utopie ? Comment Madeleine Pelletier poursuit-elle la tradition classique, bien que sa vision du monde futur soit marquée par les désenchantements et l'amertume, et comment fait-elle face aux ambiguïtés et aux contradictions du projet utopiste ?

## *UNE VIE NOUVELLE* COMME SYNTHÈSE DES PRÉOCCUPATIONS ET DE L'ŒUVRE DE MADELEINE PELLETIER

Madeleine Pelletier a mis beaucoup d'elle-même dans le personnage de son héros, Charles Ratier, notamment dans les chapitres où elle évoque sa jeunesse, ses efforts d'autodidacte et ses aspirations intellectuelles, sa révolte contre la misère matérielle et affective qui règne dans cette société et surtout contre l'injustice sociale qui prive les gens des classes populaires des possibilités d'affranchissement et d'épanouissement intellectuel. Par contraste, la société nouvelle offre de larges possibilités de culture, de formation et de promotion ; l'éducation de base est intégrale, mixte, collective (en internat, la famille ayant été abolie), organisée selon des méthodes pédagogiques nouvelles. Fidèle à ses choix de jeunesse et à ce qui l'avait enthousiasmée en Russie, Madeleine Pelletier imagine une société où tous ceux qui en ont la capacité et la volonté peuvent à tout moment de leur vie étudier, dans une université qui favorise au plus haut point le travail et la vie des étudiants. Non que la hiérarchie sociale soit abolie, mais elle est fondée sur le mérite et non sur la naissance et c'est l'activité intellectuelle qui en occupe le sommet.

Charles Ratier entreprend comme Madeleine Pelletier des études de médecine, et, comme elle l'aurait souhaité, réussit une brillante carrière de chercheur. Il ne s'agit pas là seulement d'un écho des préoccupations professionnelles de Madeleine Pelletier : l'utopie est bien l'envers de ce qui dans la société actuelle paraît le plus intolérable, et ici c'est la saleté, la maladie, la promiscuité... L'importance accordée au progrès de l'hygiène et de la médecine en tant que facteur d'amélioration physique, sociale et morale, témoigne d'un projet hygiéniste, scientiste et anticlérical, un projet civilisateur assez autoritaire, apporté par en haut, tant aux masses populaires, notamment aux paysans, dont il faut vaincre la routine, l'ignorance et les préjugés, qu'aux « peuples attardés ». La société nouvelle, rationnellement organisée, permet en outre un progrès scientifique et technique ininterrompu : la science assure un bien-être matériel croissant au service de la liberté humaine, elle est victorieuse de la vieillesse (un procédé de « régénération » de l'organisme est découvert) et, faisant reculer la mort, annihile la religion et garantit en fin de compte le succès du communisme.

Les positions féministes radicales de Madeleine Pelletier s'expriment dans l'organisation sociale et le mode de vie imaginés dans *Une vie nouvelle*. La famille est abolie et les liens de parenté, au bout d'un certain temps, disparaissent. L'égalité des hommes et des femmes dans tous les domaines (éducation, travail, morale, sexualité) est un fait acquis. La maternité est abolie comme fonction sociale. Le travail domestique est industrialisé [4]. La sexualité, considérée comme un besoin physique, est libre, aucun contrôle social n'étant exercé sur la vie intime de l'individu adulte, même sur des pratiques que pourtant la société nouvelle considère anormales, par exemple l'homosexualité : « la société nouvelle trouvait archaïque de réglementer les caresses, de désigner ce qui est permis et ce qui est défendu » — il n'empêche que ces déviances issues de l'ancienne société disparaissent, du fait de la fin de l'oppression sexuelle. Plus original est le fait que la société nouvelle tend à la suppression de la différence sexuelle et à la neutralité du point de vue des catégories de sexe. En fait l'organisation sociale nouvelle assure l'indépendance économique et affective complète de tout individu : au lieu de la famille, du mariage ou de la cohabitation du couple, des liens de parenté, une sociabilité choisie peut s'épanouir, favorisée par l'extension des loisirs et l'organisation semi-communautaire du logement [5].

La structure de la société d'*Une vie nouvelle* correspond à peu près à « la formule du moindre mal » que Madeleine Pelletier résumait dans *Capitalisme et communisme*, en 1926 : « Communisme en production, individualisme dans la vie ». Ce versant « communiste », c'est la collectivisation des moyens de production et le travail, auquel chacun est astreint, rémunéré en bons de travail, et avec une durée limitée qui assure beaucoup de temps libre. Mais l'organisation du travail n'y est pas fondamentalement transformée et la division du travail, la distinction et l'inégale valorisation du travail manuel et du travail intellectuel demeurent (même si la hiérarchie des salaires est réduite, même si l'éducation assure une égalité des chances au départ), cela étant justifié par les capacités inégales des gens. Et surtout la société est organisée par un régime autoritaire, une sorte de despotisme éclairé, seul capable de faire émerger la société nouvelle du désordre de la période révolutionnaire et qui apporte le changement par en haut : figure classique du récit utopique, ce pouvoir correspond aussi à l'étape considérée indispensable de la dictature, jacobine ou bolchevique, et au bilan critique que Madeleine Pelletier tire de son militantisme [6].

## PRÉSENCE DE L'UTOPIE DANS LA PENSÉE RÉVOLUTIONNAIRE

En même temps qu'*Une vie nouvelle* synthétise les idées et l'expérience de Madeleine Pelletier, ce récit prend place dans les débats théoriques et politiques de son temps, tels qu'elle a pu les connaître et y participer. En tant que démarche utopiste notamment il s'inscrit dans son temps : il faut rappeler l'importance qu'occupe dans la pensée et la pratique révolutionnaires du XIXe et du début du XXe siècle une démarche qui s'attache à dessiner, dans la critique et la lutte contre la société actuelle, la vision en positif d'une société future différente, à montrer par des exemples concrets qu'une société construite sur d'autres bases peut fonctionner et à proposer cette perspective comme un dépassement des contradictions de la société actuelle, et même de toutes les contradictions de la vie humaine et sociale.

Cette référence à la « société future », au « monde nouveau », apparaît sous diverses formes, que cette société future ne soit dessinée que dans ses grandes lignes, comme l'est le communisme chez Marx ou Engels, ou de façon beaucoup plus précise et détaillée, comme chez les socialistes utopiques (et Pelletier se réfère explicitement à Cabet) ou les libertaires : certains élaborent de véritables plans de société future[7], d'autres essayent de préparer ou de préfigurer, dans les formes d'organisation ou dans les choix de vie, la société de demain, certains la décrivent dans un récit de fiction. Emile Pouget, dirigeant de la CGT, militant syndicaliste révolutionnaire, publie en 1909 un récit *Comment nous ferons la révolution*, dont le titre original était *Comment nous avons fait la révolution*, qui raconte une révolution en France, à la suite d'une grève générale. Sébastien Faure, anarchiste, rédacteur en chef du *Libertaire*, que Madeleine Pelletier connaissait bien, publie en 1921 un roman utopique, *Mon communisme*, qui se passe en France dans une société communiste, une dizaine d'années après la révolution, suscitée par la résistance à une guerre, comme ce sera aussi le cas dans le récit de Madeleine Pelletier. Mais à la grande différence de l'utopie de Madeleine Pelletier, ces sociétés communistes sont des sociétés sans autorité étatique, autogérées par des conseils communaux ou l'organisation syndicale[8]. Alors que les utopies libertaires (ou même celle de Marx) ont pour cœur la réappropriation par les travailleurs de leur travail et de l'organisation de la vie économique et sociale, Madeleine Pelletier, qui considère cet idéal comme impraticable car fondé sur une conception trop optimiste de l'être humain, ne croit pas à la capacité d'auto-organisation du peuple, au changement social « par en bas », ne se préoccupe guère de la transformation du travail et résout les conflits par l'existence d'un pouvoir autoritaire.

Enfin la référence à la révolution soviétique, présentée par ses partisans comme l'instauration d'un monde nouveau, d'un être humain nouveau et de formes de vie nouvelles[9] est en relation avec la démarche utopiste. Madeleine Pelletier a, comme on le sait, une attitude à la fois favorable et critique envers la révolution bolchevique dont l'écho se trouve clairement dans *Une vie nouvelle*. Elle croit y trouver une confirmation de son idéal d'affranchissement des femmes par la socialisation du travail domestique et de l'éducation des enfants, mais elle voit dans son échec la marque de l'incapacité du peuple à réaliser de lui-même le changement social, et certains projets bolcheviques (nommément celui d'Alexandra Kollontaï) lui font craindre la logique de contrôle social de la collectivité sur l'individu[10].

Avec le stalinisme, c'est en un sens encore l'utopie qui est présente, dans les thématiques de la collectivisation, de l'industrialisation, et du développement sans limite des forces productives [11]. Madeleine Pelletier ne participe certes pas à la mystique productiviste, mais elle croit, elle aussi, au progrès scientifique et technique ; dans son roman la paysannerie, symbole de l'arriération, est liquidée, les villages démolis, l'agriculture est industrialisée, les ouvriers agricoles rassemblés dans les villes. Lors des fêtes, « des chœurs d'écoliers chantent des hymnes à la gloire du communisme et de la science ». L'utopie de Madeleine Pelletier exalte la ville. En effet, même si les années 20 et 30 voient s'épuiser le mythe du progrès et l'idéologie scientiste, elles sont encore, dans le domaine de l'architecture et de l'urbanisme [12], et cela dans des courants politiques les plus divers, le moment de l'utopie, celle de la ville nouvelle ou de la cité radieuse : et l'architecture et l'urbanisme hygiénique et rationnel d'*Une vie nouvelle*, où tous les besoins physiques et sociaux sont prévus et satisfaits, participent pleinement de ce mythe.

## LES CONTRADICTIONS DE L'UTOPIE

Au delà d'une comparaison du projet de Madeleine Pelletier avec d'autres utopies, on remarque qu'en fait elle rencontre les mêmes difficultés que tous les auteurs de récits ou de projets utopiques.

Le projet utopique s'inscrit dans une problématique simple de la « nature » et de la « culture ». Elle suppose que les êtres humains puissent changer, être meilleurs et plus heureux si leurs conditions d'existence et les rapports sociaux changent. Pour Madeleine Pelletier l'amélioration des conditions de vie, l'éducation, le progrès technique et médical transforment les mœurs et les comportements, éliminent quasi totalement la délinquance et la violence, mais elle n'imagine pas que les êtres humains puissent fondamentalement changer ni que soient abolies des caractéristiques innées, des inégalités « naturelles ». Chez elle la foi dans le progrès se combine avec un pessimisme et une défiance quant aux capacités des êtres humains, à l'exception d'une élite de personnalités supérieures comme celles que symbolise Charles. Les êtres humains sont enclins à l'égoïsme, à la passivité, à la paresse. Sans autorité personne ne travaillerait. Il y a dans *Une vie nouvelle* des « dégénérés », des « inadaptables », que la société exclut ou soigne, la médecine remplaçant, comme souvent dans les utopies, l'institution judiciaire. Une contradiction est évidente entre la perspective d'émancipation que défend Madeleine Pelletier et le rejet qu'elle exprime à maintes reprises du peuple, ou des femmes, « tels qu'ils sont », contradiction qu'elle tente de résoudre par le dirigisme et l'autorité.

Dans l'utopie, libertaire comme autoritaire, la politique est censée disparaître, avec la fin des conflits de classe, de l'Etat et du système représentatif et parlementaire. Le « gouvernement des personnes » est remplacé par « l'administration des choses », selon la formule souvent citée de Engels [13]. Cette vision d'une société qui cesse d'être divisée par le conflit d'idée, de croyance ou d'intérêt, de « la solution de l'antagonisme entre les êtres humains, entre les êtres humains et la nature, entre la liberté et la nécessité, entre l'individu et l'espèce », selon les termes de Marx [14], est une idée-force de l'utopie, et Madeleine Pelletier participe de cette tradition : « on ne faisait plus de politique. Les gouvernants étaient surtout des administrateurs. On avait jugé le fonctionnement des assemblées délibératives trop lourd, rendant très difficile la marche du progrès ». Cependant « la vie civique était très active » : des clubs existent dans chaque ville, il y a des discussions, des référendums, même si « seule une élite participe » car « la masse se désintéresse des affaires publiques » et si en fin de compte les grandes décisions sont prises par un pouvoir qui s'est auto-désigné.

En fait cette vision d'une société consensuelle et d'un monde réussissant à satisfaire tous les besoins humains, matériels et affectifs, est tout à fait liée à une conception positiviste de la vérité, du bien et du progrès — caractéristique encore de l'utopie. Elle implique aussi que la condition humaine pourrait être, par le social et la technique, soustraite à la finitude, au manque, au désir... Malgré sa lecture de Freud, Madeleine Pelletier est entièrement prise dans une psychologie positiviste et une vision naturaliste de la sexualité. *Une vie nouvelle* va jusqu'au bout de cette démarche scientiste en basculant de l'utopie sociale à l'utopie bio-médicale : la jeunesse et la santé étant assurées, la mort reculée et presque oubliée, l'être humain, en outre sans passé (les liens de transmission étant abolis et l'ancienne société oubliée) vit un quasi-éternel présent. Que devient l'histoire dans l'utopie ?

L'utopie espère enfin concilier organisation et liberté, individu et société. C'est une préoccupation explicite de Madeleine Pelletier.

Dans *Une vie nouvelle*, la liberté est quasi totale dans la vie privée, la sociabilité et les loisirs, étendus grâce à une importante réduction du temps de travail, le contrôle social sur les adultes dans leur sphère privée minimal, l'être humain libéré du maximum de sujétions. La vie quotidienne présente ainsi nombre d'aspects tout à fait attrayants. Mais ces espaces de liberté se traduisent plus dans la consommation que dans la création. Pour concilier l'organisation collective de la société et l'idéal individualiste, Madeleine Pelletier maintient les séparations entre les différentes sphères de l'activité humaine : l'espace privé des adultes demeure séparé de l'espace de l'éducation (qui se déroule dans un lieu distinct), de celui du travail, qui n'est pas fondamentalement modifié dans son organisation, et de celui de la vie publique, puisque c'est une société organisée d'en haut, par un pouvoir séparé de la société.

On lit souvent aujourd'hui l'utopie avec suspicion, prompts à en mettre en lumière ses zones d'ombres (normativité, exclusions, nouvelles catégorisations), à dénoncer la naïveté sinon le danger du mythe du progrès et de la fin des contradictions, à y déceler un projet d'ordre qui n'est qu'en léger décalage vis à vis de la société qu'elle prétend contester. Toutes ces critiques sont vraies, à condition de dire aussi que toute utopie ne peut être que celle de son époque, prisonnière de ses paradigmes et de son langage. Pour apprécier globalement l'utopie de Madeleine Pelletier, on pourrait conclure qu'elle s'écarte nettement de certains de ses modèles par son attachement à la liberté individuelle et son refus du contrôle social. Mais elle est en deçà de l'imaginaire d'une société libertaire, auto-organisée et égalitaire, que d'autres auteurs ont proposé. En fait elle n'est pas plus capable que ses prédécesseurs (serait-ce possible d'ailleurs dans les formes de l'écriture romanesque traditionnelle ?) de problématiser les contradictions inhérentes au projet utopique lui-même.

# Une insoumise
# chez les révolutionnaires

## Francis Ronsin

Dans cet exposé je ne m'intéresse qu'aux combats politiques que livra Madeleine Pelletier dans des organisations mixtes, qu'on peut, objectivement, aussi bien qualifier de « masculines ».

### UN CURSUS CLASSIQUE

Pour qui est relativement familier avec les courants qui, à la fin du XIXᵉ siècle et pendant la première moitié du XXᵉ, s'affrontèrent, pour les détruire, aux structures économico-politiques et à la morale sociale dominante, l'itinéraire militant de Madeleine Pelletier n'est, en dépit de sa grande diversité, que rarement déconcertant. Il suffit, pour le montrer, d'en rappeler les principaux épisodes et d'être attentif aux personnages qu'elle rencontre et à leurs engagements divers et successifs. Nombre de ces parcours sont éloquemment parallèles.

En 1904, après avoir fréquenté quelques cercles anarchistes, elle adhère, sur le conseil du docteur Legrain, à la maçonnerie mixte. Je reparlerai du docteur Legrain, mais, pour en rester à la maçonnerie mixte, il est bon de rappeler qu'elle suivait la voie ouverte quelques années plus tôt par les grandes figures du féminisme qu'étaient Maria Deraismes et Clémence Royer ; que, deux mois après son entrée à *La Philosophie sociale*, elle y faisait admettre Louise Michel. La maçonnerie, et peut-être plus encore la maçonnerie mixte, était alors un lieu d'accueil privilégié pour les esprits d'avant-garde. A *La Voix des Femmes*, Colette Reynaud — la fondatrice — et Yvonne Netter sont passées par la maçonnerie mixte ; Marcelle Capy, personnalité de premier plan du combat pacifiste et antimilitariste pendant et après la première Guerre mondiale, également. Parmi les frères maçons qui combattirent pour que les femmes ne soient plus écartées de l'initiation, il me faut citer : Zéphyrin Camélinat, un des fonda- teurs de la I^ère Internationale, communard, membre de la direction de la S.F.I.O., et dont le ralliement aux thèses de Lénine permit au Parti Communiste de récupérer *L'Humanité* ; Léon Richer qui, en 1869, avait fondé *Le Droit des femmes* avec Maria Deraismes; Paul Robin, le fondateur du mouvement néo-malthusien français et dont l'adhé- sion à *La Philosophie sociale* fut une des principales causes de son exclusion du *Grand Orient* ; enfin, Gustave Hervé, adhérent à la loge *Diderot* dont Madeleine Pelletier devint la vénérable.

En 1906, Madeleine Pelletier adhère au tout jeune Parti socialiste unifié. En 1906, et bien plus tard, quoi de plus naturel, pour un franc- maçon, que d'être membre soit du Parti radical, soit du Parti socia- liste ? Madeleine Pelletier choisit le Parti socialiste, « le plus à gauche ». De plus, à l'intérieur de ce Parti socialiste, elle choisit le courant guesdiste qu'elle juge « le plus à gauche ». Un an après, elle se joint au groupe qui lui apparaît comme la véritable extrême- gauche du Parti socialiste : les « insurrectionnistes » de *La Guerre sociale*. Les quelques biographies de Madeleine Pelletier n'ont certai- nement pas assez souligné l'originalité du groupe de *La Guerre sociale*. Il faut donc rappeler que si le chef de ce groupe, le « général » Hervé, est membre de la maçonnerie mixte et socialiste — de même que Victor Méric, tout récemment et imparfaitement passé du camp libertaire au socialisme — les anarchistes occupent une place impor- tante à *La Guerre sociale* à côté de syndicalistes révolutionnaires : Al- mereyda est le « second » d'Hervé et secrétaire de rédaction du journal. Socialistes ou non, les hommes et les femmes de *La Guerre sociale* sont réunis par la virulence de leur haine du réformisme et du parlementarisme, du cléricalisme, du militarisme et du patriotisme, par leur foi en « l'action directe ». Il faut dire également que *La Guerre sociale* est un journal néo-malthusien — Eugène Humbert est un ami personnel, un camarade de prison, des principaux membres de l'équipe et a participé à son financement — que sa librairie, ce qui lui sera violemment reproché par les socialistes orthodoxes, est un important centre de diffusion de brochures antinatalistes et de contraceptifs.

Après sa rupture avec Hervé, Madeleine Pelletier se rapproche des anarchistes et collabore à la presse néo-malthusienne. L'auteur de *Faut-il repeupler la France ?* (*La Guerre sociale*, 10 mars 1910) n'avait, en vérité, qu'un petit pas à faire et, en compagnie familière. J'ai évoqué les rapports d'Eugène Humbert avec l'équipe de *La Guerre sociale*. Victor Méric, de *La Guerre sociale*, collabore également à *Génération consciente* d'Eugène Humbert. On peut, de même, se souvenir que la toute jeune Jeanne Rigaudin, la future Jeanne Humbert, entretenait des relations très étroites avec Miguel Almereyda (elle était la marraine laïque de son fils, Jean Vigo). Nelly Roussel associait systématiquement la propagande féministe et la propagande néo-malthusienne. Lorsque Madeleine Pelletier publie « Néo-malthusianisme et socialisme » dans *Rénovation*, elle écrit dans le journal de la Fédération des Groupes ouvriers néo-malthusiens, dont le docteur Legrain est un des fondateurs et des principaux animateurs.

En 1920, Madeleine Pelletier quitte «la vieille maison» et adhère, avec la majorité des socialistes, aux thèses de Lénine. Lors de la naissance du parti communiste, très nombreux furent les anarchistes à manifester leur totale sympathie au combat des bolcheviques. Parmi les anciens de *La Guerre sociale*, il n'y a pas que Madeleine Pelletier à adhérer au parti communiste, Henri Fabre et Victor Méric le font également. La seule originalité de Madeleine Pelletier sera, en dépit de ses inquiétudes précoces (je pense à *Mon voyage aventureux en Russie communiste*, 1922), d'y demeurer plus longtemps que d'autres.

Les derniers combats de Madeleine Pelletier témoignent de la permanence de ses convictions et de ses amitiés.

A *La Voix des femmes*, « féministe, socialiste, pacifiste, internationaliste » et qui, le 6 mai 1920, à l'occasion de la « Journée des mères de familles nombreuses », appelle à la « grève des ventres », ses articles côtoient ceux de Nelly Roussel, ceux de Jeanne Humbert.

Léo Poldès, l'animateur du *Club du Faubourg*, où elle s'exprime volontiers, fut aussi à *La Guerre sociale* et au parti communiste.

Dans *La Fronde* elle écrit, en 1926, une série d'articles contre la guerre. En 1930, Victor Méric crée la Ligue internationale des Combattants de la Paix. Marcelle Capy en est la déléguée à la propagande ; Jeanne Humbert une des plus actives conférencières. Victor Margueritte patronne la Ligue et donne son nom à son nouveau journal : *La Patrie humaine.*

En 1927, Henriette Alquier, institutrice féministe et communiste est poursuivie pour propagande néo-malthusienne. La même année, Eugène Humbert fonde « Pro Amore — Ligue de la régénération humaine», section française de la Ligue mondiale pour la réforme sexuelle. Son Président d'honneur est Victor Margueritte qui se retrouve, lui aussi, dans nombre des combats menés par Madeleine Pelletier : féminisme, libération sexuelle, pacifisme... En 1931, lorsqu'Eugène Humbert fonde *La Grande réforme*, Madeleine Pelletier figure dans la liste des collaborateurs du nouveau journal néo-malthusien et, en septembre, y publie « Le Droit à la vie sexuelle ».

Madeleine Pelletier est également l'auteur de nombreux écrits anticléricaux. Cela me permettra d'évoquer une dernière figure : celle d'André Lorulot. André Roulot, dit Lorulot était anarchiste individualiste lorsque Madeleine Pelletier fréquentait ces milieux. Néo-malthusien, il diffusa, à son compte, brochures de propagande et préservatifs. Il fut de ces libertaires fervents admirateurs de la révolution bolcheviste. En 1921, une de ses conférences : *Notre ennemie, la femme,* est critiquée par Madeleine Pelletier dans les colonnes du *Libertaire* et chahutée par le groupe de la *Voix des femmes.* Néanmoins, Madeleine Pelletier est — avec Colette Reynaud — membre de la Fédération nationale de Libre Pensée et d'Action sociale où André Lorulot joue un rôle essentiel. En 1923, c'est Lorulot qui édite *Supérieur ! Drame des classes sociales en cinq actes.*

Ainsi, l'itinéraire politique de Madeleine Pelletier n'est-il pas singulier. Il ressemble souvent à celui de beaucoup de ses proches qui, de même qu'elle, situaient leurs idéaux bien au-dessus de leur appartenance à un parti ou à une quelconque organisation. Ce qui semble pourtant la distinguer de nombreux membres de cette mouvance, c'est, en premier lieu, la multiplicité et la permanence de ses engagements. Combien de ses compagnons de combat se sont-ils endormis dans le confort d'une idéologie facilement étiquetable ? Combien se sont-ils reniés ? Je pense à Gustave Hervé recrutant essentiellement les abonnés de sa *Victoire* parmi les curés de campagne ; à Aristide Briand, le théoricien de la grève générale, et à son éblouissante carrière ministérielle. Ce qui pourrait également paraître particulier dans le cas de Madeleine Pelletier, c'est la façon dont elle s'efforce systématiquement de faire coexister un grand respect des principes organisationnels des mouvements auxquels elle adhère avec des engagements divers et apparemment contradictoires. Voilà le second point que je voudrais aborder.

## ZÈLE ET CONTRADICTION

En mars 1906, dans l'*Acacia*, la S.·. Madeleine Pelletier, bien qu'obligatoirement liée à une obédience irrégulière, s'indigne de la désinvolture qu'elle a remarquée dans les loges :

« Bien des Maçons à l'heure actuelle raillent le symbolisme. (...) Les signes, les mots, les attouchements, sont les marques extérieures du lien qui unit ensemble les FF.·., de ce lien sans lequel le but de notre société ne pourrait jamais être réalisé. »

La même année, la future théoricienne de la liberté sexuelle explique son départ de la *Philosophie sociale* pour la loge *Diderot* par un conflit avec le F.·. X qui voulait y faire affilier une S.·. « discutable au point de vue des mœurs » :

« Les LL.·. mixtes devaient être, à mon avis, des modèles de correction, afin de ne pas donner prise aux adversaires ; il ne fallait pas que l'énergie des unes fût annihilée par l'indignité des autres (...).

La femme est un individu mal éduqué encore, mais enfin un individu, et le rôle de la Maç.·. est de l'émanciper comme elle émancipe l'homme. (...) Ne prenez comme SS.·. que des femmes dignes par l'intelligence, le caractère et la moralité. »

Dans « Néo-malthusianisme et socialisme », *Rénovation*, 15 juillet 1911, Madeleine Pelletier écrit :

« Paul Robin (...) avait fait du néo-malthusianisme un véritable système social. (...) Ainsi était-ce avec justice que les militants du Parti unifié reprochaient aux néo-malthusiens de dévier. (...) L'objet principal du parti socialiste doit toujours être l'expression de la doctrine et la mise en œuvre des moyens de la faire triompher. »

L'année suivante, dans *Philosophie sociale*, elle nous apprend que :

« Si le sectarisme est mauvais pour les intelligences individuelles, il est excellent pour les collectivités. »

Madeleine Pelletier s'affirme donc comme fortement attachée à la discipline de groupe, à la doctrine et, même, au sectarisme. Bien des aspects de ses œuvres témoignent de ses efforts pour s'imposer à elle-même le respect de ces principes. Pourtant, la diversité de ses engagements fait que l'on pourrait, parallèlement, multiplier les exemples de comportements et de prises de position qui la mettent en contradiction totale avec les organisations où elle milite.

En 1921, militante communiste par ailleurs dans la ligne, elle collabore régulièrement au *Libertaire* de l'Union anarchiste de Sébastien Faure. Un hebdomadaire où sa conception du combat féministe, et peut-être même sa personnalité, peuvent être raillées. Ainsi, en janvier 1921 lorsqu' « une révoltée » y écrit : « Ce n'est pas parce que la femme aura acquis le bulletin de vote et le droit de piétiner dans le bourbier parlementaire qu'elle sera plus indépendante. (...) Point n'est utile, non plus, parce qu'on s'affirme "émancipée" ou "anarchiste" de se couper les cheveux, d'affecter une tournure masculine. »

Dans cet hebdomadaire dont une grande partie des articles sont dirigés contre la Russie bolchevique et les communistes français, elle s'en prend, elle-même, en mars 1921, à la tradition socialiste : « La femme doit travailler. »

« La *Voix des femmes* publie le résumé d'un article de *Rote Fahne (Le Drapeau rouge)* de Vienne sur le travail des femmes. On y retrouve la vieille conception socialiste sur la situation de la femme : conception qui est antiféministe au premier chef, puisque, en préconisant le maintien de la femme au foyer, elle perpétue son esclavage. »

Si elle n'a eu de cesse de proclamer qu'elle n'a jamais cru dans les projets sociaux des anarchistes, si, en octobre 1921, la rédaction du *Libertaire* juge utile de préciser : « Nous faisons observer à nos camarades que notre collaboratrice n'est pas anarchiste — elle s'en défend elle-même d'ailleurs — ; toutefois, nous publions ses articles avec plaisir », combien de lecteurs du *Libertaire* auraient été stupéfaits de savoir qu'elle était communiste ?

Ses rapports avec les néo-malthusiens sont tout aussi complexes. Pour les résumer, disons qu'elle s'est constamment prononcée en faveur de leur thèses et associée à leurs actions tout en émettant des réserves. La première de ces réserves est une réserve théorique, émise par la socialiste qui estime que le néo-malthusianisme ne peut, à lui seul, résoudre le problème social, mais, qui, contrairement à la plupart de ses camarades de parti, pense que le socialisme ne triomphera et ne prospèrera qu'en intégrant le néo-malthusianisme. La seconde de ces réserves est le résultat de son expérience militante. Elle est prononcée par la femme et la féministe. Si « les néo-malthusiens ont inventé, pour la préservation féminine, toutes sortes d'appareils et de produits, dont il se fait un commerce important dans les milieux syndicalistes et anarchistes » (*L'Emancipation sexuelle de la femme* ), si « le malthusianisme permet de porter remède, dans une certaine mesure, au malheur d'être femme » (*Dépopulation et civilisation* ), « Pour les hommes d'opinion avancée, comme pour les rétrogrades, la femme n'est qu'un instrument ; ainsi le néo-malthusianisme ne se préoccupa-t-il guère que du point de vue économique et de la sécurité des mâles célibataires.

Cependant, parmi les néo-malthusiens se sont rencontrés quelques hommes à l'esprit de justice qui ont pensé que la femme devait tout de même être prise en considération ; mais, dans leurs écrits, si elle est quelque chose de plus que l'instrument dont on ne parle même pas, elle est loin, bien loin d'être l'égale de l'homme. Les ouvrages les plus avancés sur l'éducation sexuelle se bornent à donner à l'homme le conseil de ménager la femme. » (*L'Education féministe des filles* )

« La femme, l'égale de l'homme ». J'ai, jusqu'ici, volontairement restreint mes références au féminisme de Madeleine Pelletier. Je ne peux toutefois pas résister à la tentation de rappeler qu'en 1906, dans la *Revue maçonnique*, Madeleine Pelletier qualifiait la femme d'« individu mal éduqué », qu'elle n'eut de cesse de reprocher aux militants hommes de ne pas déployer assez d'énergie pour procéder à son éducation (elle n'est pas la seule à en avoir besoin : « les animaux ne font aucun progrès, pas plus que la race nègre livrée à elle-même » (*Une Vie nouvelle* ), que, dans son œuvre littéraire, les héros réellement positifs qu'elle met en scène sont, à l'exception de *La Femme vierge*, toujours des hommes : Pierre, dans *Supérieur !*, Jacques, dans *Un traître*, Charles, qui s'oppose à l'écervelée Claire, dans *Une Vie nouvelle*, enfin, que dans cette dernière utopie communiste, le gouvernement est assuré par un dictateur, assisté d'un conseil de dix membres qu'il désigne et qui ne comprend, à l'origine, qu'une femme, et trois seulement dix ans plus tard.

Pour conclure sur les contradictions politiques de Madeleine Pelletier en les illustrant pleinement, c'est encore sa description du « meilleur des mondes » d'*Une vie nouvelle* que j'utiliserai. Souvenez vous que le gouvernement, l'Etat y a établi son immense complexe éducatif tout au long du boulevard Michel-Bakounine !

Comment peut-on s'expliquer cet acharnement à militer au sein d'organisations dominées par des hommes, cet attachement au dogme et à la discipline et, en même temps, cette indépendance d'esprit qui l'autorise à maintenir les relations les plus prohibées, à rechercher la synthèse entre les théories les plus inconciliables ? Il y a, à cela, au moins deux explications possibles. Deux explications qui ne s'excluent nullement l'une l'autre et que l'on peut également relever dans l'œuvre même de Madeleine Pelletier.

La première de ces explications revient à considérer que seul compte pour elle son engagement féministe. Ses autres engagements ne seraient que de «l'entrisme» visant à lui procurer les tribunes dont elle a besoin pour faire progresser la cause des femmes. Ses appels à l'orthodoxie auraient alors pour but de tenter de dissimuler son manque de conviction que révèlent, en revanche, ses sympathies et ses argumentations hérétiques.

L'autre explication est de nature psychologique.

Née dans la pauvreté, c'est une enfant qui rêve de gloire et réussit l'exploit surhumain de surmonter les obstacles liés à sa condition sociale et à son sexe pour accéder aux études et à une fonction bourgeoise. Dès lors, toute l'énergie qu'elle déploie conduit logiquement à la priver du confort, matériel et intellectuel, qui lui était promis. Déclassée, elle l'est déjà deux fois. Militante politique elle est toujours en porte-à-faux. Révolutionnaire parmi les révolutionnaires, Madeleine Pelletier n'est visiblement pas passionnée par l'économie politique. Elle n'adhère à aucune des philosophies qui servent de base théorique aux mouvements auxquels elle se joint et qui leur servent à justifier leurs incessantes querelles. Francmaçonne à la recherche d'une tribune, d'un milieu ouvert, elle n'est nullement gagnée à l'ésotérisme. Elle est guesdiste, plus tard, communiste, sans s'intéresser au marxisme, sans se rallier au culte de la lutte des classes ni, surtout, à celui d'une classe ouvrière — dont la misogynie foncière lui répugne — historiquement appelée à émanciper l'humanité. A la *Guerre sociale*, c'est une antimilitariste qui revendique pour les femmes le droit d'accomplir trois ans de service militaire, une «insurrectionniste» qui ne s'attend pas à voir résolues toutes les contradictions sociales lorsque, après la grève générale ou au lendemain du Grand soir, les organisations ouvrières se seront emparé du pouvoir. Elle côtoie sans cesse et se réfugie régulièrement auprès des compagnons anarchistes sans renoncer à revendiquer le droit de vote pour les femmes et sans croire à la possibilité d'un monde d'où aurait disparu la structure étatique.

Mais, ce n'est pas tout ! Chez les femmes elle est virile. Habillée en homme, parmi les hommes, elle ne cesse de revendiquer sa féminité et de mettre en avant la cause de son sexe... féminin ! Elle est, simultanément, l'apôtre de l'émancipation sexuelle et de la virginité.

Elle est en permanence à la recherche d'une vérité qui ne pourra, définitivement, n'être que la sienne.

4 - Madeleine Pelletier vers 1910.
   Photographie collée dans l'*Encyclopédie féministe*
   d'Hélène Brion, BMD.

# Madeleine Pelletier ou le refus du « devenir femme »

## Michelle Perrot

Au bord du trottoir, adossée au mur de briques d'une rue quelconque — où était-ce donc ? — avec sa canne, son chapeau-melon, son complet-veston mal ficelé, tel un Charlot un peu gros, un peu triste, voici Madeleine Pelletier. Au premier abord, parce que nous avons malgré nous des stéréotypes de la féminité et de la beauté, elle intrigue plus qu'elle n'attire, énigmatique figure que tant d'ombres recouvrent.

Pourtant, quiconque a travaillé sur le féminisme, le socialisme, l'anarchisme, le communisme, plus encore sur le néo-malthusianisme, l'avortement et la contraception, entre 1890 et 1939, a entendu cette parole insolite et croisé cette personnalité hors du commun. D'autant plus qu'elle ne cherchait pas l'obscurité, au contraire ; elle était avide d'espace public, de prise de parole, elle écrivait, s'exprimait beaucoup sur tout ce qui concernait les femmes, et bien au delà. L'histoire, pourtant, a fait sur elle silence. Même sa mort en 1939 à l'asile de Perray-Vaucluse est enveloppée d'incertitude. Etait-elle vraiment folle ? N'a-t-on pas cherché, par la déclaration d'irresponsabilité, à la soustraire à la prison que lui aurait valu une inévitable condamnation pour une affaire d'avortement en un temps de populationnisme rigoureux ? Mais enfermement pour enfermement, un procès qui eût permis de poser de vraies questions, n'était-il pas préférable ? Mais elle était malade, demi-paralysée ? Qui sait ?

La nuit enveloppe cette mort comme elle entoure sa vie et sa mémoire. La coupure de la guerre a joué, certainement. Sa solitude aussi. Cette célibataire volontaire n'avait pas de famille pour la célébrer ou la honnir. Cette misanthrope avait peu d'amis. Quelques femmes tout de même, mais distantes, ou disparues, avant ou peu après elle. Pour se souvenir d'elle, aucun parti, aucun groupe, hormis peut-être les anarchistes néo-malthusiens, réduits au mutisme par la loi. Et cette femme, qui souffrait de l'être, n'était pas nécessairement un modèle attrayant pour les femmes conquérantes, avides de bonheur, de la Libération, affairées, occupées à tant de choses. Voilà bien de quoi sombrer à jamais.

Sa redécouverte, à partir des années 1970, est un effet du mouvement des femmes qui, plus ou moins directement, a suscité les recherches de Charles Sowerwine, Claude Maignien et Felicia Gordon pour n'en citer — non par ordre de mérite, mais d'entrée en scène — que quelques uns. Sans oublier Roger-Henri Guerrand et Francis Ronsin. Ils l'ont retrouvée d'abord par bribes comme un corps morcelé qu'elle était peut-être. Puis certains ont eu envie de la mieux comprendre dans son intégrité. Deux biographies — celle de Felicia Gordon, celle de Charles Sowerwine et Claude Maignien — témoignent avec éclat de ces retrouvailles. Espérons qu'elles perceront le mur de l'oubli. Sans en être sûr. Notre époque est conformiste, répugne à la souffrance, à l'étrange, surtout quand l'étrangeté est féminine.

Il faut donc savoir gré à Christine Bard, jeune historienne de la nouvelle génération, d'avoir suscité et organisé ce colloque, à mon sens très réussi par la diversité des éclairages et des points de vue et l'intérêt des discussions. A l'issue de ces deux jours, qu'avons-nous appris sur la Doctoresse Pelletier, pour l'appeler selon son vœu ? Et qu'est-ce qui pose problème ? Sans prétendre faire ici une quelconque synthèse, je dirai simplement ce qui m'a, personnellement, frappée.

C'est, d'abord, cette alliance parfois détonante, toujours étonnante, entre son altérité et sa conformité. Qu'elle ait souhaité être un autre, elle l'a sans cesse répété. Un : pas une. « Ah ! que ne suis-je un homme ! Mon sexe est le grand malheur de ma vie». Madeleine Pelletier souffrait d'être née femme et elle a tout fait pour ne pas le devenir. Elle éprouvait du dégoût pour son corps de femme ; elle le dit et le répète et l'identification à sa mère lui répugne. Elle n'a jamais supporté le sang des règles ; elle a refusé celui de la défloration ou de l'enfantement. Le corps des femmes ne l'attirait pas. Aucun corps sans doute. Du moins pas le sexe. Des hommes, c'est l'existence, le mode de vie, la liberté qu'elle enviait. Le phallus ? Rien n'est moins certain.

Des hommes, elle a presque tout souhaité. D'abord l'allure, l'apparence. Elle ne se sentait à l'aise que cheveux courts et costume masculin. Ce fut un des plaisirs de son voyage en Russie. Question de commodité ? Nombre de ses contemporaines ont donné cette raison au port du pantalon, une Jane Dieulafoy par exemple, célèbre archéologue qui, avec son mari, découvrit la frise des archers assyriens [1]. Goût du travestissement qu'affectionnaient Renée Vivien ou Nathalie Barney, avides de jouer avec leurs identités sexuelles ? Rien de tel chez Madeleine Pelletier. C'est en femme qu'elle se sent déguisée, grotesque, entravée. Et le jeu n'est pas son propos.

Elle veut une carrière d'homme. La médecine était une brèche ouverte notamment par les juives russes émigrées à la fin du siècle. Elle s'y engouffre et s'oriente vers la recherche scientifique, plus virile encore. L'anthropologie est en plein essor ; elle la pratique avec sérieux, côtoie les plus grands — un Letourneau par exemple ; ils l'apprécient ; elle se sent à l'aise dans ce milieu qui, nous disent Evelyne Peyre et Jean-Christophe Coffin, semble l'avoir bien accueillie.

La politique étant la scène la plus virile dans la société démocratique, la grande scène publique par excellence où se déploie l'histoire du monde, elle a tout fait pour y accéder. On l'a souligné : dans son emploi du temps, peut-être même dans ses convictions, cela comptait plus que le féminisme. Elle fut franc-maçonne avec constance, socialiste avec passion. Etre militante de base ne lui suffisait pas ; elle aspirait au pouvoir auquel tant de femmes renoncent parce qu'il leur paraît inaccessible et, du coup, sans attrait. Elle fut une des très rares femmes — la seule en son temps — à parvenir aux instances dirigeantes de la SFIO (la Commission Administrative). Elle appréciait de parler en public, de monter à la tribune des Congrès. Elle éprouvait la jouissance du pouvoir, ce qui n'exclut nullement l'adhésion profonde. Entre la thèse de l'opportunisme (F. Ronsin) et celle de la conviction (Ch. Sowerwine), la seconde me paraît en l'occurrence plus convaincante.

Dans le type d'autobiographie qu'elle écrit — Felicia Gordon le souligne — elle parle du public beaucoup plus que du privé. Dans le « pacte » (Philippe Lejeune) qui est au fondement de toute autobiographie, c'est son image publique qui lui importe. Comme les grands hommes, qui laissent le privé aux femmes, voire l'expression de leur propre vie privée à leurs épouses, elle n'en parle pas. Elle reprend à son compte les distinctions à l'œuvre dans l'organisation sociale du XIXᵉ siècle. Dans son récit utopique — *Une vie nouvelle* (Claudie Lesselier) — elle ne remet pas en cause la théorie des sphères, qui lui convient parfaitement. Elle parle d'elle pourtant, voire de son corps intime ; mais ailleurs, dans sa correspondance plutôt, si riche.

Mais lorsqu'il s'agit de se présenter elle-même, elle ignore un privé insignifiant, un domestique sans intérêt à ses yeux. Il y a chez elle un profond refus de la condition féminine, un mépris certain pour les femmes qui consentent à leur esclavage. Elle ne se sent à l'aise ni du côté de son sexe biologique ni du côté de son « gender », de son sexe culturel.

Sous cet angle, la comparaison avec George Sand est intéressante, même si elles appartiennent à deux générations différentes : lorsque George Sand meurt en 1876, Madeleine Pelletier a deux ans. George Sand, d'abord, a tout désiré, tout cherché : la liberté des hommes — s'habiller, fumer, circuler, voyager, travailler, écrire, créer... comme eux ; séduire comme ils le font.

Flaubert l'appelait son « vieux compagnon » (elle le nommait son « troubadour ») et la traitait en « camarade ». Mais Sand a vécu, ardemment, toutes les expériences des femmes ; elle a eu mari, amants, enfants, petits-enfants, la gestion d'une maisonnée, la cuisine et les confitures, le côté cour et le côté jardin. Vers la fin de sa vie, elle avoue ne se sentir bien que parmi les siens, dans le privé, dans la famille. Elle s'y complaît et s'y enferme, volontairement ; la lecture du dernier volume de sa *Correspondance* (le tome 24 — avril 1874-mai 1876) est à cet égard éloquente. Elle a pris des positions en politique, mais s'est toujours refusée à en faire directement, estimant que le moment n'était pas venu pour les femmes de pénétrer dans ce domaine ; il lui fallait préalablement conquérir les autres droits, civils notamment. Lorsque les féministes de 1848 — Eugénie Niboyet, Désirée Gay et quelques autres — voulurent en faire leur candidate à la députation (sans l'avoir consultée, ce qui, bien entendu, l'irrita ), elle refusa, sèchement. Et lorsque, dans les derniers temps, son éditeur lui proposa de rassembler certains de ses textes en un volume intitulé *Ecrits politiques*, elle récusa ce titre comme ne correspondant pas à la réalité et suggère *Ecrits polémiques*, qui lui semble plus adéquat. Sand renonce apparemment sans grand effort à la politique ; pas Pelletier. Question d'époque sans doute ; de tempérament aussi. De vision du monde. Mais on serait bien en peine de dire laquelle fut la plus subversive. Sand a fait bouger toutes les frontières de la vie et de l'art, dans une contestation quotidienne, exigeant d'être reconnue, comme femme, comme auteur, comme journaliste, comme salariée. Elle n'a refusé aucune des passions du cœur et du corps, aucune des jouissances de l'existence. Elle avait le goût du bonheur. Ce qui manquait peut-être à Madeleine Pelletier. Ou plutôt celle-ci ne s'en faisait pas la même idée. Ses ambitions n'étaient pas identiques et, s'inscrivant résolument et exclusivement dans la sphère publique et masculine, elles se trouvaient beaucoup plus difficiles à réaliser. D'où ses échecs et son malheur.

En rupture avec le modèle féminin, Madeleine Pelletier n'est pas par ailleurs anticonformiste. Elle partage — et Francis Ronsin l'a montré — nombre des valeurs de son temps et de son milieu professionnel. Celle qui signait avec fierté « Doctoresse Pelletier » croyait en la science, la technique et l'hygiène. Femme d'ordre, elle aurait adhéré volontiers à une vision bio-politique de la Cité, jusqu'à l'eugénisme que prônaient du reste nombre de néo-malthusiens ; jusqu'au règlementarisme en matière de prostitution, adoptant sur ce point l'opinion de la plupart des médecins, ses confrères ; elle reprend sans état d'âme l'idée du « mal nécessaire » (cf. Marie-Victoire Louis). Imprégnée des thèmes de la psychologie des foules, elle considère les « masses » — le peuple, les femmes — comme abêties, abruties, amorphes, avachies, avilies et, au bout du compte, n'ayant que ce qu'elles méritent.

Pour créer une vie, un homme ou une femme nouveaux, on ne peut compter que sur l'élite consciente, l'énergie de quelques-uns. Anarchistes et léninistes étaient sur ce point d'accord. En même temps, Madeleine Pelletier croit, comme eux, que l'histoire a un « sens », qu'on va vers quelque chose, un progrès, un avènement auquel toute vie peut contribuer. Ce sentiment du collectif et de l'imminence des changements, beaucoup l'éprouvaient alors, dans le mouvement ouvrier plus encore que dans le féminisme. Cela justifie le sacrifice personnel, permet une sublimation de l'existence, un transfert des pulsions, une compensation au malheur personnel. Sous cet angle, Madeleine Pelletier est également exemplaire.

Quant aux problèmes d'identité sexuelle, ils étaient largement débattus entre 1900 et 1914. Les grandes avancées des femmes et des féministes dans tout le monde occidental [2] ont provoqué une crise d'identité masculine qui s'exprime de manière très diverse, par une misogynie grossière, un antiféminisme raisonné ou une réflexion philosophique novatrice, comme celle que développent Otto

Weininger et Otto Gross [3]. Les premiers grands textes sur le féminin de Lou Andréas-Salomé, amie et disciple de Freud, sont antérieurs à 1914. Madeleine Pelletier est traversée par ces questions . Même sa défense du célibat comme un « état supérieur » (Anne Cova) a parmi les femmes bien des partisans. L'idée qu'il faut faire des choix, qu'on ne peut pas tout avoir, tout exercer s'impose à nombre de femmes attirées par la vie professionnelle ou publique. Marie Rauber, institutrice, inspectrice de l'enseignement primaire, franc-maçonne, dans un roman autobiographique inédit écrit en 1912, *Une si belle position*, en fait un éloge quasi testamentaire [4]. Sous cet angle aussi, Madeleine Pelletier est probablement moins isolée qu'on ne le penserait.

Un second ensemble de remarques concerne le mélange de réussites et d'échecs de cette vie, à l'image de toutes les vies, mais singulier aussi, à la mesure d'une ambition hors du commun. Contraintes par les obstacles et les limites qui leur sont imposées, la plupart des femmes composent, osent quelques conquêtes et bornent leurs désirs. Rien de tel avec Madeleine Pelletier, qui d'emblée vise l'interdit, au plus haut niveau. Ce qui est d'autant plus remarquable qu'elle vient d'un milieu modeste, plutôt résigné. Sa mère, il est vrai, ruait dans les brancards et dominait le ménage. Madeleine avait une revanche à prendre, sociale et sexuelle. Elle l'a tentée. Dans le domaine public et professionnel, le seul qui l'intéresse vraiment (autant que nous puissions le percevoir), elle va aussi loin que possible. En médecine psychiatrique, en anthropologie, en politique, elle est pionnière. Son échec au concours a dû lui peser beaucoup. Sa pratique médicale, sur laquelle on aimerait en savoir davantage, me fait penser à celle de Céline, son presque contemporain ; ce « fils d'une ouvrière lingère », nourri de culture anarchiste, exerce comme elle dans les quartiers pauvres et partage avec elle une vue assez pessimiste et révoltée du monde. Du reste, Madeleine Pelletier a aimé le *Voyage au bout de la nuit*, dont elle a rendu compte avec un éloge. « Aucun bourrage de crâne. C'est l'abattoir sans phrases, tel qu'il est en réalité ». Ce « médecin miteux de la banlieue parisienne » lui paraît étrangement lucide, même si elle le juge trop négatif. « L'ouvrage ne porte pas à l'optimisme, mais en beaucoup de ses parties, il est cruellement vrai. Le tableau du prolétariat médical est tout à fait exact. Ce que je critiquerai surtout, c'est le personnage lui-même qui n'est en rien un constructif. Ce n'est pas avec des êtres comme lui que l'humanité pourra progresser [5] ». Car Madeleine Pelletier n'était pas seulement ambitieuse pour elle-même. Elle voulait changer le monde, là où Céline baissait les bras.

Dans la voie politique, elle s'est aventurée plus loin que la plupart des femmes. Parvenir à la CA de la SFIO, ce n'est pas négligeable. Etre déléguée aux congrès, voyager, quasiment en mission, c'est entrer dans une pratique politique peu commune encore. Comment se présente-t-elle dans les congrès, comment parle-t-elle à la tribune ? Est-elle applaudie ? Ou raillée ? Sur le terrain de la parole publique, si difficile, elle a été une femme de la reconquête.

Du côté de l'écriture, elle produit notablement. Elle essaie des types d'écriture très divers : contributions scientifiques, journalisme, romans, essais politiques et moraux, récits de voyage, utopies, auto-biographie, sans omettre une importante correspondance. A-t-elle été reconnue sous cet angle ? Quel était son style, sa manière ? Observe-t-on une «contamination» de sa pratique scientifique sur son langage et son écriture ? Avait-elle de l'écriture une conception purement instrumentale ? Avait-elle une ambition d'écrivain ?

Madeleine Pelletier a, donc, réussi beaucoup de choses. Et pourtant la vision que l'on a d'elle penche vers l'échec et la souffrance. Constamment, elle se heurte, elle rencontre des obstacles, qui la dépriment. Mais elle repart. Sa vie est une ligne brisée de séquences multiples avec au fond une grande constance dans ses options fondamentales. Elle reste attachée à la franc-maçonnerie et au néo-malthusianisme. Elle change d'orientation tactique à plusieurs reprises en matière politique ; mais les circonstances étaient singulièrement fluctuantes. C'est peut-être avec le féminisme qu'elle a le moins de satisfaction. Entre la majorité des femmes de son temps et Madeleine Pelletier, l'écart, décidément, était trop grand.

Cette femme « exceptionnelle » s'inscrit dans l'horizon de son temps et dans la mesure où elle l'affronte, elle en porte la marque. L'importance de la scène familiale, dans la construction de son identité, est certainement fondamentale, et l'éclairage qu'apporte la lecture psychanalytique (Léonor Penalva), fort suggestif. Notons qu'elle-même, psychiatre et lectrice de Freud [6], a fourni des maté-riaux, voire des hypothèses à cette lecture d'elle-même. En ce sens, elle est bien produit de son époque.

Il convient de rappeler aussi combien cette période 1900-1914 a été effervescente dans tous les domaines ; époque de créativité politique, intellectuelle, esthétique (ce qui semble lui être assez indifférent), et féministe. Madeleine Pelletier naît de cette vitalité et l'exprime.

Puis vient la guerre, drame, rupture, retour à l'ordre des sexes derrière les apparences de la subversion. La plupart des travaux récents insistent sur cette contradiction et sur la chape de plomb qui, au lendemain de la guerre, s'abat sur les femmes, sans cesse rappelées à la pratique de leurs rôles traditionnels et, notamment, de la maternité. Dure période pour celles qui, comme Madeleine Pelletier, avaient osé s'attaquer au tabou de l'avortement. Tandis que la Révolution, dont elle avait rêvé, prend les couleurs rouge sang de la Russie soviétique.

Telle est la dure conjoncture d'une vie. On comprend son caractère austère, tendu, quasi victimaire. Envers et contre tout et tous, cette femme a choisi sa voie, comme indifférente au bonheur et à la dimension du plaisir. On souffre de son incompréhension et de son isolement. Mais peut-être trouvait-elle ailleurs sa satisfaction. Elle voulait réaliser quelque chose qui ressemble à un destin d'homme en tournant le dos au « féminin ». De ce point de vue, elle est assez proche d'Otto Weininger qui, dissociant le sexe et le genre, divisait le monde en deux principes, le masculin et le féminin, le premier étant supérieur, mais accessible aux femmes et totalement distinct de la biologie. Elle l'a fait pour elle-même, mais avec l'idée de créer une rupture et d'ouvrir une autre voie possible pour les femmes. Le prix à payer était très élevé : celui de la solitude dont le tragique de sa mort est le symbole. Sans doute a-t-elle contribué à élargir le champ des libertés.

# NOTES

**Notes, Christine Bard, Introduction :**

1. Théodore Joran, *Au coeur du féminisme*, Paris, Savaète, 1908, p. 11.
2. Léon Abensour, *Histoire générale du féminisme*, Paris, Librairie Delagrave, 1921, p. 279.
3. Cf. pour ne citer que des ouvrages récents ayant une portée générale et théorique : *Sexe et genre. De la hiérarchie entre les sexes*, édité par Marie-Claude Hurtig, Michèle Kail et Hélène Rouch, Paris, éditions du CNRS, 1991, 281 p. ; Colette Guillaumin, *Sexe, Race, et Pratique du pouvoir. L'idée de Nature*, Paris, Côté-femmes, coll. « Recherches » 1992, 239 p. ; Nicole-Claude Mathieu, *L'anatomie politique. Catégorisations et idéologies du sexe*, Paris, Côté-femmes, coll. « Recherches », 1991, 291 p.
4. Claude Maignien venait de terminer, en 1976, son mémoire de maîtrise, sous la direction de Michelle Perrot, sur Madeleine Pelletier. Une autre maîtrise d'histoire, celle d'Eva-Maria Kurtz (Paris 7, 1985) lui est aussi consacrée.
5. Charles Sowerwine, *Les femmes et le socialisme*, Paris, Presses de la FNSP, 1978, issu de sa thèse (Université du Wisconsin).
6. Francis Ronsin, *La grève des ventres*, Paris, Aubier, 1980.
7. Marie-Jo Bonnet, *Un choix sans équivoque. Recherches historiques sur les relations amoureuses entre les femmes XVIème-XXème siècle*, Paris, Denoël, 1981.

8. Aliette Largillière, *Une femme médecin féministe au début du XXème siècle: Madeleine Pelletier*, Tours, 1982 et Franck Barnel, *Madeleine Pelletier, première femme interne des asiles de la Seine*, Saint-Antoine, 1988.
9. Steven Hause, Ann Kenney, *Women's suffrage and social politics in the French Third Republic*, Princeton University Press, 1984.
10. Cf. la thèse de Florence Rochefort et Laurence Klejman sur le mouvement féministe en France 1868-1914, publiée sous le titre *L'égalité en marche. Le féminisme sous la IIIème République*, Presses de la FNSP/Des femmes, 1989.
11. Publiée chez Polity Press, issue d'un travail universitaire : *Feminism and medecine. The medical ideas and Practice of Dr Madeleine Pelletier*, M.A. thesis, Norwitch University, 1985.
12. Claude Maignien, Charles Sowerwine, *Madeleine Pelletier. Une féministe dans l'arène politique*, Paris, Editions ouvrières, dans la collection « la part des Hommes », dirigée par Claude Pennetier, 1992.

**Notes, Claude Maignien, Parcours biographique :**

1. *La Femme Vierge*, Paris, Valentin Bresle, 1933, p. 87.

**Notes, Felicia Gordon, Les femmes et l'ambition : Madeleine Pelletier et la signification de l'autobiographie féministe :**

1. Madeleine Pelletier, *Trois contes*, Paris, Imprimerie Beresniak, s.d., pp. 3-4.
2. « Anne dite Madeleine Pelletier », Bibliothèque Marguerite Durand ; *Doctoresse Pelletier*, Bibliothèque Historique de la Ville de Paris (BHVP) ; *Journal de guerre*, BMD .
3. Voir « Avant-propos », Charles Sowerwine, Claude Maignien, *Madeleine Pelletier (1874-1939). Une féministe dans l'arène politique*, Paris, éditions ouvrières, 1992.
4. *Une vie nouvelle*, Paris, Figuière, 1932 ; *La femme vierge*, Paris, Bresle, 1933.
5. *Doctoresse Pelletier*, p. 1.
6. Emmanuel Kant, *On the Beautiful and the Sublime*, ; Friedrich Hegel, *The Phenomenology of Morals* ; Diana Coole, Christina Crosby, *The Ends of History : Victorians and the woman question*, London, Routledge, 1991.
7. Fénelon, Archevêque de Cambrai, *De l'éducation des filles*, Paris, 1861.
8. Mgr Dupanloup, *La femme studieuse*, Paris, 1869, p. 7.
9. Je suis redevable à Jan Marsh pour son exposé sur « Les femmes et la peinture victorienne » du 29 juin 1991 à Anglia Polytechnic. Voir aussi Jan Marsh, *The Legend of Elizabeth Siddal*,, Quartet

10. Virginia Woolf, *A Room of One's Own*, London, 1929.

11. Madeleine Pelletier, *Les femmes peuvent-elles avoir du génie ?*, Paris, sd.

12. *Doctoresse Pelletier*, p. 17.

13. *Ibid.*, p. 47.

14. *Journal de guerre*, p. 3.

15. Voir Judith Swindells, « Working Women Autobiographers », *Victorian Writing and Working Women*, Cambridge, Polity Press, 1985, pp. 117-135.

16. *Doctoresse Pelletier*, pp. 37-38.

**Notes, Evelyne Peyre, Paris 1900 : une fervente de l'Anthropologie :**

1. L'Ecole d'Anthropologie fondée en 1875 par le comité central de la Société d'Anthropologie, commence à fonctionner en 1876. Elle comprend 5 cours parallèles durant un semestre, une bibliothèque et des collections. (Cf. Paul Broca, « Création d'un institut anthropologique », *Bulletins de la Société d'Anthropologie de Paris*, 1875, II/10, p. 406).

2. Madeleine Pelletier, « Recherches sur les indices pondéraux du crâne et des principaux os longs d'une série de squelettes japonais », *Bulletins et Mémoires de la Société d'Anthropologie de Paris*, V/1, 1900, p. 518.

3. Dcotoresse Pelletier, *Mémoires d'une féministe*, manuscrit, 1933.

4. *Registre des personnes admises dans le laboratoire et dans la galerie d'Anthropologie*, 1868-1992, p. 56.

5. Madeleine Pelletier, « Recherches sur les indices pondéraux du crâne... », *op. cit.*, p. 514.

6. Madeleine Pelletier, « Sur un nouveau procédé pour obtenir l'indice cubique du crâne », *Bulletins et Mémoires de la Société d'Anthropologie de Paris*, V/2, 1901, p. 190.

7. Madeleine Pelletier, « Contribution à l'étude de la phylogenèse du maxillaire inférieur », *Bulletins et Mémoires de la Société d'Anthropologie de Paris*, 1902, V/3, p. 537.

8. Secrétaire général de 1859 jusqu'à sa mort en 1880.

9. Les anthropologues ne s'appellent pas tous Joseph Gobineau (1816-1882) ou Georges Montandon (?-1945).

10. Léonce Manouvrier, « La Société d'Anthropologie de Paris depuis sa fondation », *Bulletins et Mémoires de la Société d'Anthropologie de Paris*, V/10, 1909, p. 309.

11. Principalement Georges Buffon (1707-1788), précurseur de la notion d'évolution.

12. Jean-Baptiste Lamarck (1744-1829) : *La philosophie zoologique* (1809) et *Histoire naturelle des animaux sans vertèbres* (1815-1822).

13. Georges Cuvier (1769-1832).

14. 1891, pithèque = Singe et anthrope = Homme. Mais la découverte un an plus tard, dans la même couche géologique, d'un fémur très droit atteste d'une station érigée parfaite : ce *Pithecanthropus erectus* est donc très humain. Par conséquent, le chaînon manquant est encore plus ancien.

15. Par Henri Becquerel.

16. Jean Hiernaux, « Le découpage de l'humanité actuelle en taxons », *Bulletins et Mémoires de la Société d'An-thropologie de Paris*, XIII/4, 1978, p. 283.

17. Léonce Manouvrier, « La Société d'Anthropologie... », *op. cit.*, p. 305.

18. *Mémoires d'une féministe, op. cit.*

19. Léonce Manouvrier, « Discours prononcé aux obsèques de M. Letourneau », *Bulletins et Mémoires de la Société d'Anthropologie de Paris*, 1902, pp. 171-174.

20. Paul Broca, in : Léonce Manouvrier, « La Société d'Anthropologie.... », *op. cit.*, p. 321.

21. Madeleine Pelletier, *La religion contre la civilisation et le progrès*, Caen, Impr. caennaise, sd, p. 9.

22. *Ibid.*, pp. 7-8 et 11.

23. Madeleine Pelletier, *Dépopulation et Civilisation*, Paris, Beresniak, sd, (après 1918).

24. Madeleine Pelletier, *La religion...*, *op. cit.*, pp. 10-11.

25. Madeleine Pelletier, *L'âme existe-t-elle ?*, Paris, La Brochure mensuelle, 1924, p. 12.

26. Madeleine Pelletier, *La religion...*, *op. cit.*, pp. 7 et 10.

27. Madeleine Pelletier, *La Morale et la lutte pour la vie*, Paris, l'Œuvre Nouvelle, 1905.

28. Madeleine Pelletier, *La religion...*, *op. cit.*, p. 8.

29. Madeleine Pelletier, *Les femmes peuvent-elles avoir du génie ?*, Paris, La Suffragiste, sd., Paris, 31 p.

30. R. Verneau, « Discours aux obsèques de Mme Clémence Royer », *Bulletins et Mémoires de la Société d'Anthropologie de Paris*, 1902, p. 75.

31. Madeleine Pelletier, « Recherches sur les indices pondéraux du crâne... », *op. cit.*, pp. 514-529.

Madeleine Pelletier, « Sur un nouveau procédé... », *op. cit.*, pp. 188-194.

Madeleine Pelletier, « Contribution à l'étude de la phylogenèse... », *op. cit.*, pp.537-545.

Marie et Madeleine Pelletier, « Craniectomie et régénération osseuse », *Bulletins et Mémoires de la Société d'Anthropologie de Paris,*, V/6, 1905, pp. 369-373.

32. Nicolas Vaschide et Madeleine Pelletier, « Contribution expérimentale à l'étude des signes physiques de l'intelligence », *Comptes Rendus de l'Académie des Scences*, Paris, 30927, 1901, pp. 1-3.

33. Nicolas Vaschide et Madeleine Pelletier, « Recherches expérimentales sur les signes physiques de l'intelligence », *La Revue de Philosophie*, 1903 et 1904, pp. 1-63.

34. Madeleine Pelletier, « La prétendue infériorité psycho-physiologique des femmes », *La vie normale*, 2/10, 1904, pp. 1-8.

Madeleine Pelletier, *L'âme... op. cit.*, pp. 1-12.

Madeleine Pelletier, *La religion... op. cit.*, pp. 10-11.

35. H. Mansuy, « Pelletier (Mlle M.), Recherches sur les indices pondéraux du crâne et des principaux os longs d'une série de squelettes japonais. *Bulletins et Mémoires de la Société d'Anthropologie de Paris* », *L'Anthropologie*, XIII, 1902, pp. 121-122.

Raoul Anthony, « Madeleine Pelletier, Contribution à l'étude de la phylogenèse du maxillaire inférieur, *Bulletins et Mémoires de la Société d'Anthropologie de Paris*, 1902 », *L'Anthropologie*, XIV, 1903, pp. 719-720.

Raoul Anthony, « Marie et Pelletier, Craniectomie et ré-génération osseuse, *Bulletins et Mémoires de la Société d'Anthropologie de Paris*, 5-6, 1905 », *L'Anthropologie*, XVII, 1906, pp. 212-213.

36. Maurice Reclus, « Pelletier (Dr Madeleine), La morale et la lutte pour la vie, «L'Œuvre Nouvelle», Paris 1905», *L'Anthropologie* » XVIII, 1907, pp. 226-228.

37. Madeleine Pelletier, « Recherches sur les indices pondéraux du crâne... », *op. cit.*, pp. 514-529.

38. Léonce Manouvrier, *Thèse de médecine*, 1881.

Léonce Manouvrier, « Recherches pour l'interprétation du poids du crâne et des caractères qui s'y rattachent », *Bulletins de la Société d'Anthropologie de Paris*, III/4, 1881, pp. 662-668.

Léonce Manouvrier, « Sur la force des muscles fléchisseurs des doigts chez l'homme et chez la femme, et comparaison du poids de l'encéphale à différents termes anatomiques et physiologiques », *Bulletins de la Société d'Anthropologie de Paris*, III/6, 1883, pp. 645-649.

Léonce Manouvrier, « Sur la grandeur du front et des principales régions du crâne chez l'homme et chez la femme », *Bulletins de la Société d'Anthropologie de Paris*, III/6, 1883, pp. 694-698.

39. Membre du Comité central de la Société d'Anthropologie, Léonce Manouvrier en est le Secrétaire général adjoint en 1900 (Le Secrétaire général est Letourneau).

40. Léonce Manouvrier, « Sur la grandeur du front... », *op. cit.*, p. 694.

41. Paul Broca, « Sur le volume et la forme du cerveau suivant les individus et suivant les races », *Bulletins de*

la *Société d'Anthropologie de Paris*, II, 1861, pp. 270 et 274.

42. *Ibid.*, pp. 141 et 204.

43. Léonce Manouvrier, « Sur la force des muscles... », *op. cit.*, p. 646.

44. Paul Broca, « Sur le volume et la forme du cerveau... », *op. cit.*, p. 153.

45. Madeleine Pelletier, « Recherches sur les indices pondéraux du crâne... », *op. cit.*, p. 515.

46. *Ibid.*

47. *Ibid.*

48. *Ibid.*, p.518.

49. Souligné par nous.

50. Madeleine Pelletier, « Recherches sur les indices pondéraux du crâne... », *op. cit.*, p. 519.

51. *Ibid.*, p. 520.

52. Evelyne Peyre, Joëlle Wiels et Michèle Fonton, « Sexe biologique et sexe social », *Sexe et genre*, Paris, Ed. du CNRS, 1991, pp. 27-50.

53. Souligné par nous.

54. Madeleine Pelletier, « Recherches sur les indices pondéraux du crâne... », *op. cit.*, p. 524.

55. *Ibid.*

56. *Ibid.*

57. *Ibid.*, p. 527.

58. Madeleine Pelletier, « Sur un nouveau procédé... » *op. cit.*, pp. 188-194.

59. *Ibid.*, p. 190.

60. *Ibid.*

61. *Ibid.*

62. *Ibid.*, p. 191.

63. *Ibid.*

64. *Ibid.*, p. 193.

65. *Ibid.*

66. Madeleine Pelletier, « Contribution à l'étude de la phylogenèse... », *op. cit.*, pp. 537-545.

67. Raoul Anthony, « Madeleine Pelletier, Contribution à l'étude de la phylogenèse... », *op. cit.*, p. 719.

68. Nicolas Vaschide et

Madeleine Pelletier, « Contribution expérimentale à l'étude... », *op. cit.*, p. 1.

69. Nicolas Vaschide et Madeleine Pelletier, « Recherches expérimentales sur les signes... », *op. cit.*, p. 6.

70. *Ibid.*, p. 11.

71. Madeleine Pelletier, « Recherches sur les indices pondéraux du crâne... », *op. cit.*, p. 515.

72. Nicolas Vaschide et Madeleine Pelletier, « Recherches expérimentales sur les signes... », *op. cit.*, p. 2.

73. Nicolas Vaschide et Madeleine Pelletier, « Contribution expérimentale à l'étude... », *op. cit.*, p. 3.

74. Nicolas Vaschide et Madeleine Pelletier, « Recherches expérimentales sur les signes... », *op. cit.*, p. 11.

75. *Ibid.*, p. 10.

76. Marie et Madeleine Pelletier, « Craniectomie et régénération... », *op. cit.*, pp. 369-373.

77. *Ibid.*, pp. 372-373.

78. Raoul Anthony, « Marie et Pelletier, Craniectomie et régénération... », *op. cit.*, pp. 212-213.

79. Marie et Madeleine Pelletier, « Craniectomie et régénération... », *op. cit.*, p. 371.

80. *Ibid.*, pp. 372-373.

81. Melvin Moss, « Growth of the calvaria in the rat », *The American Journal of Anatomy*, 94/3, 1954, pp. 333-363.

82. Raoul Anthony (1874-1941).

83. Madeleine Pelletier, *La prétendue infériorité...*, *op. cit.*, pp. 1-8.

84. Maurice Reclus, « Pelletier (Dr Madeleine), La morale... », *op. cit.*, pp. 226-228.

85. Madeleine Pelletier, *Les femmes...*, *op. cit.*, p. 18.

86. Madeleine Pelletier, « Guédisme ou Hervéisme ? », *La Suffragiste*, 17, 1910, pp. 4.

87. Raoul Anthony (1874-1941) obtiendra un poste d'enseignement à l'Ecole d'Anthropologie en 1907, puis la direction de la Chaire d'Anatomie comparée du Muséum. Paul Rivet (1876-1958) obtiendra le poste d'assistant au Laboratoire d'Anthropologie en 1908, puis la direction de la Chaire d'Anthropologie du Muséum. Pierre Teilhard de Chardin (1881-1955). Camille Arambourg (1885-1969) obtiendra la direction de la Chaire de Paléontologie du Muséum.

88. Madeleine Pelletier, *Les femmes... op. cit.*, p. 25.

**Notes, Jean-Christophe Coffin, *La Doctoresse Madeleine Pelletier et les psychiatres* :**

1. Felicia Gordon, *The Integral Feminist, Madeleine Pelletier, 1874-1939*, Cambridge, Polity Press, 1990.

Charles Sowerwine, « Madeleine Pelletier 1874-1939 : femme, médecin, militante », *L'information psychiatrique*, IX, nov. 1988, pp. 1183-93.

Frank Barnel, *Madeleine Pelletier 1874-1939, première femme interne des asiles de la Seine*, Thèse pour le doctorat de médecine, Paris, 1988.

2. Georges Canguilhem, « Qu'est-ce que la psychologie ? », *Etudes d'histoire et de philosophie des sciences*, Vrin, 5ᵉ éd., 1989, pp. 365-81 (précédemment dans la *Revue de Mé-*

*taphysique et de Morale*, 1958).

3. Sur le concept de génération, plusieurs travaux ont été publiés ces dernières années ; voir Jean-François Sirinelli, « Effets d'âge et phénomènes de génération dans le milieu intellectuel français », *Cahiers de l'IHTP*, n°6, 1987, pp. 5-19 et Claude Digeon dont les vues pionnières demeurent toujours suggestives : *La crise allemande de la pensée française*, PUF, 1959.

4. Pour un complément d'informations on peut se reporter à l'entrée « Alexis Joffroy » dans la *Nouvelle histoire de la psychiatrie*, sous la direction de Jacques Postel et Pierre Quétel, Privat, 1983, pp. 652-53 ; également Ch. Achard, « Alexis Joffroy », *Archives de médecine expérimentale et d'anatomie pathologique*, XX, 1908, pp. I/VIII.

5. Au sens où le proposent Michel Callon et Bruno Latour.

6. Cette collection, première en son genre, devait publier quinze volumes mais peu seront effectivement mis sous presse. Dans le prospectus il était annoncé que « le but de cette bibliothèque est de résumer nos connaissances actuelles sur la Biologie, l'Anthropologie, la Psychologie, la Pathologie, la Pédagogie, et la Sociologie appliquées à l'étude de la femme, à la détermination de ses caractères physiques et moraux ».

7. Plus heureuse que sa précédente initiative, cette bibliothèque publiera de très nombreux ouvrages et parmi les plus importants en ce domaine.

8. Toulouse, Legrain, Dubuisson sont membres de la Société médico-

psychologique qui rassemble les aliénistes de France, et Marie en est membre correspondant ; il est aussi membre de la Société de psychologie.

9. Edouard Toulouse publie *Les causes de la folie, prophylaxie et assistance*, Société d'éditions scientifiques, 1896 ; Marie sera responsable de l'*Encyclopédie internationale d'assistance, de prévoyance et d'hygiène sociale*, dont le premier volume paraît en 1908.

10. Edouard Toulouse, *Les conflits intersexuels et sociaux*, Fasquelle, 1904, p. 1. d'où ce titre.

11. *Ibid.*, p. 9.

12. Il saura, à l'occasion, exprimer des vues plus nuancées.

13. Je rappelle pour mémoire qu'elle dut batailler pour se présenter au concours d'interne qui était jusque là interdit aux femmes et qu'elle y parvient après un soutien actif du journal *La Fronde* notamment. Cette question de l'accessibilité des femmes à ce concours était discutée depuis longtemps. Voir le *Bulletin municipal officiel de la ville de Paris*, 3/12/1885, pp. 205-301.

14. Voir le dossier de ses études médicales déposé aux Archives nationales : AJ 16 6932.

15. AJ 16 6367 : Dossier des prix de la Faculté de médecine, 1899-1904. C'est Dejérine qui s'est occupé de son dossier ; il fut aussi membre de son jury de thèse.

16. *Les lois morbides de l'association des idées*, J. Rousset, 1904. Le texte demeure inchangé ; seule une préface a été ajoutée.

17. *Ibid.*, p. I.

18. Dumas avait fondé son propre laboratoire à Sainte-Anne en 1897, peu de temps avant que Madeleine Pelletier y effectue son stage.

19. Dans la préface à un ouvrage qui ne paraîtra qu'après la première guerre mondiale et qui fait un état des lieux de la recherche en psychologie, Ribot écrit : « la psychologie expérimentale se propose l'étude exclusive des phénomènes de l'esprit, suivant la méthode des sciences naturelles et indépendamment de toute hypothèse métaphysique » (George Dumas, *Traité de psychologie*, Alcan, 1923, 2 vol, p. IX) ; cette préface fut écrite en 1914. Sur l'atmosphère de l'époque pour cette discipline on peut se reporter à un des premiers textes de Michel Foucault, « La psychologie de 1850 à 1950 », D. Huisman, D. Weber, *Histoire de la philosophie contemporaine*, 1957, t. 3, pp. 591-605.

20. *Revue scientifique*, 9 avril 1904, p. 479.

21. ·L'association des idées dans la manie », *La Médecine moderne*, 2/12/1903, pp. 377-78.

22. Il s'agit de « La parole intérieure chez les psychasthéniques et les persécutés », *La Médecine Moderne*, 1/02/1905, pp. 33-34 ; « L'idéation chez les débiles », *La Médecine moderne*, 29/03/1905, pp. 97-100 ; « Les membres fantômes chez les amputés délirants », *La Médecine Moderne*, 24/05/1905, pp. 161-162 ; c'est le texte d'une communication prononcée devant la Société de psychologie le mois précédent. « Action hypnotique et sédative du neuronal chez les aliénés », *Bulletin général de thérapeutique* , 07/1905, pp. 17-28 ; « Le sérum isotonique dans le traitement des maladies mentales », *Bulletin général de thérapeutique*, 10/1905, pp. 628-37 ; « Le mal perforant dans la paralysie générale », *Revue de psychiatrie et de psychologie expérimentale*, 11/1905, pp. 469-76. Ces trois derniers articles furent écrits en collaboration avec Marie. Enfin, « Folie et choc moral », *Archives de neurologie*, XX, 03/1906, pp. 188-92.

23. « Les causes psychologiques et sociales de l'alcoolisme », *La Médecine moderne*, 20/07/1904, p. 225.

24. *Ibid.*, p. 226.

25. *Ibid.*

26. Pour une appréciation plus juridique du débat, voir : Auguste Rol, *L'évolution du divorce*, Librairie Nouvelle de Droit et de Jurisprudence, 1905 ; la préface est réalisée par Edouard Toulouse.

27. « La folie, cas de divorce », *La Médecine moderne*, 13/12/1905, p. 393.

28. *Ibid.*, p. 394.

29. *Ibid.*, p. 395.

30. « La question des asiles privés pour aliénés indigents », *La Médecine moderne*, 22/11/1905, pp. 369-70.

31. N'oublions pas que nous sommes en 1905, et que la loi sur la séparation de l'Eglise et de l'Etat s'apprête à être votée (elle passera le 9 Décembre).

32. *La Médecine moderne*, 06/09/1905, pp. 281-282.

33. *Archives d'anthropologie criminelle*, XVII, 1902, pp. 478-509. L'article est écrit en collaboration avec Cl. Vurpas.

34. Etienne Rabaud, le biologiste, écrivait quelques années avant : « nous croyons

que dans l'état actuel des choses le terme de dégénéré a perdu tout sens précis », « Anormaux et dégénérés », *Revue de psychiatrie*, VII, 09/1903, pp. 375-89.

35. « C'est une diminution de l'activité des processus généraux de la vie, sensible notamment dans l'appareil et la fonction qui président à tous les autres, le système nerveux et l'intelligence », écrit-elle, dans *Qu'est-ce que la dégénérescence ?*, p. 282.

36. *Ibid.*, p. 281.

37. *Ibid.*

38. Alexis Joffroy, « Des myopsychies », *Revue neurologique*, X, 1902, pp. 286-289.

39. *La Médecine moderne*, 18/10/1905, pp. 329-331.

40. Edouard Toulouse, *Enquête médico-psychologique sur la supériorité intellectuelle. Emile Zola*, Société d'éditions scientifiques, 1896 ; il publie une deuxième étude, cette fois-ci sur Henri Poincaré chez Flammarion en 1910. De Lombroso il écrivait, en se basant sur l'édition française de 1896 de *l'homme de génie* : « la manière dont Lombroso nous présente sans aucune preuve les faits les plus étranges n'est pas faite pour nous inspirer confiance. », p. 11.

41. P. M. Legrain, « L'anthropologie criminelle au Congrès de Bruxelles de 1892 », *La Revue scientifique*, 15/10/1892 ; tout en reconnaissant que Lombroso a été d'un grand apport pour la science et notamment pour l'anthropologie criminelle ; voir pp. 487-497 ; il est à noter que dans son article sur la débilité de l'enfant, elle reprend les arguments de Legrain. « En dépit de ce qu'en pensent certains criminalistes,

l'attirance de ces jeunes gens pour le crime n'est pas seulement la marque du réveil d'instincts ancestraux.», « La débilité... », p. 330 ; l'allusion à Lombroso est évidente.

42. « Sur la prétendue dégénérescence des hommes de génie », *L'Acacia. Revue des études maçonniques*, s.d., p. 8.

43. *Les femmes peuvent-elles avoir du génie ?*, Paris, La suffragiste, s.d., pp. 5-29.

44. Sur la vie et l'œuvre de Lombroso voir : Renzo Villa, *Il deviante e i suoi segni*, Milano, Franco Angeli, 1985.

45. Le premier livre qu'il a publié sur le sujet s'intitule *Genio e follia*, Milano, Chiusi, 1864 ; la première traduction française date de 1889 et elle est basée sur la sixième édition.

46. *L'homme de génie*, trad. de la 6e éd. ital., préf. de Ch. Richet, Paris, Alcan, 1889, p. 468.

47. *La Suffragiste*, p. 12.

48. *Ibid.*, p. 16.

49. *L'Acacia*, p. 8.

50. Elle développe cette idée et réfute la distinction que font, trop de scientifiques à son goût, sur le cerveau de l'homme et de la femme dans « La prétendue infériorité psycho-physiologique des femmes », *La Vie normale*, 12/1904, pp. 420-424.

51. « L'hérédité biologique et l'hérédité psychologique », *La Médecine moderne*, 19/07/1905, p. 226.

### Notes, Laurence Klejman / Florence Rochefort, L'action suffragiste de Madeleine Pelletier :

1. Cf. Laurence Klejman, Florence Rochefort, *L'Egalité*

en marche. Le féminisme sous la Troisième République, Paris, Presses de la FNSP/Des femmes, 1989.

2. Madeleine Pelletier, *Mémoires d'une féministe*, p. 15, BHVP.

3. *Ibid.*

4. Madeleine Pelletier, *La femme en lutte pour ses droits, la tactique féministe*, Paris, Syros, coll. « Mémoires des femmes », 1978, Préface et notes de Claude Maignien.

5. Madeleine Pelletier, « Le féminisme et ses militantes », *Les Documents du Progrès*, 07/1909.

6. Madeleine Pelletier, « Les candidatures féminines », *La Suffragiste*, 06/1910.

7. Madeleine Pelletier, « Ma campagne électorale municipale », *La Suffragiste*, 06/1912.

8. Madeleine Pelletier, *Mémoires... op. cit.*

### Notes, Anne Cova, De la libre maternité à la désagrégation de la famille :

1. Anne Cova, « Féminisme et maternité : la doctoresse Madeleine Pelletier (1874-1939) », *Actes du Colloque d'Histoire au Présent*, à paraître.

2. Cf. chapitre III, « La Maternité doit être libre », pp. 37-59, Madeleine Pelletier, *L'émancipation sexuelle de la femme*, Paris, La Brochure Mensuelle, 1926 (1ère édition 1911, Paris, Giard et Brière).

3. Cf. Madeleine Pelletier, *La rationalisation sexuelle*, Paris, éditions du Sphinx, 1935, chap. VIII, « La désagrégation de la famille », pp. 61-76.

4. *Anne dite Madeleine Pelletier*, p. 8, Notes écrites par

Hélène Brion le 23/11/1939, BMD.

5. Madeleine Pelletier, *La femme vierge*, Paris, Bresle, 1933.

6. *Ibid.*, p. 46.

7. Madeleine Pelletier, *Une vie nouvelle*, Paris, Eugène Figuière, 1932, p. 141.

8. Marie-Françoise Lévy, *De mères en filles. L'éducation des Françaises, 1850-1880*, Paris, Calmann-Lévy, 1984.

9. Charles Sowerwine, « Militantisme et identité sexuelle : la carrière politique et l'œuvre théorique de Madeleine Pelletier (1874-1939) », *Le Mouvement social*, n° 157, 10-12/1991, p. 12.

10. *Anne dite Madeleine Pelletier*, p. 9.

11. *La femme vierge*, p. 79.

12. C'est le titre d'une brochure de Madeleine Pelletier : *Le Célibat. Etat supérieur*, Caen, Impr. caennaise, s.d.

13. Cf. les lettres de Madeleine Pelletier à son amie Arria Ly sur sa virginité, BHVP.

14. Madeleine Pelletier, *L'émancipation sexuelle de la femme*, chap. IV, « La Dépopulation est-elle un mal? », pp. 60-79. Cf. aussi Madeleine Pelletier, *Dépopulation et Civilisation*, Paris, Beresniak, s.d. ; cette brochure a été publiée dans le chapitre VI de *La rationalisation sexuelle*, pp. 43-53.

15. Karen Offen, « Depopulation, Nationalism and Feminism in Fin-de-Siècle France », *American Historical Review*, june 1984, vol. 89, n° 3, pp. 648-676.

16. Françoise Thébaud, *La femme au temps de la guerre de 14*, Paris, Stock, 1986, p. 266.

17. *L'émancipation sexuelle de la femme*, chapitre IV, « La Dépopulation est-elle un mal ? », p. 68.

18. *Ibid.*, chapitre III, « La Maternité doit être libre », p. 43.

19. *La rationalisation sexuelle*, chapitre VI, «Dépopulation et civilisation», p.51.

20. *Ibid.*, p. 52.

21. *L'émancipation sexuelle de la femme*, chapitre IV, « La Dépopulation est-elle un mal ? », p. 71.

22. Arsène Dumont, *Dépopulation et civilisation. Etude démographique*, Paris, Lecrosnier et Babé, 1890 et *Natalité et Démocratie. Conférences faites à l'Ecole d'Anthropologie de Paris*, Paris, Schleicher frères, 1898. Ainsi que *L'émancipation sexuelle de la femme*, chapitre IV, « La Dépopulation est-elle un mal ? », p. 68 et p. 71.

23. Sur les critiques de Madeleine Pelletier envers J. Bertillon, Cf. *L'émancipation sexuelle de la femme*, chap. III, « La Maternité doit être libre », p.50 et chap. IV, « La Dépopulation est-elle un mal ? », pp. 72, 74, 77 et 79.

M. Pelletier, *Pour l'abrogation de l'article 317. Le droit à l'avortement*, Paris, éd. du Malthusien, 1913 (2ème éd.), p. 13 (1ère éd. : 1911). Une partie de cette brochure est reproduite dans *L'émancipation sexuelle de la femme*, chap. III, « La Maternité doit être libre » et dans *La rationalisation sexuelle*, chapitre V, « Le droit à l'amour stérile ».

24. *L'émancipation sexuelle de la femme*, chap. IV, « La Dépopulation est-elle un mal ? », p. 60.

25. Madeleine Pelletier, « Natalité », *L'éveil de la femme*, 17/11/1932.

26. *L'émancipation sexuelle de la femme*, chap. IV, « La Dépopulation est-elle un mal ? », p. 63.

27. Felicia Gordon, *The Integral Feminist : Madeleine Pelletier, 1874-1939. Feminism, Socialism and Medicine*, Oxford, Polity Press, 1990, p. 181.

28. Madeleine Pelletier, « Faut-il repeupler la France ? », *La guerre sociale*, 16-22/03/1910.

29. Dr Jean Marestan, *L'éducation sexuelle*, 82e mille, Paris, L. Silvette, s.d.

30. Lettre du 21 décembre 1914 de Madeleine Pelletier à Arria Ly, BHVP.

31. *Ibid.*

32. Dossier Madeleine Pelletier au ministère des P.T.T., audience du 10/08/1914.

33. Journal de guerre manuscrit, Cf. le 24 septembre 1914.

34. Archives nationales, F7 13.961.

35. Michelle Perrot, « Sur le front des sexes : un combat douteux », *Vingtième siècle*, n° 3, 07/1984, pp. 69-76.

36. Madeleine Pelletier, *Le droit au travail pour la femme*, Paris, La Brochure Mensuelle, 1931, pp. 18-20 et « Le féminisme et la guerre », *La Suffragiste*, 06/1919.

37. *Le droit au travail pour la femme, op. cit.*, p. 20.

38. *Ibid.*, p. 21.

39. Pour une étude comparative des positions de Madeleine Pelletier et Nelly Roussel Cf. Claude Maignien, Magda Safwan, « Deux féministes : Nelly Roussel, Madeleine Pelletier (1900-1925) », Maîtrise sous la direction de Michelle Perrot, Paris VII, 1975.

40. *Pour l'abrogation de l'article 317... op. cit.*, p. 17. Cf. aussi Madeleine Pelletier, « L'avortement et la dépopulation », *La Suffragiste*, 05/1911.

41. *L'émancipation sexuelle de la femme*, chap. III, « La Maternité doit être libre », p. 42.

42. *Ibid.*, chap. V, « La Femme et la race », p. 82.

43. *Ibid.*, p. 81.

44. Lettre du 6 février 1933 de Madeleine Pelletier à Arria Ly, BHVP.

45. *L'émancipation sexuelle de la femme*, chap. V, « La Femme et la race », p.81.

46. Anne Cova, « Féminisme et Natalité : Nelly Roussel (1878-1922) », *History of European Ideas*, à paraître.

47. *L'émancipation sexuelle de la femme*, chap. III, « La Maternité doit être libre », p. 41.

48. Lettre du 13 novembre 1911 de Madeleine Pelletier à Arria Ly, BHVP.

49. Madeleine Pelletier, *L'amour et la maternité*, Paris, La Brochure Mensuelle, 12/1923, p. 6.

50. *Ibid.*, p. 7.

51. *Mémoires d'une féministe*, p. 7.

52. *La femme vierge*, p. 133.

53. *Ibid.*, p. 83. et p. 85.

54. *Ibid.*, p. 25.

55. Madeleine Vernet, « La libération de la Femme », *La Mère éducatrice*, 10/1919-1920.

56. *La rationalisation sexuelle*, chap. IX, « Le Célibat. Etat supérieur », p. 90.

57. *L'émancipation sexuelle de la femme*, chap. V, « La Femme et la race », p.84.

58. Madeleine Pelletier, *Capitalisme et Communisme*, Nice, Impr. Rosenstiel, s.d. (dépôt légal à la BN en 1926), p. 12.

59. Madeleine Pelletier, « Nos frères inférieurs. La morale des chiens », *La Fronde*, 5/11/1926.

60. Madeleine Pelletier, *L'Etat éducateur*, Paris, Impr.

d'Editions, 1931, p. 7.

61. Madeleine Pelletier, « Les Suffragettes anglaises se virilisent », *La Suffragiste*, 10/1912.

62. Madeleine Pelletier, *Mon voyage aventureux en Russie communiste*, Paris, M. Giard, 1922, p. 173.

63. *L'amour et la maternité... op. cit.*, pp. 16-17.

64. Madeleine Pelletier, « Natalité », *L'Eveil de la femme*, 17/11/1932. Et *L'émancipation sexuelle de la femme*, chap. V, « La Femme et la race », p. 82.

65. *L'Etat éducateur... op. cit.*, p. 7. ; Madeleine Pelletier, *La désagrégation de la famille*, Paris, G. Sauvard, s.d., p. 6.

66. Madeleine Pelletier, « Faut-il repeupler la France ? », *La guerre sociale*, 16-22/03/1910.

67. *L'amour et la maternité... op. cit.*, p. 16 ; *L'Etat éducateur,... op. cit.*, p. 8 ; *La rationalisation sexuelle*, chap. VI, « Dépopulation et civilisation », p. 53 ; chap. VIII, « La désagrégation de la famille », p. 70. Cf. aussi M. Pelletier, *Philosophie sociale. Les opinions, les partis, les classes*, Paris, Giard et Brière, 1912, pp. 56-57. Sur Jean-Jacques Rousseau, Cf. Joël Schwartz, *The Sexual Politics of Jean-Jacques Rousseau*, Chicago, University of Chicago Press, 1984.

68. Madeleine Pelletier, « Obstacles physiologiques », *La Suffragiste*, 05/1911.

69. Madeleine Pelletier, «Une seule morale pour les deux sexes », *La Suffragiste*, 09/1910. Cf. aussi Madeleine Pelletier, *La femme en lutte pour ses droits*, Paris, Giard et Brière, 1908, p. 40.

70. *La femme en lutte pour ses droits*, pp. 36-37.

71. *Ibid.*, p. 37 et p. 76.

72. *Ibid.*, p. 77.

73. *Ibid.*, pp. 34-35 et p. 41.

74. *Ibid.*, p. 34 et p. 41.

75. *La femme vierge*, p. 61 et p. 108.

76. *Ibid.*, p. 146.

77. *La femme en lutte pour ses droits*, p. 40.

78. *La femme vierge*, p. 108. Madeleine Pelletier, « Le féminisme et ses militantes », *Les Documents du Progrès*, 07/1909, p. 21 et p. 23. Madeleine Pelletier, *Les Femmes peuvent-elles avoir du Génie ?*, Paris, La Suffragiste, s.d., p.18.

79. *La femme vierge*, p. 151.

80. Laurence Klejman, Florence Rochefort, *L'égalité en marche.... op. cit.*, p. 25.

81. *L'émancipation sexuelle de la femme*, chap. III, « La Maternité doit être libre », p. 55.

82. *Ibid.*, p. 54. Madeleine Pelletier, « Fille-mère », *La Fronde*, 15/07/1926.

83. *L'émancipation sexuelle de la femme*, chap. III, « La Maternité doit être libre », p. 47.

84. Madeleine Pelletier, « Le choc des idées. Valeur humaine du féminisme », *La Fronde*, 13/11/1926.

85. *La femme vierge*, p. 129.

86. *L'émancipation sexuelle de la femme*, chap. III, « La Maternité doit être libre », p. 48.

87. *Pour l'abrogation de l'article 317 .... op. cit.*, p.18. *L'émancipation sexuelle de la femme*, chap. III, « La Maternité doit être libre », p. 57. *La rationalisation sexuelle*, chap. V, « Le droit à l'amour stérile », p. 41.

88. Laurence Klejman, Florence Rochefort, *L'égalité en marche... op. cit.*, p. 328.

89. Madeleine Pelletier, *L'individualisme*, Paris, M. Giard et E. Brière, 1919. *L'émancipation sexuelle de la femme*, chap III, « La Maternité

doit être libre », p. 58. Cf. aussi
*La rationalisation sexuelle*, chap.
VIII, « La désagrégation de la
famille », p. 76. Madeleine
Pelletier, « Individualisme et
Communisme », *La Voix des
femmes*, 15/12/1921.
90. *La rationalisation
sexuelle*, chap. V, « Le droit à
l'amour stérile », p. 41.
91. *Pour l'abrogation de l'article 317*, p. 15. *L'émancipation
sexuelle de la femme*, chap. III,
« La Maternité doit être libre », pp. 53-54.
92. Lettre du 4 juin 1932 de
Madeleine Pelletier à Arria Ly,
BHVP.
93. Lettre du 2 novembre
1911 de Madeleine Pelletier à
Arria Ly, BHVP.
94. Lettre du 13 novembre
1911 de Madeleine Pelletier à
Arria Ly, BHVP.
95. Lettre du 14 février 1933
de Madeleine Pelletier à Arria Ly, BHVP.
96. *Une vie nouvelle*, p. 26.
97. *Ibid.*, p. 135.
98. *Ibid.*, p. 245.
99. *Ibid.*, p. 204.
100. *L'émancipation sexuelle
de la femme*, chap. II, « Le
Féminisme et la famille »,
p. 13.
101. *La femme vierge*, p. 109,
pp. 239-240.
102. *La femme en lutte pour
ses droits*, p. 75.
103. *Philosophie sociale. Les
opinions, les partis, les classes*,
p. 127.
104. Madeleine Pelletier,
« Mariage », *L'Eveil de la
Femme*, 10/11/1932.
105. Madeleine Pelletier,
« Fille-mère », *La Fronde*, 15/
07/1926 et « Mariage ou célibat », *Ibid.*, 28/08/1926.
106. *La rationalisation
sexuelle*, chap. IX, « Le célibat.
Etat supérieur », p. 89.
107. *Ibid.*, p. 87.
108. *La rationalisation*

*sexuelle*, chap. II, « De la Dévirginisation », p. 11.
109. *Mémoires d'une féministe*, p. 18.
110. *La rationalisation
sexuelle*, chap. III, « De la chasteté », p. 16.
111. *L'émancipation sexuelle
de la femme*, chap. I, « Une
seule morale pour les deux
sexes », p. 3.
112. *Le droit au travail pour
la femme*, p. 25.
113. *La femme vierge*, p. 78.
114. *L'émancipation sexuelle
de la femme*, chap. II, « Le Féminisme et la famille », p. 20.
115. *Ibid.*, p. 20.
116. *Ibid.*, p. 14.
117. Madeleine Pelletier,
*Avons-nous des devoirs ?*, Caen,
Le Semeur, s.d.
118. *L'émancipation sexuelle
de la femme*, chap. II, « Le
Féminisme et la famille »,
p. 16.
119. *L'Etat éducateur*, p. 14.
120. *L'émancipation sexuelle
de la femme*, chap. II, « Le Féminisme et la famille », pp.
22-23. Madeleine Pelletier,
« La prétendue infériorité
psycho-physiologique des
femmes », *La Vie normale*, 12/
1904, p. 4.
121. *L'émancipation sexuelle
de la femme*, chap. II, « Le
Féminisme et la famille »,
p. 27. Madeleine Pelletier, *La
Morale et la Loi*, Paris, chez
l'auteur, 1926, p. 11.
122. Madeleine Pelletier,
*L'éducation féministe des filles*,
Paris, Giard et Brière, 1914,
p. 2.
123. *L'émancipation
sexuelle de la femme*, chap. II,
« Le Féminisme et la famille »,
p. 27.
124. *Le droit au travail pour
la femme*, p. 21.
125. *Une vie nouvelle*, p. 134.
126. Madeleine Pelletier,
« Les demi-émancipée », *la*

*Suffragiste,*, 01/1912.
127. *L'amour et la maternité*,
p. 7. Cf. aussi Claudine Mitchell, « Madeleine Pelletier
(1874-1939) : The Politics of
Sexual Oppression », *Feminist
Review*, autumn 1989, pp. 72-92.
128. *L'amour et la maternité*,
p. 11.
129. *La rationalisation
sexuelle*, chap. I, « Le
Freudisme et son influence »,
p. 8.
130. *L'amour et la maternité*,
p. 13.
131. *Le droit au travail pour
la femme*, p. 16.
132. *La rationalisation
sexuelle*, chap. V, « Le droit à
l'amour stérile », p. 34.
133. *L'émancipation sexuelle
de la femme*, chap. III, « La Maternité doit être libre », pp. 38-39. *La rationalisation sexuelle*,
chap. V, « Le droit à l'amour
stérile », p. 34.
134. Madeleine Pelletier,
« De la Prostitution », *L'Anarchie*, 11/1928.
135. *La rationalisation
sexuelle*, chap. II, « De la
Dévirginisation », p. 12.
136. Lettre du 8 avril 1932
de Madeleine Pelletier à Arria Ly, BHVP.
137. *L'amour et la maternité*,
p. 14.
138. Madeleine Pelletier,
*Aujourd'hui et demain. L'Assistance. Ce qu'elle est. Ce qu'elle
devrait être*, Paris, Beresniak,
s.d., p. 9.
139. Madeleine Pelletier,
*Discours : élections législatives*,
avril 1910, manuscrit, BMD
(discours prononcé par
M. Pelletier dans le préau
d'une école le 23/04/1910).
140. *L'amour et la maternité*,
p. 19.
141. *La femme vierge*, p. 245.
142. *L'émancipation sexuelle
de la femme*, chap. II, « Le Fé-

minisme et la famille », p. 34.
*La rationalisation sexuelle*, chap.VIII, « La désagrégation de la famille », pp. 71-72.
143. *Une vie nouvelle*, p. 186.
144. *L'Etat éducateur*, p. 20.
145. *Aujourd'hui et demain. L'Assistance.... op. cit.*, p. 10. et *Capitalisme et Communisme... op. cit.*, p. 12.
146. *Ibid..*, 12 et *Une vie nouvelle*, p. 238.
147. *Capitalisme et Communisme*, p. 13.
148. *La rationalisation sexuelle*, chap. IX, « Le célibat. Etat supérieur », pp. 90-91. *La femme vierge*, p. 245.
149. *Une vie nouvelle*, p. 136.
150. *Ibid.*, p. 24.
151. *Ibid.*, p. 25.
152. *Ibid.*, p. 25.
153. *Ibid.*, p. 26.
154. *Ibid.*, p. 27.
155. *Ibid.*, p. 26.
156. *Ibid.*, p. 24 et p. 136.
157. *Ibid.*, p. 135.
158. *L'Etat éducateur*, p. 15.
159. *Mon voyage aventureux en Russie Communiste*, p. 35. Voir aussi Madeleine Pelletier, « La Condition des Femmes dans la Russie Communiste », *La Voix des Femmes*, 27/10/1921. Lettre du 6 juin 1921 de Madeleine Pelletier à Arria Ly, BHVP.
160. *Mon voyage aventureux en Russie Communiste*, p. 103.
161. *Ibid.*, p. 154.
162. *Ibid.*, p. 144.
163. Claude Maignien, « La référence à la Terreur dans la révolution russe de 1917 : lecture d'une féministe, Madeleine Pelletier », *Actes du colloque international : Les femmes et la révolution française*, tome 3, *L'effet 89*, Toulouse, Presses universitaires du Mirail, 1991, pp. 235-246, cf. p. 243.
164. *Mon voyage aventureux en Russie Communiste*, p. 147.

165. *Ibid.*, p. 142.
166. Dans deux lettres à Arria Ly du 12 et 20 septembre 1932 (BHVP), Madeleine Pelletier constate que l'avortement n'est pas pratiqué dans les campagnes russes.
167. *La désagrégation de la famille*, p. 15.
168. Titre d'un des ouvrages d'Alexandra Kollontaï, *La femme nouvelle et la classe ouvrière*. Cf. aussi Alexandra Kollontaï, *La Famille et l'Etat Communiste*, Paris, Bibliothèque communiste, 1920.
169. *Mon voyage aventureux en Russie Communiste*, p. 171.
170. *Ibid.*, p. 172.
171. *Ibid.*, p. 148.
172. *Ibid.*, p. 146.
173. *Ibid.*, p. 217.
174. *Ibid.*, p. 218.
175. *Ibid.*, p. 177.
176. Madeleine Pelletier, « L'argument de l'infériorité », *La Fronde*, 21/07/1926.
177. *Capitalisme et Communisme*, p. 10.
178. Lettres du 31 janvier, 4, 6 et 9 février 1933 de Madeleine Pelletier à Arria Ly, BHVP.
179. Lettre du 21 septembre 1939 de Madeleine Pelletier à Hélène Brion, BMD.
180. Frank Barnel, *Madeleine Pelletier (1874-1939). Première femme interne des Asiles de la Seine*, thèse pour le doctorat en Médecine, faculté de Médecine de Saint-Antoine, Paris, 1988.
181 Cf. O91 PEL à B.M.D.

**Notes, Christine Bard, *La virilisation des femmes et l'égalité des sexes* :**

1. *Doctoresse Madeleine Pelletier*, manuscrit, p. 35.
2. *Les femmes et le féminisme*, p. 45.

3. Citation de Madeleine Pelletier mise en épigraphe du journal d'Hélène Brion, *La Lutte féministe*, en 1919.
4. « Les demi-émancipées », *La Suffragiste*, 01/1912.
5. Arria Ly, « Pages à méditer », *La Suffragiste*, 02/1908 (commentaire sur le livre de Madeleine Pelletier *La femme en lutte pour ses droits*).
6. *L'émancipation sexuelle de la femme*, p. 9, note 1.
7. *Doctoresse Madeleine Pelletier*, p. 4.
8. Madeleine Pelletier à Arria Ly, s.d. (enveloppe 18/09/1911).
9. Madeleine Pelletier à Arria Ly, 06/10/1911.
10. O. Gevin-Cassal à Caroline Kauffmann, 14/10/1911.
11. La participation des femmes à la violence armée est pour les féministes un terrain difficile et pavé de contradictions.
« Laisser aux hommes le contrôle exclusif des instruments de violence, cautionne la division entre protecteur et protégée, met les femmes en danger et ironiquement, alimente aussi bien l'idéologie militaire que l'idéologie masculiniste » déclare Sarah Ruddick (« Pacifying the Forces : Drafting Women in the Interests of Peace », *Signs*, 8 (3), pp. 471-489, citée par Emmanuel Reynaud, *Les femmes, la violence et l'armée*, Paris, Fondation pour les études de défense nationale, 1988, p. 40). La polémique éclate en Allemagne quand, en 1978, Alice Schwarzer rompt l'unanimité féministe contre le projet de service civil pour le femmes : tout en étant hostile à l'armée et au service

militaire, elle refuse d'être exemptée en tant que femme, et veut pouvoir choisir le statut d'objecteur de conscience. (Cf. Nicole Gabriel, « Les femmes dans le mouvement pacifiste en RFA », *Nouvelles Questions Féministes*, 11-12, hiver 1985, pp. 95-112).

12. Aujourd'hui encore, constate Emmanuel Reynaud, la conscription est présentée comme « la participation de tous les citoyens à l'effort de défense » alors qu'elle ne concerne que les hommes (*op. cit.*, p. 45).

13. *Doctoresse Madeleine Pelletier*, p. 84.

14. Pierre Samuel, *Amazones, guerrières et gaillardes*, Bruxelles, Complexe/Presses universitaires de Grenoble, 1975.

15. Tout d'abord en Angleterre : création en 1881 de l'Army Nursing Service puis de corps auxiliaires féminins (après les lourdes pertes sur le front en 1916).

16. Raymond Caire, « Femmes militaires », *Armées d'aujourd'hui 91*, 06/1984, pp. 28-29, cité par Emmanuel Reynaud, *Les femmes, la violence... op. cit.*, p.28.

17. C'est sous déguisement que des femmes s'engagèrent en 1915 dans l'infanterie russe. Découvertes, certaines furent renvoyées, d'autres maintenues. En mai 1917, Mariya Bochkareva fut autorisée à créer un « bataillon de la mort » de 300 femmes envoyé sur le front occidental en juin 1917. Après de lourdes pertes, il fut dispersé à la fin de l'été. 5000 femmes dans d'autres unités continuèrent le combat.

18. Analogie douteuse, qui prendra une expression dramatique avec le nazisme : Hitler déclare en 1934 : « la femme a son champ de bataille. Chaque fois qu'elle donne un enfant à la nation, elle livre bataille pour elle » (Cité par Reynaud, *Les femmes, la violence... op. cit.*, p. 41).

19. *Une vie nouvelle*, pp. 100-101.

20. Hélène Brion, « L'organisation militaire des femmes en Russie », *La Lutte féministe*, 09/02/1921, pp. 9-10. Notons aussi que son article est placé dans la rubrique : « une âme libre en un corps libre ».

21. Les illusions d'Hélène Brion sur l'émancipation des femmes russes (qui ne dureront guère, malgré un voyage en Russie enthousiaste), influencent certainement cette déclaration et l'on pourrait dire que la communiste prend le pas sur la féministe antimilitariste si cette position favorable au droit à la défense des femmes n'était confirmée par d'autres indices.

22. Ce que remarquait Marie-Jo Dhavernas, « Les femmes, la violence et la guerre », *La Revue d'en face*, n° 11, 4ème trim. 1981, pp. 87-92.

23. « Les demi-émancipées », *La suffragiste*, 01/1912.

24. Madeleine Pelletier, *Journal de guerre*, BMD.

25 *Doctoresse Madeleine Pelletier*, pp. 2-3.

26. *Ibid.*, p. 16.

27. *Ibid.*, p. 76.

28. *La Femme vierge*, p. 186.

29. *Journal de Guerre*, BMD.

30. Cf. Correspondance d'Angelica Balabanoff avec Hélène Brion, Fonds Brion, Institut Français d'Histoire Sociale.

31. « Vous savez que Pelletier a adopté ou tout comme une petite fille : elle va même en prendre une seconde. Si ces enfants s'inspirent de l'exemple qu'elles ont devant elles, elles deviendront des types d'amoralité pour ne pas dire d'immoralité » (Caroline Kauffmann à Arria Ly, s.d., 1912 ?)

32. Caroline Kauffmann à Arria Ly, 05/07/1912.

33. Hélène Brion est elle aussi victime de son goût, bien que plus discret, pour le travesti. En 1917-1918, la presse, emportée contre elle au moment de son procès la décrit comme une figure « au moins anormale », « vêtue de complets masculins ». Déjà, avant la guerre, la CGT lui reprochait son excentricité, son manque de tenue et son costume de zouave. Cf. Anne-Marie Sohn, *Féminisme et syndicalisme : les institutrices de la Fédération unitaire de l'enseignement de 1919 à 1935*, thèse, Paris X, 1973, p. 272.

34. Germaine-Léa Dautet, *Le costume féminin et ses dangers*, Bordeaux, Imprimerie de l'université Cadoret, 1919, 115 p.

35. Augusta Moll-Weiss, *Le vêtement, son histoire, sa confection, son entretien*, Paris, Librairie Armand Colin, coll. « les petits manuels du foyer », 1917, 142 p.

36. *Une vie nouvelle*, p. 123.

37. Cf. Julie Wheelwright, *Amazons and Military Maids : Women who dressed as Men in pursuit of Life, Liberty and Happiness*, Pandora, 1989.

38. « De la toilette », *La Suffragiste*, 01/1913.

39. *Doctoresse Madeleine Pelletier*, pp. 74-75.

40. *Ibid.*, p. 86.

41. Madeleine Pelletier à Arria Ly, 22/08/1911.

42. *Doctoresse Madeleine Pelletier*, p. 70.

43. *Ibid.*, p. 12.

44. *Ibid.*, p. 20.

45. « Les femmes et le féminisme », *La Revue socialiste*, p. 44.

46. « Les femmes en culottes », *L'Echo de Paris*, 13/10/1991.

47. *La femme émancipée*, Paris, Montaigne, 1927, 217 p.

48. *Ibid.*, pp. 41-42.

49. Ecrivaine et psychologue, auteure de *La Femme aux prises avec la vie*, citée dans *La femme émancipée ... op. cit.*, pp. 64-68.

50. Cf. Anne-Lise Maugue, *L'identité masculine en crise au tournant du siècle*, Marseille, Rivages, 1987, 194 p.

51. Fernand Goland, *Les féministes françaises*, Paris, Francia, 1925, p. 248.

52. *Doctoresse Madeleine Pelletier*, p. 45.

53. *Ibid.*, pp. 52-53.

54. *Les femmes et le féminisme*, p. 37.

55. *Ibid.*, p. 38.

56. Anne-Marie Sohn, « La garçonne face à l'opinion publique, un type littéraire ou un type social des années 20 ? », *Le Mouvement Social*, 07-09/1972, pp. 3-28.

57. Rudolf M. Dekker, Lotte C. van de Pol, *The tradition of female tranvestism in transvestism modern Europe*, Macmillan Press, p. 2.

58. Cf. Nicole Pellegrin, « L'Androgyne au XVI* siècle : pour une relecture des savoirs », Danièle Haase-Dubosq, Eliane Viennot (dir.), *Femmes et pouvoirs sous l'Ancien-Régime.*, Marseille, Rivages, 1991, pp.11-52.

59. Cf. l'analyse de *Lysistrata* par Nicole Loraux, *Les enfants d'Athéna. Idées athéniennes sur la citoyenneté et la division des sexes*, Paris, La Découverte, 1984, pp. 157-196.

60. Marguerite Guépet, discours dactylographié prononcé au Club du Faubourg, le 3/11/1923 pour un débat sur la Garçonne, BHVP.

61. Nelly-Roussel répond en 1906 aux antiféministes qui ne voient dans le féminisme « qu'une masculinisation de la femme, une copie servile et grotesque du mâle par sa compagne envieuse » que « notre admiration (pour ces messieurs) n'est pas si profonde que nous voulions aussi leur ressembler en tout » (*Quelques lances rompues pour nos libertés*, Paris, Giard et Brière, 1910).

62. Marie-Jo Bonnet, *Un choix sans équivoque*, Paris, Denoël-Gonthier, 1981, p.211.

63. *La Morale et la Loi*, p. 11.

64. Cf. la récente biographie : Patrick de Villepin, *Victor Margueritte*, Paris, François Bourin, 1991, 389 p., malgré une interprétation contestable du rôle « féministe » de Margueritte et la forme de procès (Margueritte-démago et Margueritte-collabo) qui court, tout au long du livre et un vocabulaire choquant (*Nos égales* (1933) présenté comme un « modèle faisandé de féminisme puritain », par exemple).

65. Cf. Shari Benstock, *Femmes de la rive gauche*, Paris, 1900-1940, Paris, Des femmes, 1987, 502 p.

66. Cf. Guillaume Garnier, « Quelques couturiers, quelques modes », *Paris-couture-années trente*, Paris, Paris-Musées et Société de l'histoire

du costume, pp.9-74.

67. Dans un film américain, *Women like us*, présentant des interviews de lesbiennes âgées, était signalée cette contrainte vestimentaire dans les années 50, véritable catastrophe pour les femmes aimant s'habiller d'une façon masculine. Nombre d'entre elles chérirent alors l'uniforme libérateur, celui de l'armée notamment.

68. Rapport sur « Anne Madeleine Pelletier », 2/02/1916, Archives Nationales, série F 7 13 186.

69. Cf. Gudrun Schwartz, « "L'invention" de la Lesbienne par les psychiatres allemands » et Caroll Smith-Rosenberg, Esther Newton, « Le mythe de la Lesbienne et la Femme Nouvelle », *Stratégies des femmes*, Paris, Tierce, 1984.

70. Madeleine Pelletier à Arria Ly, 22/08/1911.

71. *The Well of Loneliness* parut à Londres en 1928 et fut interdit pour « obscénité ».

72. *La Question sexuelle exposée aux adultes cultivés*, Paris, 1906, p. 278., cité par Marie-Jo Bonnet, *Un choix sans équivoque... op. cit.*

73. Elle signe non sans humour une de ses lettres à Arria Ly le 6/10/1911 : « Féministement, Dr Pelletier, Demoiselle authentique ».

74. Sur les problèmes de définition du lesbianisme, voir les synthèses de Sheila Jeffreys, « Does It Matter If They Did It ? », Lesbian History Group, *Not a Passing Phase. Reclaiming Lesbians in History 1840-1985*, London, The Women's Press, 1989, pp. 19-28 et de Line Chamberland, « Le lesbianisme : continuum féminin ou marronage ?

Réflexions féministes pour une théorisation de l'expérience lesbienne », *Recherches féministes*, vol 2, n° 2, 1989, pp. 135-143.

75. Son mépris pour l'amitié, ses plaintes formulées à propos de son manque de tendresse me conduisent à penser qu'elle ne ressemble pas non plus aux « lesbiennes » adeptes du « psychic love » et ignorant volontairement les plaisirs « génitaux » décrites par Lillian Faderman, *Surpassing the love of men. Romantic friendship and love between women from the Renaissance to the present*, London, Junction Books, 1981, 496 p.

76. Monique Wittig, « La pensée Straight », *Questions féministes*, n° 7, 02/1980, pp. 45-53.

77. *Une vie nouvelle*, pp. 205-206.

78. *Doctoresse Madeleine Pelletier*, p. 92.

79. Simone de Beauvoir, *Journal de guerre. Septembre 1939-janvier 1941*, Paris, Gallimard, 1990, 369 p.

80. Et Simone de Beauvoir incontestablement déroge à quelques règles bien établies en refusant le mariage, la maternité, l'exclusivité amoureuse.

81. Débat toujours fort actuel qui traverse toutes les disciplines interpellées par le féminisme, dans un contexte qui diffère de celui du début du siècle.

82. Madeleine Pelletier, « Vote des femmes et service militaire », *La Suffragiste*, 12/1908.

83. Virginia Woolf, *Trois guinées*, (1938) traduit de l'anglais par Viviane Forrester, Paris, Des femmes, 1977, p. 202.

84. Nicole-Claude

Mathieu, « Les transgressions du sexe et du genre », *Sexe et Genre*, (M.C. Hurtig, M. Kail, H. Rouch ed.), Paris, Ed. du CNRS, 1991, p. 74.

**Notes, Marie-Victoire Louis, *Madeleine Pelletier, Sexualité et Prostitution* :**

1. *La femme vierge*, Paris, Bresle, 1933.
2. Lettre à Arria Ly, 7 novembre 1913.
3. Les sources d'information sont issues de son roman *La femme vierge*, qu'elle qualifie elle-même de « sorte d'autobiographie ». (Lettre à Arria Ly. 21 mars 1932), de ses Mémoires inédites déposées à La Bibliothèque Historique de la Ville de Paris dans le fond d'archives : Marie Louise Bouglé, ainsi que des lettres adressée à Arria Ly, qualifiée, comme Madeleine Pelletier, de « vierge rouge ».
4. *La femme vierge, op.cit.*, p.76.
5. *Ibid.*, p. 25.
6. *Ibid.*, p. 46.
7. *Ibid.*, p. 25.
8. *Ibid.*, p. 60.
9. *Ibid.*, p. 22.
10. *Ibid.*, p. 26 et 27.
11. *Ibid.*, p. 14.
12. *Ibid.*, p. 78.
13. *Ibid.*, p. 71.
14. *Ibid.*, p. 177.
15. Lettre à Arria Ly, 7 février 1916.
16. Marie Pierrot est le nom de la femme vierge de son roman.
17. *Ibid.*, p. 116.
18. *Ibid.*, p. 10.
19. *Ibid.*, p. 67.
20. *Ibid.*, p. 17.
21. *Ibid.*, p. 52.
22. *Ibid.*, p. 12.
23. *Ibid.*, p. 12.

24. *Ibid.*, p. 85.
25. *Ibid.*, p. 29.
26. *Ibid.*, p. 34.
27. *Ibid.*, p. 35.
28. *Ibid.*, p. 47.
29. *Ibid.*, p. 22.
30. *Ibid.*, p. 46.
31. *Ibid.*, p. 45.
32. *Ibid.*, p. 213.
33. Lettre à Arria Ly, 6 février 1933.
34. *La femme vierge*, p.7.
35. *Ibid.*, p. 27.
36. *Ibid.*, p. 28.
37. Mémoires inédites.
38. *La femme vierge*, p. 78.
39. *Ibid.*, p. 10.
40. *Ibid.*, p. 8.
41. *Ibid.*, p. 14.
42. *Ibid.*, p. 13.
43. Madeleine Pelletier, « De la prostitution », *L'Anarchie*, 11/1928.
44. *La femme vierge*, p. 15.
45. *Ibid.*, p. 56.
46. *Ibid.*, p. 37.
47. *Ibid.*, p. 116.
48. *Ibid.*, p. 45.
49. *Ibid.*, p. 53.
50. *Ibid.*, p. 24.
51. Lettre à Arria Ly, 7 novembre 1911.
52. *Ibid.*
53. Lettre à Arria Ly, 27 juin 1908.
54. *La femme vierge*, p. 79.
55. *Ibid.*, p.116.
56. *Mémoires d'une féministe.*
57. *La femme vierge*, p. 28 et 29.
58. *Ibid.*, p. 30.
59. *Ibid.*, p. 55.
60. *Ibid.*, p. 56.
61. *Ibid.*, p. 33 et 34.
62. Lettre à Arria Ly, 19 novembre 1911.
63. Lettre à Arria Ly, 17 mars 1927.
64. Lettre à Arria Ly, 20 septembre 1932.
65. *La femme vierge*, p. 100.
66. « Le cerveau et le sexe », *L'Ouvrière*, 31/07/1924.

67. « A propos d'un livre récent », L'Ouvrière, 5/01/1924.

68. Madeleine Pelletier, Dépopulation et civilisation, Paris, Beresniak, s.d., p. 6.

69. Ibid.

70. Madeleine Pelletier, Le célibat, état supérieur, Caen, Imp. caennaise, s.d.

71. Madeleine Pelletier, « De la prostitution », L'Ouvrière, 8/03/1924.

72. Madeleine Pelletier, L'amour et la maternité, la Brochure mensuelle, 1923, 21 p.

73. Lettre à Arria Ly, 20 septembre 1932.

74. Ibid.

75. Une vie nouvelle, p. 200.

76. Lettre à Arria Ly, 19 novembre 1911.

77. Lettre à Arria Ly, 27 juin 1908.

78. Lettre à Arria Ly, 7 Juillet 1932.

79. L'Ouvrière, 5/01/1924.

80. Le terme de « Masculina » qu'elle emploie n'est-il pas l'expression d'une construction théorique qui différencierait le sexe biologique et le genre sexuel ?

81. Lettre à Arria Ly, 12 août 1932.

82. Madeleine Pelletier a publié trois textes sur la prostitution ; le premier, court, a été publié le 8 mars 1924 dans L'Ouvrière, le second publié dans L'Anarchie, en novembre 1928, le troisième, plus important, publié en 1935, dans la brochure publiée aux Editions du Sphinx : La rationalisation sexuelle. C'est ce dernier texte (publié et présenté dans Cette violence dont nous ne voulons plus, n° 11-12, 03/1991 surLa prostitution, qui sera analysé ici.

83. Denise Pouillon-Falco, Cette violence dont nous ne voulons plus... op.cit., p. 75.

84. Lettre à Arria Ly, 10 février 1932.

85. Madeleine Pelletier, La femme en lutte pour ses droits, Paris, Giard et Brière, 1908, 79 p.

86. Madeleine Pelletier, De la prostitution.

87. La femme en lutte pour ses droits.

88. Lettre à Arria Ly, 4 juin 1932.

**Notes, Claude Zaidman, Madeleine Pelletier et l'éducation des filles :**

1. E. G. Bellotti, Du côté des petites filles, Paris, Des femmes, 1975.

2. L. Kandel, « L'école des femmes et le discours des sciences de l'homme », Les femmes s'entêtent, Paris, Gallimard, 1975.

3. N. Mosconi, La mixité dans l'enseignement secondaire : un faux-semblant ? Paris, PUF, 1989.

C. Baudoux, C. Zaidman, (dir.), Egalité entre les sexes, mixité et démocratie, Paris, L'Harmattan, à paraître en 1992.

4. L'éducation féministe des filles (1914) rééditée par C. Maignien : Madeleine Pelletier : L'éducation féministe des filles et autres textes, Paris, Syros, 1978.

5. S. de Beauvoir, Le deuxième sexe, Paris, Gallimard, 1945.

6. G. Fraisse, « Un dangereux anachronisme. Questions sur l'analyse de la reproduction du sexisme », L'empire du sociologue, Paris, La Découverte, 1984.

7. M. Pelletier, « Les facteurs sociologiques de la psychologie féminine », La revue socialiste, 1907. (Sauf mention particulière, les citations de cette partie sont toutes tirées de cet article).

8. Op. cit.

9. En 1911 dans l'article « éducation » du Nouveau dictionnaire de pédagogie et de l'instruction primaire (réédité Education et sociologie, PUF) le sociologue Durkheim écrivait : « Mais en fait dans chaque société, considérée à un moment déterminé de son développement, a un système d'éducation qui s'impose aux individus avec une force généralement irrésistible. Il est vain de croire que nous pouvons élever nos enfants comme nous voulons ».

10. F. Compayré, Ce qui différencie l'éducation des filles de celles des garçons, Bibliothèque des parents et des maîtres, 1909.

11. Le Célibat, état supérieur, Caen, Impr. caennaise, s.d.

12. P. Bourdieu, La distinction, Paris, Editions de Minuit.

13. Madeleine Pelletier, « Les femmes et le féminisme », La Revue socialiste, 01/1906.

14. Cette perspective utopique apparaît notamment dans L'Etat éducateur, Paris, 1931 et dans ses romans, La femme vierge (1933) et Une vie nouvelle (1932).

15. C. Zaidman, « Derrière le Suicide, le divorce... », Variations sociologiques, En hommage à Pierre Ansart, textes réunis par F. Aubert, Paris, l'Harmattan, 1992.

**Notes, Charles Sowerwine, *adeleine Pelletier, fut-elle socialiste* ? :**

\*M.Sowerwine a participé au colloque grâce à une subvention des Services culturels du Ministère des Affaires étrangères. M.Sowerwine tient à remercier tout particulièrement Mme le Professeur Laure Adler, Conseillère culturelle de l'Elysée, son excellence, M. Philippe Baude, Ambassadeur de la République française en Australie, et M. Daniel Leuwers, Conseiller culturel auprès de l'Ambassade française en Australie.

1. Charles Sowerwine, *Women and Socialism in France since 1876*, Ph.D thesis, The University of Wisconsin, 1973 (déposée à l'Institut Français d'Histoire Sociale) ; *Les Femmes et le socialisme : cent ans d'histoire*, Paris, Presses de la Fondation Nationale des Sciences Politiques, 1978 ; voir aussi Charles Sowerwine, « Le Groupe féministe socialiste, 1899-1902 », *Le Mouvement social*, n° 90, 1975, pp. 87-120.
2. Surtout l'excellente biographie de Felicia Gordon, *The Integral Feminist : Madeleine Pelletier (1874-1939)*, Londres, Polity Press, 1990.
3. Parue aux Editions ouvrières en 1992.
4. Claudine Mitchell, « Madeleine Pelletier (1874-1939) : The Politics of Sexual Oppression », *Feminist Review*, Autumn 1989, p. 87.
5 Madeleine Pelletier, *La Tactique féministe*. Ce texte paraît vers le début de 1908 comme le troisième chapitre de son livre *La Femme en lutte pour ses droits*, Paris, Giard et Brière, 1908, et ensuite dans *la*

*Revue socialiste*, avril 1908, pp. 318-333. Il est réédité par Claude Maignien dans *Madeleine Pelletier : L'éducation féministe des filles et autres textes*, Paris, Editions Syros, 1978.
6. Madeleine Pelletier, *La Tactique féministe*, pp. 318, 325.
7. Madeleine Pelletier, *Mémoires d'une féministe*, pp. 29-30.
8. Voir Charles Sowerwine, « Militantisme et identité sexuelle : la carrière politique et l'œuvre théorique de Madeleine Pelletier (1874-1939) », *Le Mouvement social*, n° 157, 10-12/1991, pp. 9-32.
9. Madeleine Pelletier, *Mémoires*, p. 29.
10. *Ibid.*, p. 34.
11. *Ibid.*
12. Madeleine Pelletier, « Ma candidature à la députation », *Les Documents du progrès*, 07/1910, p. 12 ; « Commission exécutive, Fédération de la Seine », *L'Humanité*, 27/06/1906 ; « Comité fédéral », *Ibid.*, 8/08/1906.
13. SFIO, *Troisième Congrès national tenu à Limoges les 1er, 2,3 et 4 novembre 1906 : compte rendu analytique*, Paris, Au siège du conseil national, n.d., pp. 146-151.
14. Madeleine Pelletier, *La femme en lutte... op. cit.*, p. 39.
15. *Ibid.*, pp. 42, 48.
16. Voir Charles Sowerwine, « Madeleine Pelletier, 1874-1939 : femme, médecin, militante », *L'Information psychiatrique*, 1988, pp. 1181-1193.
17. Madeleine Pelletier, « Les femmes s'agitent et veulent voter », *L'Humanité*, 22/12/1906 ; Louis Dubreuilh, « Suffragettes », *Ibid.*, 23/12/1906 ; voir aussi « Groupe socialiste au parlement », *Ibid.*, 22/12/1906.

18. « Groupe socialiste au Parlement », *Le Socialiste*, 1/04/1907. La sous-commission sera composée de Carlier, Constans, Jaurès, et Willm.
19. A. Varenne, « Rapport du Groupe Socialiste au Parlement », *Le Socialiste*, 21/07/1907.
20. « Les Suffragettes à l'Humanité », *L'Humanité*, 18/06/1907 ; « Rapport du 18 juin 1907 », Archives Nationales (AN) F⁷ 12.556.
21. SFIO, *Quatrième congrès national tenu à Nancy les 11,12, 13 et 14 août 1907:compte rendu sténographique* (Au siège du Conseil national, Paris, n.d.), pp.525-536.
22. *Le Socialiste*, 18 août 1907 ; *Septième congrès socialiste international tenu à Stuttgart du 16 au 24 août 1907 : compte rendu analytique publié par le secrétariat du bureau socialiste international*, Bruxelles, Impr. Brismée, 1908, pp. 61-62 ; « Anhang : Erste internationale Konferenz sozialistischer Frauen », *Internationaler Sozialistenkongress zu Stuttgart, 18. bis 24. August 1907*, Berlin, Verlag Buchhandlung Vorwärts, 1907, p. 154.
23. « Anhang », p. 126 ; Madeleine Pelletier, « La Question du vote des femmes », *La Revue socialiste*, 10/1908, pp. 329-330.
24. Madeleine Pelletier, « La Question du vote des femmes », *La Revue socialiste*, 10/1908, pp. 329-330.
25. *Ibid.* ; *Congrès Stuttgart 1907*, pp. 258-259.
26. *Congrès Stuttgart 1907*, pp. 258-260, 262.
27. *Ibid.*, pp. 343, 347.
28. Madeleine Pelletier, « Organisons les Femmes », *Le Socialiste*, 4/10/1908.

29. Charles Sowerwine, *Les Femmes... op. cit.*, chap. 4.

30. Madeleine Pelletier, *Mémoires*, p. 39 ; Sowerwine, *Les Femmes... op. cit.*, pp. 137-138.

31. « Congrès de la Seine », *Le Socialiste*, 28/07/1907.

32. Madeleine Pelletier, « Comment préparer la Révolution? », *La Guerre sociale*, 14/08/1907.

33. SFIO, *Congrès Nancy*, pp. 169-170.

34. Madeleine Pelletier, « Par de-là Guesde », *Ibid.*, 4/09/1907 ; voir aussi « Défendrons-nous la République », *Ibid.*, 3/02/1909.

35. *La Guerre sociale*, 30/01 et 20/03/1907.

36. Lettre de Madeleine Pelletier à Ferdinand Buisson, 15/09/1908, Fonds Buisson, BHVP.

37. *La Guerre sociale*, 24/06/1908 ; « La *Guerre sociale* et le féminisme », *Ibid.*, 1/07/1908.

38. Madeleine Pelletier, « Les Suffragettes et l'*Humanité* », *Ibid.*, 17/11/1909.

39. Madeleine Pelletier, « La Femme soldat », *La Suffragiste*, 10/1908 ; Madeleine Pelletier, *Mémoires*, pp. 41-44 ; « Aux armes... Citoyennes ! », *L'Intransigeant*, 30/10/1908.

40. *La Suffragiste*, 06/1910 ; « Les insurrectionnels de la Seine », 27/02/1909, Archives de la Préfecture de Police, B/a 767 ; Jean-Claude Peyronnet, *Un exemple de journal militant : La 'Guerre sociale' de Gustave Hervé (1906-1914)*, DES, Université de Paris, s.d., p. 131-135 ; « Congrès de la Fédération de la Seine », *L'Humanité*, 29/03/1909.

41. SFIO, *Sixième congrès national tenu à St.-Etienne les 11, 12, 13 et 14 avril 1909 :*

compte rendu sténographique, Paris, Au siège du conseil national, s.d., pp.351–353, 470–471, 525 ; *Congrès Saint-Etienne*, AN F⁷ 13.072. Pour l'activité de Pelletier en tant que lieutenant d'Hervé, voir « Rapports » des 1/05 ; 29/08 ; 21 et 23/09/1909, AN F⁷ 12.558.

42. « Conseil National, Réunion Plénière », *Le Socialiste*, 7/11/1909.

43. *Journal officiel, Chambre des députés*. Séance du 29 octobre 1909 ; « A la Chambre », *L'Humanité*, 30/10/1909. Les féministes s'en réjouirent : voir *Le Journal des femmes* et *Ligue française pour le droit des femmes*, 11/1909.

44. *Journal officiel, Chambre des députés*. Séance du 13 juin 1910.

45. Un sommaire des réunions de la CAP paraissait régulièrement dans *Le Socialiste*.

46. Madeleine Pelletier, *Mémoires*, p. 38. La CAP lui tenait trop à coeur comme scène d'action politique pour engager une lutte féministe qui ne pourrait que renforcer l'hostilité masculine et risquer de la parquer dans des rôles féminins : « je suis taillée pour la lutte politique ; on me la refuse parce que femme », écrit-elle par la suite.

47. Lettre de Madeleine Pelletier à Arria Ly, 31/05/1913, BHVP.

48. SFIO, *Septième congrès national tenu à Nîmes les 6, 7, 8 et 9 février 1910 : compte rendu sténographique*, Paris, Au siège du conseil national, s.d.

49. « Rapport du 4 février 1910 », AN F⁷ 12.559, p. 3.

50. « Guesdisme ou Hervéisme ? », *La Suffragiste*, 06/1910.

51. Madeleine Pelletier,

*Mémoires*, pp. 45-46.

52. Madeleine Pelletier, « La classe ouvrière et le féminisme », *La Suffragiste*, 07/1912.

53. Elle adhère au Parti communiste en 1920, le quitte en 1926, passe trois ans dans la mouvance anarchiste, adhère au Parti d'Unité Prolétarienne en 1926, mais refuse la rentrée à la S.F.I.O. en 1936 ; elle reste avec la fraction dissidente du P.U.P., l'Union socialiste communiste, jusqu'à sa mort.

**Notes, Claude Maignien, L'expérience communiste ou la foi en l'avenir radieux (1920 - 1926) :**

1. *La Femme Vierge*, Paris, Bresle, 1933, p. 207.

2. *La femme vierge*, p. 204.

3. *Mon voyage aventureux en Russie communiste*, Paris, Giard, 1922, p. 5.

4. Fred Kupferman, *Au pays des soviets. Le voyage français en Union Soviétique 1917-1939*, collection Archives, 1979.

**Notes, Claudie Lesselier, L'utopie des années trente : « Une vie nouvelle », un roman de Madeleine Pelletier :**

1. Voir Felicia Gordon, *The integral feminist. Madeleine Pelletier, 1874-1939*, Cambridge, Polity Press, 1990, 295 p.

2. Idées qu'elle a déjà exprimées dans de nombreux textes notamment dans *Mon voyage aventureux en Russie communiste*, Paris, Giard, 1922, *Capitalisme ou communisme*, Nice, 1926, 16 p., *Le féminisme et la famille*, Paris,

Solidarité des femmes, s.d., 16 p., *Mémoires d'une féministe* (manuscrit), ou qu'elle reprendra dans son dernier travail, *La rationalisation sexuelle*, Paris, Editions du Sphinx, 1935, 92 p.

3. Etienne Cabet, *Voyage en Icarie*, 1840-45 (réédition : Paris, Editons Anthropos, 1970).

4. Ce n'est pas une idée particulière à Madeleine Pelletier, elle est présente dans les utopies libertaires, ou dans le projet féministe-bolchéviste formulé par A. Kollontaï. Sur ce dernier point voir Judith Stora-Sandor, *Alexandra Kollontaï: marxisme et révolution sexuelle*, Paris, Maspéro, 1973, et Christine Faure, « L'utopie de la "femme nouvelle" dans l'œuvre d'Alexandra Kollontaï », *Stratégies des femmes*, Paris, Editions Tierce, 1984, pp. 481-498.

5. Ce que Madeleine Pelletier proposait déjà comme alternative tant à la vie étouffant et limitée de la famille qu'à la solitude du célibat, par exemple dans *Le féminisme et la famille*, et qu'elle reprendra dans *La rationalisation sexuelle*.

6. Voir « Mon voyage aventureux en Russie communiste » et « Valeur de la démocratie », *La voix des femmes*, 24/03/1921, ainsi que *Mémoires d'une féministe*.

7. Pierre Kropotkine, *Champs, usines et ateliers ou l'industrie combinée avec l'agriculture et le travail cérébral avec le travail manuel*, édition fr. Paris, 1910, 486 p. ; *La conquête du pain*, Paris, Stock, 1892, 299 p. ; James Guillaume, *Idées sur l'organisation sociale*, 1876 (réédition Groupe Fresnes-Antony de la FA, 1979, 41p.).

8. Emile Pouget et E.

Pataud, *Comment nous ferons la révolution*, Paris, 1909, 298 p. ; Sébastien Faure, *Mon communisme*, Paris, éditions de la Fraternelle, 1921, 408 p.

9. A. Kollontaï écrit que la révolution russe annonce « l'avènement prochain du paradis terrestre auquel depuis des siècles aspire l'humanité « (*La famille et l'état communiste*, Paris, Bibliothèque communiste, 1920, 24 p.).

10. Dans *La rationalisation sexuelle*, faisant allusion à Kollontaï, Madeleine Pelletier dénonce le « contrôle de la communauté sur la vie intime de l'individu » qui lui serait « odieux ».

11. Voir Fred Kupferman, *Au pays des soviets. Le voyage français en Union soviétique 1919-1939*, Paris, Gallimard, 1979. Kupferman cite par exemple un ouvrage de Paul Vaillant-Couturier, *Les bâtisseurs de la vie nouvelle*, 1932.

12. Voir Anatole Kopp, *Ville et révolution*, Paris, Editions Anthropos, 1967 et Michel Ragon, *Histoire de l'architecture et de l'urbanisme moderne. Tome 2 : la ville moderne, 1900-1940*, Paris, Editions du Seuil.

13. Friedrich Engels, *Socialisme utopique et socialisme scientifique*, 1880 (réédition : Paris, Editions sociales, 1962).

14. Karl Marx, *Manuscrits de 44*, cité par Kostas Papaioannou, *Marx et les marxistes*, p. 43.

**Notes, Michelle Perrot, Madeleine Pelletier ou le refus du « devenir femme » :**

1. Eve et Jean Gran-Aymeric, *Jane Dieulafoy. Une vie d'homme*, Paris, Perrin, 1991.

2. Sur ce point, Cf. pour la France : Laurence Klejman et Florence Rochefort, *L'égalité en marche. Le féminisme sous la Troisième République*, Paris, Presses de la FNSP/ Des femmes, 1989 ; et plus largement, *Histoire des Femmes en Occident, tome IV, le XIXᵉ siècle*, sous la direction de Geneviève Fraisse et Michelle Perrot, Paris, Plon, 1991.

3. Jacques Le Rider, *Le cas Otto Weininger. Racines de l'antiféminisme et de l'antisémitisme*, Paris, PUF, 1982 ; *Modernité viennoise et crises de l'identité*, Paris, PUF, 1990.

4. Selon ses papiers inédits qui comportent à la fois journal professionnel intime et roman autobiographique. Marie Rauber avait été mariée à un républicain franc-maçon très lié à Ferdinand Buisson. Elle-même est une laïque convaincue ; mais elle estime avoir été « flouée », comme l'écrira plus tard Simone de Beauvoir. Son roman, qui est une autobiographie transparente pour quiconque a lu son journal, est un règlement de compte personnel et professionnel. Elle se rallie à l'idée du célibat comme condition de la liberté des femmes qui veulent une vie publique. Ses papiers m'ont été confiés par Philippe Lejeune que je remercie de sa confiance.

5. *L'Unité*, n° 42.

6. Et ceci conforte les analyses d'Elisabeth Roudinesco sur la pénétration du freudisme en France entre les deux guerres ; Cf. *Histoire de la psychanalyse en France*, tome II, Paris, Le Seuil, 1986.

# Les auteures

## Christine Bard
Historienne, allocataire de recherche-monitrice à l'Université de Paris VII, membre du CEDREF, thèse en cours sur « le mouvement féministe en France 1914-1939 ».

## Jean-Christophe Coffin
Historien, Université de Paris VII et Université de San Marin, thèse en cours : « De la théorie de la dégénerescence à l'idée de décadence dans le discours médical en France et en Italie 1860-1900 ».

## Anne Cova
Historienne, E.H.E.S.S., thèse en cours sur « Droits des femmes et protection de la maternité en France fin XIXe siècle jusqu'à 1939 ».

## Félicia Gordon
Enseignante en Civilisation française, au Cambridge College of Arts and Technology, auteure de *The Integral Feminist, Madeleine Pelletier 1874-1939*, Polity Press, 1990.

## Claudie Lesselier
Historienne, membre du CEDREF, auteure d'une thèse sur les femmes et la prison 1815-1939.

## Marie-Victoire Louis
Sociologue au CNRS, membre du CEDREF, travaille sur les violences contre les femmes, prépare actuellement un livre sur le droit de cuissage au XIXe siècle.

## Claude Maignien
Historienne, thèse en cours sur les ouvrières du Livre, sous la direction de M. Rebérioux.

## Léonor Penalva

Psychanalyste dans un hôpital de jour (Ste-Anne et Clermont de l'Oise), membre de l'APF (Association psychanalytique de France).

## Michelle Perrot

Historienne, Professeur à Paris VII, a co-dirigé avec Georges Duby l'*Histoire des femmes*, Plon, Paris, 1991.

## Evelyne Peyre

Biologiste, paléo-anthropologue au CNRS (Laboratoire d'Anthropologie du Musée de l'Homme), a participé au groupe « femmes et science », a travaillé sur la critique de la socio-biologie et surtout, avec Joëlle Wiels, dans le cadre de l'ATP « femmes » du CNRS sur la relation sexe biologique-sexe social (in *Sexe et genre*, Presses du CNRS).

## Florence Rochefort et Laurence Klejman

Historiennes, auteures d'une thèse sur « le mouvement féministe en France 1868-1914 », publiée en 1989 sous le titre *L'égalité en marche. Le féminisme sous la III<sup>ème</sup> République*, Presses de la Fondation Nationale des Sciences Politiques / Des femmes.

## Francis Ronsin

Maître de Conférences à l'Université de Paris VII, a publié plusieurs livres sur le néo-malthusianisme (*La grève des ventres*), sur le divorce, sur Jeanne Humbert...

## Charles Sowerwine

Historien, professeur à l'Université de Melbourne, auteur de *Les femmes et le socialisme*, Presses de la Fondation Nationale des Sciences Politiques, 1978, et de nombreux articles.

## Claude Zaidman

Sociologue, maître de conférences à l'Université de Paris VII, responsable du CEDREF, organisatrice en 1991 du premier colloque du CEDREF sur le thème de la mixité. Elle est spécialiste de la sociologie de l'éducation.

# Table